AMANDLA!

Nelson Mandela

Amandla!

Nelson Mandela in zijn eigen woorden

Vertaald door Onno Kosters

PANDORA

Pandora pockets maakt deel uit van Uitgeverij Contact
Amandla! verscheen eerder bij Uitgeverij Contact

Tweede druk
© 2003 Nelson Mandela/ The Nelson Mandela Foundation
© 2005, 2008 Nederlandse vertaling van geselecteerde speeches Onno Kosters
Oorspronkelijke titel *Nelson Mandela: From Freedom to the Future. Tributes and
Speeches*
Typografie Arjen Oosterbaan
Omslagontwerp Via Vermeulen/Rick Vermeulen
Foto omslag Hans Gedda (Corbis/TCS)
ISBN 978 90 254 2919 5
NUR 302

www.pandorapockets.nl
www.uitgeverijcontact.nl

Inhoud

Voorwoord

Kofi A. Annan

Secretaris-generaal van de Verenigde Naties

Mensen vragen me vaak wat één enkel individu kan uitrichten wanneer hij wordt geconfronteerd met onrecht, conflicten, schendingen van mensenrechten of grootschalige armoede en ziekte. In mijn antwoord verwijs ik dan altijd naar het doorzettingsvermogen en de moed, waardigheid en grootmoedigheid van Nelson Mandela.

Ik verwijs naar zijn levenslange strijd tegen de apartheid en zijn standvastige weigering gedurende zijn jarenlange gevangenschap zijn overtuigingen los te laten. Ik verwijs naar zijn inspirerende leiderschap, na zijn vrijlating, tijdens de vreedzame overgang naar een zuivere, multiraciale, meerpartijendemocratie gebaseerd op een grondwet die de elementaire rechten van de mens waarborgt. Ik verwijs naar zijn niet-aflatende inspanningen, als president van de Republiek Zuid-Afrika, om de noodzakelijke politieke, economische en sociale omstandigheden te realiseren die Afrika vrede en voorspoed kunnen brengen.

Maar vooral verwijs ik naar zijn onvoorwaardelijke bereidheid om zich te verzoenen met hen die hem het zwaarst hebben vervolgd, en de waardigheid waarmee hij de belofte is nagekomen niet langer dan één termijn zijn land als president te dienen.

Maar daar bleef het niet bij. Tot op heden is Madiba waarschijnlijk de internationaal meest bewonderde, gerespecteerde persoon ter wereld. Nog steeds inspireert hij wereldwijd miljoenen mensen van alle leeftijden door zijn aanhoudende strijd om verzoening boven aanklacht te verkiezen, het herstel van verhoudingen boven verbittering, vrede boven conflict; door te strijden voor gezondheidszorg, onderwijs, voor het recht van ieder kind op een betere toekomst; door niet alleen Zuid-Afrika maar héél Afrika erop te wijzen dat het het recht en de plicht heeft om de eigen toekomst en het eigen lot zélf in handen te nemen. Zoals hijzelf in een van de vele indrukwekkende toespraken uit dit boek zegt: 'Afrika heeft lange tijd een wijze van denken gehanteerd die "het verleden" en "de anderen" alle schuld in de schoenen schuift.'

Dit boek vormt een toepasselijk eerbetoon aan Madiba voor zijn vijfentachtigste verjaardag. Maar de enige juiste wijze waarop wij werkelijk uiting kunnen geven aan onze dankbaarheid voor wat hij ons door zijn leven heeft laten zien, is voor ieder van ons om te trachten dagelijks zijn voorbeeld te volgen. Als ook maar het geringste deel van wat hij voor zijn medemens heeft nagestreefd wordt verwezenlijkt, als wij ook maar een fractie van de eisen aan onszelf stellen die hij aan zichzelf heeft gesteld, zal Afrika, zal de wereld, een veel, veel betere plek worden.

Voorwoord

William J. Clinton

42ste president van de Verenigde Staten

Mijn liefde en respect voor president Mandela zijn groot, niet in het minst door zijn nimmer aflatende vriendschappelijkheid en gastvrijheid voor Hillary, Chelsea en mijzelf.

Wat heeft hij ons veel geleerd, over zó veel dingen. De belangrijkste les is misschien wel, met name voor jongeren, dat hoezeer goede mensen ook kwaad wordt gedaan, wij immer de vrijheid en de verantwoordelijkheid behouden om zelf te beslissen hoe te reageren op onrecht, wreedheid en geweld, en hoe we ons erdoor laten beïnvloeden.

In de zevenentwintig jaar dat hij gevangenzat, is Mandela lichamelijk en geestelijk mishandeld, eenzaam opgesloten en vernederd. Op de een of andere manier hebben deze kwellingen zijn geest gereinigd en zijn blik verhelderd, waardoor hij de kracht heeft gevonden zich zelfs achter de tralies een vrij man te voelen, en zichzelf te vrijwaren van woede en haat toen hij eenmaal was vrijgelaten.

Die vrijheid wordt weerspiegeld in de manier waarop hij als president heeft geregeerd: hij heeft zijn onderdrukkers in zijn regering opgenomen en hij heeft er alles aan gedaan rassenscheidingen en economische en politieke scheidslijnen te overbruggen, en alle Zuid-Afrikanen dezelfde 'lange weg naar de vrijheid' te laten bewandelen die zijn eigen leven zo buitengewoon heeft gemaakt.

Het mooiste cadeau dat wij hem bij deze bijzondere gelegenheid kunnen geven, is zelf onze eigen schuldenaren te blijven vergeven en, iedere dag opnieuw, de barricaden te slechten die tussen ons in staan.

Gedurende jaren die duisterder waren dan de meesten van ons ooit zullen doormaken, zag president Mandela voor zichzelf en voor zijn land een stralende toekomst. En nu biedt hij ons de hoop dat onze inspanningen om hiv/aids uit te bannen niet voor niets zijn en dat, net als de apartheid, die verschrikkelijke plaag ooit tot het verleden zal behoren.

Mandela's blijvende erfenis is dat hij ondanks de loden last van de onderdrukking, achter de verschillen, de haat en de verschrikkingen datgene kon blijven zien wat wij als mensen juist délen, en dat hij dát kon omarmen. Dankzij zijn leven en werk zijn ook wij daar een stap dichterbij gekomen.

Inleiding

Kader Asmal, David Chidester en Wilmot James

Dit boek is Madiba in 2003 op zijn vijfentachtigste verjaardag aangeboden, als eerbetoon aan en bewijs van zijn blijvende nalatenschap. Het eert iemand die grote idealen over het gezond verstand en de verbeelding koestert, over rechtvaardigheid en vrijheid, iemand wiens hoogstaande persoonlijke ethiek onder de zwaarste omstandigheden tot stand is gekomen en die toch in staat is, zoals de filosoof Kant het formuleerde, om 'zo te handelen dat je de mensheid, zowel in je eigen persoon als in de persoon van ieder ander, tegelijkertijd ook als doel en nooit enkel als middel gebruikt'.

Aan de hand van een keuze uit Nelson Mandela's toespraken biedt dit boek een levendig en gedenkwaardig overzicht van zijn onafgebroken betrokkenheid bij onderwerpen als vrijheid en verzoening, democratie en ontwikkeling, cultuur en diversiteit en de ontplooiing van alle mensen in Zuid-Afrika, Afrika en de rest van de wereld. Het boek brengt Madiba's voortdurende zorg voor kinderen, onderwijs en gezondheidszorg over het voetlicht; het bevat daarnaast persoonlijke eerbetonen aan Zuid-Afrikaanse helden als Steve Biko, Bram Fischer en Walter Sisulu; en het sluit af met zijn veelbetekenende bijdragen aan het internationale vredeswerk. Het boek vormt een samenvatting en bevestiging van Mandela's verdiensten voor een duurzame toekomst.

Wij zijn ons er terdege van bewust dat Mandela's verdiensten meer dan eens zijn geprezen. Hij is geëerd en met prijzen overladen, hij wordt over de hele wereld gevierd en aanbeden, door internationale politieke leiders en door de gewone man, in nooit eerder vertoonde bewoordingen van liefde en respect. Wij zouden door alle loftuitingen soms bijna vergeten welke strijd, welke duisternis, welke pijnlijke verliezen en welke keiharde onderhandelingen aan deze vreugde-uitingen vooraf zijn gegaan.

Daarnaast zouden wij gemakkelijk voorbij kunnen gaan aan het feit dat Mandela's prestaties altijd met zo'n opmerkelijk brede instemming, door mensen met de meest uiteenlopende overtuigingen, zijn begroet. In de jaren negentig hebben zowel de presidenten van de Verenigde Staten als de president van Cuba, zo verdeeld als zij in politieke zin ook waren, Madiba lof toegezwaaid. Zoals voormalig president van de Verenigde Staten Bill Clinton het formuleerde:

Lange tijd is de naam Nelson Mandela synoniem geweest met de zoektocht naar vrijheid. Zijn geest is nimmer gebroken in die zevenentwintig jaar van onrechtvaardige gevangenschap. De apartheid heeft hem de mond niet kunnen snoeren. [–] Na zijn lange strijd vond Nelson Mandela in zichzelf de kracht om anderen de hand te reiken, om te bouwen in plaats van af te breken. Hij is zijn land voorgegaan en heeft altijd verzoening boven verdeeldheid verkozen. En dat is het wonder van het nieuwe Zuid-Afrika. Telkens weer liet president Mandela het verstand zegevieren en wist hij boven de verbittering uit te stijgen. President Mandela en het volk van Zuid-Afrika, zwart en blank, hebben anderen over de hele wereld tot lichtend voorbeeld gediend.[1]

President Clinton heeft Mandela als 'het symbool van de vrijheid voor de wereld' erkend, zijn verdiensten in dat licht geroemd en de vérgaande politieke implicaties van zijn persoonlijke kracht, vastberadenheid en wijsheid gezien. Op vergelijkbare wijze heeft Fidel Castro, de president van Cuba, in de openingszinnen van een toespraak tot het Zuid-Afrikaanse parlement Mandela lof toegezwaaid:

Nelson Mandela zal niet worden herinnerd om de zevenentwintig aaneengesloten jaren van gevangenschap die hij heeft doorstaan zonder ooit zijn principes op te geven. Hij zal worden herinnerd omdat hij zich in al die jaren niet heeft laten vergiftigen door haat om zijn onrechtvaardige opsluiting. Hij zal worden herinnerd vanwege zijn mildheid en zijn wijsheid op het moment dat de overwinning al niet meer te stoppen was en hij zijn zelfopofferende en heldhaftige volk zo briljant wist te leiden, wetende dat het nieuwe Zuid-Afrika nooit kon worden gebouwd als haat en wraak de overhand zouden hebben.[2]

Het lijkt een raadsel: wij horen vergelijkbare aanbevelingen vanuit twee verschillende kampen van de wereldpolitiek. In beide gevallen echter wordt
Mandela erkend als degene die bij uitstek het persoonlijke en het politieke
in zich wist te verenigen. De politieke veranderingen in Zuid-Afrika werden mogelijk gemaakt door Nelson Mandela's persoonlijke kracht om zichzelf te reinigen van de giftige werking van haat of wraak, om boven iedere
vorm van verbittering uit te stijgen, om edelmoedigheid te tonen en anderen de hand te reiken en toch, onder de zwaarste en meest onrechtvaardige omstandigheden, trouw te blijven aan zijn principes.

En die principes, zo zou Mandela zelf zeggen, waren niet alleen de zijne.
Ze waren ontstaan als gezamenlijk uitgangspunt van een politieke beweging,
het African National Congress (ANC). Hij heeft meermalen aangegeven dat
hij zichzelf het liefst omschrijft als een trouw lid van het ANC Maar het politieke heeft, zoals president Clinton en president Castro hebben ingezien,
in Mandela een sterk persoonlijke draai gekregen. Zoals secretaris-generaal
Kofi Annan in zijn voorwoord heeft aangegeven, heeft Mandela aangetoond
dat één individu met dergelijke moed en vasthoudendheid, met zo veel waardigheid en generositeit, in een politieke strijd wel degelijk iets kan uitrichten.

Maar deze loftuitingen, zou u kunnen opmerken, zijn allemaal afkomstig van politici, die zich bedienen van politieke retoriek. Echter ook kunstenaars, dichters en musici hebben de lof gezongen van Nelson Mandela.
Hoor de Britse hofdichter Andrew Motion:

Dat rechte pad
van de bak naar het hek –
dat pad dat door de wereld werd gezien
en de wereld veranderde –
leidde je naar het leven en liet
het leven dat je werd onthouden achter je,
leidde je uit de groeve
waar je hart niet werd gebroken.

Naar het leven dat je voor je zag
en vervolgens leefde,
dat wij in je verbeelding ooit
deelden

maar algauw deelden
in de werkelijkheid
die jij vorm gaf:
het leven waarin ieder sprankje
hoop de kans kreeg
werkelijkheid te worden
en te blijven;
het leven dat wist wat het betekent
te veranderen;
het leven dat ons liet zien dat we
onszelf worden
deels door te kijken naar hoe jij
jezelf werd.[3]

Omdat lofdichten zowel een dramatische kunst als een vorm van politieke retoriek zijn, kan er een bijzondere vorm van identificatie tussen zanger, samenleving en het onderwerp ontstaan. In Motions indringende verwoording worden wij, het nieuwe Zuid-Afrika, maar ook wij, de mensheid als geheel, onszelf, door het gevoel dat wij deel uitmaken van een collectieve identiteit – door Mandela zichzelf te zien worden.

Door de waarheid altijd trouw te blijven, zoals Motion suggereert, heeft Mandela een plek gecreëerd waar de hoop levend wordt gehouden voor mensen om hun eigen dromen en ambities waar te maken en waar ze zich thuis kunnen voelen. Omdat hij de menselijke solidariteit, in het hier en nu, centraal stelt, heeft Mandela de manier veranderd waarop de mensen Zuid-Afrika en de wereld als geheel beleefden. Die ruimte, waar menselijke solidariteit, gezamenlijkheid en erkenning samenvielen, werd door Mandela echter vormgegeven gedurende een dramatische historische overgangsperiode. Lofdichters moeten het heden ook als een onderdeel van een historische ontwikkeling zien en zo onze huidige plaats in de tijd bepalen. Traditioneel brengen dichters tijd en ruimte, geschiedenis en plaatsbepaling bij elkaar. In het koor van Nobelprijswinnaar Seamus Heaneys epos *The Cure at Troy*, dat werd geïnspireerd door Nelson Mandela's vrijlating, overdenkt de dichter de historische betekenis voor de wereld van deze zo zeldzame samenvloeiing van hoop en het verleden:

Mensen lijden.
Ze kwellen elkaar.
Hun pijn maakt ze sterk.
Geen lied of gedicht
maakt onrecht goed dat
eenmaal is toegebracht.

Hoop niet in dit leven, leert
het verleden, maar toch kan
eens de langverwachte golf
van de gerechtigheid opstaan
en gaan de hoop en het
verleden elkaar verstaan.

Hoop dus dat het tij keert
aan gene zijde van de wraak.
Geloof dat een verre kust
binnen bereik ligt.
Geloof in wonderen
en geneeskrachtige bronnen.

Brand in de bergen,
donder en bliksem,
een god die buldert:
iemand schreeuwt
verwonderd en hoort het
nieuwe leven schreeuwen;

eens in je leven zal
de gerechtigheid opstaan
en gaan de hoop en het
verleden elkaar verstaan.[4]

Ofschoon het koor door Mandela's vrijheid werd geïnspireerd en de vrijheid die in Zuid-Afrika ontstond voor een belangrijk deel werd geïnspireerd
door zijn vermogen de hoop en het verleden te laten samenvloeien, klinken
er ook andere historische gevechten in door, van het oude Griekenland tot

koloniaal Afrika, van verleden tot heden, waar ook ter wereld mensen lijden en onverwachts, verrassend genoeg, ontdekken dat hun hoop gerechtvaardigd is omdat de geschiedenis hun hoop doet uitkomen. Zelden krijgen wij, zoals het koor zingt, zo'n nieuw begin te zien. Mandela's vrijlating was de schreeuw van een nieuw leven. Heaneys woorden vertolken het idee dat Mandela's leven, dat door een wederopstanding van gerechtigheid werd bezield, in Zuid-Afrika tot een nieuwe samenhang tussen de hoop en het verleden heeft geleid.

Ook dichters zingen dus Mandela's lof. De hele wereld bejubelt hem. Mandela is van iedereen. In Zuid-Afrika mogen we echter met recht zeggen dat hij, in eerste instantie, van ons is; hij is onlosmakelijk verbonden met onze strijd, onze successen en onze hoop voor de toekomst. Wij hebben het voorrecht gehad aan de zijde van Nelson Mandela de lange weg naar de vrijheid af te leggen.

NOTEN

1 Uit Bill Clintons wekelijkse radiotoespraak, 8 oktober 1994.
2 Uit de toespraak van Dr. Fidel Castro Ruz, president van Cuba, tot het Zuid-Afrikaanse parlement, 14 september 1998.
3 Andrew Motion, 'To Nelson Mandela: A Tribute', The Guardian, 7 april 2000.
4 Seamus Heaney, 'Koor', The Cure at Troy: A Version of Sophocles' Philoctetes, The Noonday Press, 1991.

1

Strijd

Volledig democratische rechten

Fragmenten uit een toespraak tot de jaarvergadering van de ANC-jeugdafdeling, december 1951

De mensheid als geheel staat op dit moment op de drempel van grote gebeurtenissen – gebeurtenissen die soms het bestaan van de mensheid zélf lijken te bedreigen. Enerzijds zijn er groepen, partijen en personen die bereid zijn een oorlog te beginnen om het kolonialisme, het imperialisme en de winstgevendheid ervan te verdedigen. Deze groepen, die worden aangevoerd door de heersende kringen in Amerika, zijn vastbesloten een permanente sfeer van crisis en angst in de wereld in stand te houden. Ze zijn er zich terdege van bewust dat een wereld die bang is, niet helder kan nadenken, en proberen zo de omstandigheden te creëren waaronder de gewone burgers verleid zouden kunnen worden om de ontwikkeling van meer en meer atoomwapens, bacteriologische wapens en andere massavernietigingsmiddelen te ondersteunen.

Deze dwazen, van wie de schoolvoorbeelden aan het hoofd van Amerikaanse en West-Europese trusts en kartels staan, beseffen niet dat zijzelf deel zullen uitmaken van de verwoesting die ze voor hun onschuldige medemensen in gedachten hebben. Maar ze worden steeds wanhopiger wanneer ze zich realiseren hoe vastberaden de gewone man en vrouw zijn om de vrede te bewaren.

Jazeker, de gewone man en vrouw, die generaties lang het werktuig in handen van verdwaasde politici en overheden zijn geweest, die ontberingen en verdriet hebben ondergaan in oorlogen die slechts een kleine, geprivilegieerde minderheid ten goede zijn gekomen, staan op dit moment klaar om onderwerp van de geschiedenis te worden, en niet meer louter lijdend voorwerp. De gewone man en vrouw in de hele wereld zijn bezig hun eigen geschiedenis vorm te geven. Zij hebben de gelofte gedaan om hun lot zelf te bepalen en niet in de handen te laten van heersende kringen – of klassen – die in wezen weinig voorstellen.

Terwijl de duistere, boosaardige krachten zich opmaken voor een wanhoopsoffensief om een decadente en bankroete beschaving voor de ondergang te behoeden, strijden de gewone man en vrouw vol vertrouwen en hoop voor een nieuwe, verenigde en welvarende mensheid. Dit kan worden afgeleid uit de militante en moedige strijd die in alle koloniën tegen een grote overmacht wordt gevoerd. Onze moederorganisatie heeft in heldere en onmiskenbare bewoordingen aangegeven in welk kamp wij in deze wereldwijde krachtmeting thuishoren. Wij behoren tot de onderworpenen der aarde en verzetten ons zonder enige terughoudendheid tegen iedere vorm van imperialisme.

De koloniale machten in Afrika – Groot-Brittannië, Portugal, Frankrijk, Italië, Spanje, en hun loopjongens in Zuid-Afrika – proberen met behulp van de beruchte Amerikaanse heersende klasse de koloniale heerschappij en onderdrukking in stand te houden. Er stromen miljoenen ponden het continent binnen in de vorm van kapitaal om onze grondstoffen te winnen, waarbij alleen het belang van de koloniale machten is gediend. Er zwerven zogenaamd geologische en archeologische expedities over het continent die schijnbaar materiaal verzamelen om de wetenschap te bevorderen en de mensheid verder te helpen, maar die in feite de voorhoede zijn van een Amerikaanse bezettingsmacht. Het is van groot belang voor ons en voor het Afrikaanse volk als geheel, om te beseffen dat zonder Amerikaanse hulp het moeilijk, zo niet onmogelijk is voor de koloniale machten om hun macht in Afrika of waar ook ter wereld in stand te houden. In ons denken over de rechtstreekse vijanden van het Afrikaanse volk, te weten Groot-Brittannië, Portugal, Frankrijk, Italië, Spanje en Zuid-Afrika, mogen wij nooit vergeten dat de indirecte vijand die hen met leningen, investeringen en wapens ondersteunt, oneindig veel gevaarlijker is.

Net als in de rest van de wereld trekken de mensen in Afrika tegen deze machten ten strijde. In Goudkust [vanaf 1957: Ghana; vert.] kan de situatie een complete overwinning voor het volk worden genoemd. In Nigeria wijzen de gebeurtenissen in dezelfde richting. In Frans West-Afrika voert de Democratic Rally of African People het volk aan in een bijna openlijke oorlog tegen de Franse imperialisten. In Egypte wordt op heldhaftige wijze een strijd gevoerd die door alle ware anti-imperialistische krachten moet worden gesteund, zij het met enige terughoudendheid. In Oeganda zijn de leiders van de Bataka-beweging, die tot veertien jaar gevangenisstraf waren veroordeeld, onder druk van het volk vrijgelaten. In Centraal-Afrika heeft het volk de listen van de Britse imperialisten, die het gebied een vals federatieplan wilden opdringen, doorzien. In plaats daarvan zijn de heersers onthaald op de afwijzing van een politiek en zakelijk samenwerkingsverband onder blank leiderschap, en op een duidelijke roep om zelfbeschikking en onafhankelijkheid. Dit zijn allemaal hoopvolle tekens, maar juist omdat de Afrikaanse bevrijdingsbeweging aan kracht wint, worden de leidende krachten wreder en in hun radeloosheid zullen zij alle mogelijke list en bedrog toepassen om in het zadel te blijven – of in ieder geval, om de dag van de uiteindelijke overwinning uit te stellen. Maar de geschiedenis staat aan de kant van de onderworpenen.

Hier in Zuid-Afrika is de situatie ernstig. De plannen van de Broederbond om een openlijke politiestaat in te voeren lopen tot nog toe vrijwel op schema. Laat daar geen twijfel over bestaan. Hier wordt het belang van de heersende klasse mee gediend, of die zich nu achter de United Party of achter de National Party opstelt.

De United Party vertegenwoordigt de belangen van de mijnbouw en de snel opkomende industriële macht. De National Party vertegenwoordigt de belangen van de boeren en de groeiende Afrikaner handelsbelangen. Het boerenbelang als eenduidig en zelfstandig gegeven is, uiteraard, aan het uitsterven – als het niet allang dood is! De kapitaalbezitters zijn bezig het boerenbelang om zeep te helpen waarvoor in de plaats enorme semi-industriele bedrijven en vestigingen komen waarmee de grote financiële machten hun monopoliepositie binnen de Zuid-Afrikaanse economie naar de landbouw proberen uit te breiden. Ooit dacht men dat de ontwikkeling van een machtige industriële klasse een botsing tussen het primitieve, feodaal-kapitalistische boerenbelang en het mijnbouwbelang enerzijds en de industriële belangen anderzijds tot gevolg zou hebben. Men dacht dat deze botsing tot gevolg zou hebben dat de krachten ten gunste van de onderworpenen de handen opnieuw ineen zouden slaan. Maar het wordt steeds duidelijker dat deze twee groepen nooit zullen botsen. Nooit zal sir Ernest Oppenheimer, de leidende magnaat in de mijnbouw, botsen met Harry Oppenheimer, de leidende industrieel. Ook wordt duidelijk dat de Engelse, joodse en Afrikaner financiële en industriële belangen steeds meer naar elkaar toe groeien. Het is niet onwaarschijnlijk dat hun belangen het meest gediend zijn met het fascistische beleid van Malan, aangezien het vernietigen van de vakbondsbeweging en de nationale volksbewegingen hen in staat stelt hun eigen vuige rol te handhaven. Het is waar dat er in de hiërarchie van de blanke partijen mensen zijn die, hoewel zij de handhaving van huidskleur als instrument van de blanke politieke en economische suprematie ondersteunen, bang zijn voor een openlijk fascistisch regime dat henzelf later in gevaar kan brengen; vandaar bewegingen zoals het thans zwaar in diskrediet gebrachte Torch Commando.[1] Dit zijn blanke Zuid-Afrikanen die alle morele ruggengraat hebben verloren. De mogelijkheden voor een liberale kapitalistische democratie in Zuid-Afrika zijn nul tot generlei. De propaganda onder de blanken en hun wens vast te houden aan wat zij zich als een rendabele situatie voorstellen, maken het volkomen ondenkbaar dat er een politieke samenwerking kan ontstaan die een liberale blanke beweging zal ondersteunen. De politieke immoraliteit, lafhartigheid en aarzelingen van de zogenaamde progressieven onder de blanken, maken hen een loos instrument in de strijd tegen het fascisme.

Er is een ontwikkeling zichtbaar in de richting van een openlijk fascistische staat. De Broederbond in dit land is het middelpunt van een fascistische ideologie, maar net als andere voorbeelden is het zelf een werktuig in de handen van de heersende kringen die in alle blanke partijen te vinden zijn. De commando's vormen de kern van een toekomstige Gestapo. De wetten die door de regering zijn aangenomen, met name de Anticommunismewet en de Groepsgebiedenwet, vormen een kant-en-klaar raamwerk waarbinnen een fascistische staat kan worden gevormd. Geheel volgens het plaatje zoals dat voor de rest van de geïmperialiseerde wereld is uitgestippeld, heeft het Zuid-Afrikaanse kapitalisme zich ontwikkeld tot een monopolie dat thans het laatste stadium van een dolgedraaid monopolistisch kapitalisme heeft bereikt, te weten het fascisme.

Maar de fascistische tendens in het land geeft aan hoe bang men is voor het volk. Men beseft dat de eigen wereld op sterven ligt en dat het veinzen van onaantastbare krachten louter een façade is. De nieuwe wereld is die waarin de onderdrukte Afrikanen léven. Met eigen ogen zien zij het ontstaan van een machtige volksbeweging. De strijd van 1950 gaf al aan dat de leiders van de Afrikanen en hun medestanders zich ten volle bewust waren van de zwakste schakel in de keten van de blanke suprematie. De arbeidskracht van het Afrikaanse volk, wanneer deze volledig wordt ingezet, zal in ieder moederland het volk aan de macht brengen. Zeker, het zal een verbeten strijd worden. Leiders zullen gedeporteerd worden, gevangengezet en zelfs doodgeschoten. De regering zal het volk en hun leiders terroriseren om de mars voorwaarts tot staan te brengen; gewone vormen van vereniging zullen onmogelijk worden gemaakt. Maar de geest van het volk kan niet worden gebroken en ongeacht wat er met de huidige leiders gebeurt, nieuwe leiders zullen telkens als paddestoelen uit de grond springen, net zo lang tot de volledige overwinning aan ons is.

[–]

Zonen en dochters van Afrika, wij hebben grote werken te verrichten, maar ik heb een grenzeloos vertrouwen in onze mogelijkheden om de uitdaging die de situatie ons voorlegt aan te gaan. Laat ons voorwaarts naar de overwinning marcheren onder het motto VOLLEDIG DEMOCRATISCHE RECHTEN IN ZUID-AFRIKA NÚ.

NOOT VAN DE VERTALER
1   Na de Tweede Wereldoorlog opgerichte beweging van Zuid-Afrikaanse veteranen, die zich verzette tegen het blanke bewind.

De moeizame weg naar de vrijheid

Fragmenten uit een toespraak tot het ANC Transvaal Congres,
21 september 1953

Vanaf 1912 heeft het Afrikaanse volk jaar in jaar uit, in hun huizen en thuisgebieden, tijdens provinciale en landelijke bijeenkomsten, in de trein en in de bus, in de fabrieken en op de boerderijen, in de steden, dorpen, sloppenwijken, scholen en gevangenissen, gesproken over de schandelijke praktijken van degenen die het land regeren. Jaar in jaar uit hebben ze hun stem verheven in hun veroordeling van de barre armoede van het volk, de lage lonen, het ernstige gebrek aan land, de onmenselijke uitbuiting en het gehele beleid van de blanke overheersing. Maar in plaats van meer vrijheid leverde het bredere en intensievere onderdrukking op en leek het of alle offers in rook en stof zouden opgaan. Thans beseft het gehele land echter dat de inspanningen niet voor niets zijn geweest, want een nieuwe geestdrift en nieuwe ideeën hebben zich van ons volk meester gemaakt. Thans voegt het volk de daad bij het woord: een machtig ontwaken is onder de mannen en vrouwen van ons land ontstaan, en het jaar 1952 was het jaar van deze uitbarsting van nationaal bewustzijn.

In juni 1952 hebben het African National Congress en het South African Indian Congress, in de overtuiging dat zij als de vertegenwoordigers van het geknechte en onderdrukte volk van Zuid-Afrika een bepaalde verantwoordelijkheid hadden, de sprong in het diepe gewaagd en zijn ze de Campagne voor Burgerlijke Ongehoorzaamheid gestart. De campagne, die in de vroege uren van 26 juni in Port Elizabeth begon met slechts drieëndertig actieve opposanten en zich daarna uitbreidde tot Johannesburg met op dezelfde dag honderdzes opposanten, heeft overal in het land weerklank gevonden. Fabrieksarbeiders en kantoorbedienden, doktoren, advocaten, onderwijzers, studenten en geestelijken; Afrikanen, kleurlingen, Indiërs en

Europeanen, jong en oud, iedereen gaf gehoor aan de landelijke oproep en trotseerde de pasjeswetten en de avondklokken en de apartheidsregulering bij de spoorwegen. Aan het eind van het jaar hadden meer dan achtduizend mensen, van alle rassen, aan de oproep gehoor gegeven. Arbeiders werden ontslagen, bazen en leraren werden geroyeerd, advocaten en zakenlieden gaven hun praktijk op en kozen ervoor gevangen te worden gezet.

De burgerlijke ongehoorzaamheid was een stap van verregaande politieke betekenis. Het heeft sterke maatschappelijke krachten losgemaakt die op duizenden van onze landgenoten van invloed zijn geweest. Het is een effectieve manier gebleken om aan de massa's een politieke rol te geven; een krachtige methode om aan onze verontwaardiging tegen het reactionaire beleid van de overheid uiting te geven. Het is een van de beste manieren geweest om druk uit te oefenen op de overheid en het heeft de stabiliteit en de veiligheid van het land ernstig weten te bedreigen. Het heeft ons volk geïnspireerd en veranderd van een overwonnen en gedienstige verzameling jaknikkers in een strijdbare en onverzettelijke groep wapenbroeders. In het gehele land ontstonden strijdperken waar de krachten van de bevrijding een onvergetelijke strijd met de reactionaire en kwade krachten leverden. Onze banieren wapperden boven de strijdperken en duizenden landgenoten sloten zich aan. Wij behielden het initiatief, en de krachten van de vrijheid boekten overwinningen op alle fronten. Tegen deze achtergrond en op het hoogtepunt van onze campagne hielden wij onze laatste provinciale conferentie in Pretoria, van 10 tot 12 oktober vorig jaar. Die conferentie fungeerde op een bepaalde manier als een plek waar zij die terugkeerden uit het strijdperk welkom werden geheten, en zij die nog in actie moesten komen, uitgeleide werden gedaan. De hele conferentie stond in het teken van de geest van burgerlijke ongehoorzaamheid en daadkracht.

Vandaag komen wij onder volstrekt andere omstandigheden bijeen. Eind juli vorig jaar had de campagne het stadium bereikt waarin de overheid wel moest optreden, omdat de campagne anders haar wil aan het land had opgelegd.

De overheid ging in de tegenaanval en raakte ons waar ze ons raken kon. Tussen juli vorig jaar en augustus dit jaar werden zevenenveertig toonaangevende leden van beide Congressen in Johannesburg, Port Elizabeth en Kimberley voor het op touw zetten van de Campagne voor Burgerlijke Ongehoorzaamheid gearresteerd, berecht en voorwaardelijk veroordeeld tot straffen van drie maanden tot twee jaar indien zij nogmaals aan de Cam-

pagne zouden deelnemen. In november vorig jaar werd afgekondigd dat bijeenkomsten van meer dan tien Afrikanen verboden werden, en oproepen
tot openlijke ongehoorzaamheid strafbaar werden gesteld. Op overtreding
van de afkondiging werd een gevangenisstraf van drie jaar of een boete van
driehonderd pond gesteld. In maart van dit jaar werd de zogenaamde Wet
op de Openbare Veiligheid aangenomen die de regering in staat stelde de
noodtoestand uit te roepen en het mogelijk maakte onze beweging op de
meest harde en meedogenloze manier de kop in te drukken. Op vrijwel hetzelfde moment werd de strafwet zodanig aangepast dat degenen die zich aan
burgerlijke ongehoorzaamheid schuldig maakten, zware straffen konden
krijgen.

[-]

Het uiteindelijke resultaat van deze maatregelen is de ondersteuning en
instandhouding van het kunstmatige en afbrokkelende beleid van de blanke suprematie. De houding van de overheid tegenover ons is: 'Wij zullen ze
neerslaan met geweren en knuppels en ze onder onze voeten vermorzelen.
Als wij ook maar de geringste kans zien de blanke suprematie te behouden,
moeten we bereid zijn het hele land in bloed te laten verdrinken.'

Maar er ligt niets verhevens verankerd in het *Herrenvolk*-idee van de blanke suprematie. In China, India, Indonesië en Korea is het Amerikaanse, Britse, Nederlandse en Franse imperialisme dat was gebaseerd op het concept
van de suprematie van Europeanen boven Aziaten, volkomen weggevaagd.
In Maleisië en Indo-China is het Britse en Franse imperialisme door krachtige, revolutionaire nationale bevrijdingsbewegingen van zijn voetstuk ge-
trokken. In Afrika praten we over ongeveer honderdnegentig miljoen Afrikanen tegenover vier miljoen Europeanen. Het hele continent borrelt van
de onvrede en nu al vinden er machtige revolutionaire uitbarstingen in
Goudkust, Nigeria, Tunesië, Kenia, beide Rhodesiës en Zuid-Afrika plaats.
De onderdrukte volkeren en hun onderdrukkers zijn in een zware strijd met
elkaar verwikkeld. De dag van de afrekening tussen de krachten van de vrijheid en de reactionaire krachten is niet ver weg meer. Ik twijfel er geen moment aan dat wanneer die dag komt, de waarheid en de gerechtigheid zullen overwinnen.

De intensivering van de onderdrukking en de veelvuldige toepassing van
de verbanningen zijn bedoeld om activisten hun bewegingsvrijheid te ontnemen en de nationale bevrijdingsbeweging in toom te houden. Maar voorgoed voorbij zijn de dagen dat door wrede en boosaardige wetten de onder-

drukkers jaren achtereen rust en vrede werd gegund. De rassenwetten van deze overheid hebben het geweten van alle goedwillenden geprikkeld en hevige verontwaardiging bij hen losgemaakt. Nooit eerder hebben de onderworpenen zich zo verbitterd gevoeld. Als de heersende kringen hun positie proberen te behouden met zulke onmenselijke methodes, dan zal een botsing tussen de krachten van de vrijheid en de reactionaire krachten onafwendbaar zijn. Op de schouders van het volk rust de zware plicht om zich tot de dood te verzetten tegen het smerige beleid van de gangsters die aan het roer van ons land staan.

[–]

De weg naar de vrijheid is nergens gemakkelijk, en voor velen van ons zal die weg keer op keer door een donker dal gaan, voor wij ons hoogste doel zullen hebben bereikt.

Wij zullen de apartheid verpletteren

Reactie op de opstand in Soweto in 1976, uit de gevangenis op Robbeneiland gesmokkeld, gepubliceerd door het African National Congress, 10 juni 1980

Het vuurwapen heeft in onze geschiedenis altijd een belangrijke rol gespeeld. Het verzet van de zwarten tegen de blanke koloniale bezetting werd met vuurwapens gebroken. In onze strijd om onszelf te bevrijden van de blanke overheersing, worden wij met vuurwapens in bedwang gehouden. Van de verovering [van Zuid-Afrika; vert.] tot op de dag van vandaag is het altijd hetzelfde verhaal geweest. Opeenvolgende blanke regimes hebben keer op keer ongewapende, weerloze zwarten uitgemoord. En waar en wanneer zij ook maar hun wapens trokken, richtten zij hun verwoestende vuur op het Afrikaanse volk.

De apartheid is de belichaming van het racisme, de onderdrukking en de onmenselijkheid van alle voorgaande, op blanke suprematie gebaseerde regimes. Het ware gezicht van de apartheid gaat schuil achter een sluier van grondwetsartikelen, misleidende zinnen en woordspelletjes.

Het geratel van geweervuur en het gerommel van rupsbanden hebben sinds juni 1976 die sluier opnieuw weggetrokken. Over het hele land hebben in de zwarte townships de racistische leger- en politiemachten een hagelstorm van kogels laten neerdalen, waardoor honderden mannen, vrouwen en kinderen zijn gedood of verminkt. Het aantal doden en gewonden overstijgt nu al dat van alle eerdere slachtingen uitgevoerd door dit regime.

De apartheid betekent dat vuurwapen en beul de regels bepalen. De pantserwagen, het FN-geweer en de galg zijn haar ware symbolen. Ze zijn in geval van nood de gemakkelijkste redmiddelen voor de door rassenwaan verteerde leiders van Zuid-Afrika.

Temidden van de huidige crisis, terwijl ons volk zijn doden telt en zijn gewonden verzorgt, vraagt het zich af: wat zal de toekomst brengen?

Wij hebben van onze leiders niets te verwachten. Zij zijn het die de soldaten met het geweer in de aanslag de bevelen geven: het is hun geest die de vinger beweegt die de trekker beroert.

Vage beloften, een beetje rommelen aan de machinerie van de apartheid, een beetje goochelen met de grondwet, en grootschalige arrestaties en opsluitingen, gaan hand in hand met hernieuwde toenaderingen die bedoeld zijn om de zwarte eenheid te breken en een wig te drijven tussen de veranderingsgezinde krachten – het zijn de bekende paden waarlangs zij zich zullen bewegen. Want zij kunnen noch willen luisteren naar het vonnis van onze volksmassa's.

Het vonnis van 16 juni is luid en duidelijk: de apartheid is een mislukking geworden. Ons volk houdt eenstemmig vast aan de verwerping ervan. Jong en oud, ouders en kinderen, allen verwerpen haar. In de frontlinie van de golf van onrust die in de jaren 1976-1977 het land overspoelde, stonden onze jongeren en studenten. Ze zijn afkomstig van de universiteiten, middelbare scholen en zelfs basisscholen. Zij vormen een generatie wier gehele onderwijssysteem doordrenkt is geweest van de duivelse bedoelingen van de racisten om hun verstand te vergiftigen en ze te hersenspoelen tot volgzame onderdanen in het apartheidssysteem. Maar na meer dan twintig jaar Bantu-onderwijs is de cirkel gesloten en niets maakt het volslagen bankroet van de apartheid duidelijker dan de opstand van onze jeugd.

Het kwaad, de wreedheid en de onmenselijkheid van de apartheid bestaan al sinds haar vroegste begin. En alle zwarten – Afrikanen, kleurlingen en Indiërs – hebben zich er al die tijd tegen verzet. Wat op dit moment onmiskenbaar is, wat de golf van onrust nu scherp doet uitkomen, is het volgende: ondanks alle misleiding en mooie praatjes wordt de apartheid niet langer geduld.

Dit besef reikt voorbij zaken die rechtstreeks met onze eigen slavernij te maken hebben. Deze waarheid wordt gestaafd door de onderkenning door ons eigen volk dat onze levens, stuk voor stuk en als geheel, onder de apartheid geen cent waard zijn.

Wij hebben te maken met een onwrikbare vijand, een vijand die zichzelf heeft ingegraven en vastbesloten is niet te wijken. Onze mars naar de vrijheid is lang en zwaar. Maar zowel binnen onze landsgrenzen als daarbuiten straalt helder het licht van de overwinning.

De basisvoorwaarde voor de overwinning is dat de zwarten de eenheid bewaren. Iedere poging om de zwarten uiteen te drijven, de ene groep tegen de andere op te zetten, moet krachtig worden bestreden. Ons volk – Afrikanen, kleurlingen, Indiërs en democratisch gezinde blanken – moet zich verenigen tot één enkele massieve, solide muur van verzet, van massa-acties.

Onze strijd verhardt zich. Dit is niet de tijd om energie te verspillen aan interne verdeeldheid en tweedracht. Op alle niveaus en in alle rangen en standen moeten wij de gelederen sluiten. Binnen alle gelederen moeten de verschillen in de schaduw komen te staan van het bereiken van één enkel doel – de totale omverwerping van de apartheid en de racistische overheersing.

In de hele wereld groeit de walging jegens de apartheid en beginnen de buffers van de blanke suprematie scheuren te vertonen. Mozambique en Angola zijn reeds bevrijd, en in Namibië en Angola wint de bevrijdingsstrijd aan kracht. Onze landsbodem is voorbestemd het toneel te worden van de zwaarste gevechten en de hevigste veldslagen teneinde op ons continent de laatste sporen van het blanke minderheidsbewind uit te wissen.

De wereld staat aan onze zijde. De Organisatie voor Afrikaanse Eenheid, de Verenigde Naties en de anti-apartheidsbeweging blijven druk uitoefenen op de racistische leiders van ons land. Iedere poging Zuid-Afrika verder te isoleren geeft onze strijd meer kracht.

Wij hebben op alle fronten van onze strijd, in binnen- en buitenland, al veel bereikt en er moet nog veel bereikt worden. Maar de overwinning staat vast!

Wij die opgesloten zijn binnen de grauwe muren van de gevangenissen van het regime in Pretoria sluiten ons bij ons volk aan. Ook wij tellen de slachtoffers die vuurwapen en strop hebben gemaakt. Wij groeten u allen – de levenden, de gewonden en de doden. Want u heeft het aangedurfd op te staan tegen deze tirannieke macht.

En terwijl wij gebogen staan over hun graven weten wij: de doden leven in ons hart en in onze ziel als martelaren voort, ze herinneren ons eraan dat we de eenheid moeten bewaren en onze conflicten moeten oplossen, ze moedigen ons aan om de gelederen te sluiten, doen ons beseffen dat ons volk nog lang niet is bevrijd.

Wij kijken vol vertrouwen naar de toekomst. De vuurwapens in dienst van de apartheid maken haar niet onoverwinnelijk. Wie door het wapen leeft, zal door het wapen sterven.

Wij zullen de apartheid en het racistische blanke minderheidsbewind verpletteren tussen de hamer van de gewapende strijd en het aambeeld van de massa-acties.

Amandla ngawethu! Matla ke a rona! [Aan ons de kracht!; vert.]

Ik zal terugkomen

*Reactie op een aanbod van voorwaardelijke vrijlating, uit naam van
Mandela voorgelezen door zijn dochter Zindzi, Jabulani-stadion,
Soweto, 10 februari 1985*

Ik ben lid van het African National Congress. Ik ben altijd lid geweest van
het ANC en zal dat tot aan mijn dood ook blijven. Oliver Tambo is veel meer
dan een broeder voor mij. Hij is al vijftig jaar mijn dierbaarste vriend en kameraad. Er zijn er vast onder u die alles voor mijn vrijlating over hebben –
Oliver Tambo zou zijn leven voor mijn vrijlating geven. Onze ideeën verschillen in niets van elkaar.

Ik ben verrast door de voorwaarden die de regering me wil opleggen. Ik
ben geen man van geweld. Mijn collega's en ik hebben in 1952 Malan verzocht een rondetafelconferentie te organiseren om een oplossing voor de
problemen van dit land te zoeken, maar dat verzoek werd genegeerd. Toen
Strijdom aan de macht was, deden wij hetzelfde voorstel. Opnieuw werd het
genegeerd. Toen Verwoerd aan de macht was vroegen wij om een Nationale Conventie van het hele Zuid-Afrikaanse volk om over de toekomst te beslissen. Wederom, tevergeefs.

Pas op dat moment, toen alle andere vormen van verzet waar wij over
konden beschikken waren uitgeput, hebben wij naar de wapens gegrepen.
Laat Botha aantonen dat hij anders is dan Malan, Strijdom en Verwoerd.
Laat hem het geweld afzweren. Laat hem verklaren dat hij de apartheid zal
ontmantelen. Laat hem de volksbeweging die het ANC is legaliseren. Laat
hem iedereen die gevangen is genomen, verjaagd of verbannen om zijn verzet tegen de apartheid, vrijlaten. Laat hem de vrijheid van het bedrijven van
politiek toezeggen, opdat het volk kan beslissen wie over hen regeert.

Mijn eigen vrijheid is me dierbaar, maar die van u is mij nog dierbaar-
der. Er zijn te veel mensen omgekomen sinds ik gevangen zit. Er hebben te
veel mensen geleden omdat ze hun vrijheid liefhadden. Ik sta bij hun we-

duwen, wezen, vaders en moeders die om hen hebben getreurd en geweend, in het krijt. Niet alleen ik heb gedurende deze lange, eenzame, verloren jaren geleden. Ik houd niet minder van het leven dan u. Maar ik ben niet bereid het geboorterecht van het volk te verkwanselen om maar weer vrij te zijn. Ik zit in de gevangenis als vertegenwoordiger van het volk en van uw beweging, het verboden ANC.

Wat is dat voor vrijheid, als die volksbeweging verboden blijft? Wat is dat voor vrijheid, als ik gearresteerd kan worden omdat ik de Pasjeswet overtreed? Wat is dat voor vrijheid, als ik mag terugkeren naar mijn gezin terwijl mijn dierbare vrouw zich in ballingschap in Brandfort bevindt? Wat is dat voor vrijheid, als ik toestemming moet vragen om in stedelijk gebied te mogen wonen? Wat is dat voor vrijheid, als ik een stempel in mijn pasje nodig heb om werk te mogen zoeken? Wat is dat voor vrijheid, als juist mijn Zuid-Afrikaans staatsburgerschap niet wordt gerespecteerd?

Alleen als vrij man kan men onderhandelen. Gevangenen kunnen geen overeenkomsten tekenen. Toen Herman Toivo ja Toivo werd vrijgelaten hoefde hij geen enkele toezegging te doen, en werd die hem ook niet gevraagd.

Ik kan en zal geen enkele toezegging doen zolang ik en u, het volk, niet vrij zijn.

Uw vrijheid en mijn vrijheid zijn ondeelbaar. Ik zal terugkomen.

2

Vrijheid

Vrijlating uit de gevangenis

Toespraak bij zijn vrijlating uit de gevangenis, Kaapstad,
11 februari 1990

Vrienden, kameraden en mede-Zuid-Afrikanen. In naam van de vrede, de democratie en de vrijheid voor allen groet ik u. Ik sta hier niet als een profeet voor u, maar als een nederige dienaar van u, het volk. Uw onvermoeibare en heldhaftige offers hebben mij in staat gesteld hier vandaag voor u te staan. De jaren die mij nog resten leg ik bij deze dan ook in uw handen.

Op deze dag van mijn vrijlating spreek ik mijn oprechte en grootste dankbaarheid uit aan mijn miljoenen landgenoten en aan hen die in alle uithoeken van de wereld onvermoeibaar campagne hebben gevoerd voor mijn vrijlating. Ik groet in het bijzonder de bevolking van Kaapstad, de stad waar ik gedurende drie decennia heb gewoond. Uit uw massademonstraties en andere vormen van strijd hebben wij politieke gevangenen constant kracht geput.

Ik groet het African National Congress. Het heeft door de manier waarin het het voortouw heeft genomen in de grootse mars naar de vrijheid aan ieders verwachting voldaan. Ik groet onze voorzitter, kameraad Oliver Tambo, die ook onder de zwaarste omstandigheden het ANC heeft geleid. Ik groet de leden van het ANC. U heeft lijf en leden voor het nobele doel van onze strijd gewaagd. Ik groet de strijders van Umkhonto we Sizwe[1], zoals Solomon Mahlangu en Ashley Kriel, die de hoogste prijs hebben betaald voor de vrijheid van alle Zuid-Afrikanen.

Ik groet de Communistische Partij van Zuid-Afrika vanwege haar integere bijdrage aan de strijd voor democratie. U heeft veertig jaar onafgebroken vervolging overleefd. Wij zullen ons belangrijke communisten zoals Moses Kotane, Yusuf Dadoo, Bram Fischer en Moses Mabhida immer blijven herinneren. Ik groet secretaris-generaal Joe Slovo, een van onze groot-

ste patriotten. Het is van groot belang dat het bondgenootschap tussen onszelf en de Partij nog net zo hecht is als vroeger.

Ik groet het United Democratic Front[2], het National Education Crisis
Committee, het South African Youth Congress, het Indian Congress van
Transvaal en Natal en Cosatu[3] en de vele andere organisaties die deel uitmaakten van de Mass Democratic Movement[4]. Ik groet ook de Black Sash[5]
en de National Union of South African Students. Met trots stel ik vast dat
u heeft gefungeerd als het geweten van het blanke Zuid-Afrika. Zelfs gedurende de donkerste dagen uit de geschiedenis van onze strijd heeft u de vlag
van de vrijheid hoog gehouden. De grootschalige mobilisering van de massa in de afgelopen jaren is een van de sleutelfactoren geweest waardoor het
laatste hoofdstuk van onze strijd is aangebroken.

Ik groet de arbeidersklasse van ons land. De wijze waarop u uw krachten heeft gebundeld vervult ons met trots. U vormt nog steeds de meest betrouwbare kracht in de strijd om aan uitbuiting en onderdrukking een einde te maken. Ik breng hulde aan de vele religieuze gemeenschappen die de
campagnes voor gerechtigheid hebben voortgezet toen onze volksbewegingen monddood werden gemaakt.

Ik groet de traditionele leiders van ons land – velen van u treden in de
voetsporen van grote helden als Hintsa en Sekhukuni. Ik breng hulde aan
de onuitputtelijke heldhaftigheid van de jeugd, aan jullie, de jonge leeuwen:
jullie hebben onze strijd als geheel enorm gestimuleerd. Ik breng hulde aan
de moeders en de vrouwen en de zusters van ons land. U vormt het onwrikbare fundament van onze strijd. De apartheid heeft niemand meer leed berokkend dan u.

Bij deze gelegenheid dank ik de wereldgemeenschap voor haar enorme
bijdrage aan de strijd tegen de apartheid. Zonder uw steun zou onze strijd
niet zo ver zijn gevorderd. Het offer dat door de frontstaten werd gebracht
zal het volk van Zuid-Afrika zich voor altijd blijven herinneren.

Mijn groet zou onvolledig zijn wanneer ik niet mijn grote dankbaarheid
zou uitspreken voor de steun die mijn geliefde vrouw en mijn gezin me gedurende de lange en eenzame jaren in de gevangenis hebben geboden. Ik
ben ervan overtuigd dat jullie veel meer pijn en leed hebben moeten doorstaan dan ikzelf.

Voor ik verder ga wil ik opmerken dat ik op dit moment slechts een paar
inleidende opmerkingen zal maken. Ik zal een vollediger verklaring afleggen nadat ik de gelegenheid heb gehad met mijn kameraden te overleggen.

Vandaag erkent de meerderheid van de Zuid-Afrikanen, zwart en blank, dat de apartheid geen toekomst heeft. Om weer vrede en veiligheid in het land te brengen, moet er door onze eigen massa-acties een definitief einde aan de apartheid worden gemaakt. De massale burgerlijke ongehoorzaamheid en andere door onze organisatie en ons volk gevoerde acties, kunnen niet anders dan uitmonden in de vestiging van de democratie. De apartheid heeft ons subcontinent onnoemelijke schade toegebracht. Het gezinsleven van miljoenen mensen is verwoest. Miljoenen mensen zijn dakloos en werkloos. Onze economie ligt aan stukken en ons volk is verwikkeld in politieke conflicten. Wij hadden in 1960, toen we de militaire vleugel van het ANC oprichtten en de gewapende strijd begonnen, geen ander doel dan ons te verdedigen tegen de gewelddadigheid van de apartheid. De factoren die de gewapende strijd noodzakelijk maakten zijn vandaag de dag niet anders. Wij hebben geen andere keuze dan door te gaan. Ik spreek de hoop uit dat er spoedig een klimaat ontstaat waarin besprekingen tot een overeenkomst zullen leiden die de gewapende strijd niet langer noodzakelijk maakt.

Ik ben een trouw en gehoorzaam lid van het ANC. Ik schaar mij daarom volledig achter zijn doelstellingen, strategieën en tactieken. De noodzaak om het volk van Zuid-Afrika te verenigen is een taak die niet aan belang heeft ingeboet. Onze taak als leiders is om onze ideeën aan onze organisatie voor te leggen en er langs democratische weg over te laten beslissen. Ik wil benadrukken, nu ik spreek over hoe de democratie in de praktijk moet worden gebracht, dat de leider van het ANC iemand moet zijn die democratisch, tijdens een landelijk congres wordt gekozen. Aan dit principe moet hoe dan ook worden vastgehouden.

Vandaag wil ik u mededelen dat mijn gesprekken met de regering gericht zijn geweest op het normaliseren van de politieke situatie in het land. Wij hebben vooralsnog niet gesproken over de eisen die wij het uitgangspunt van onze strijd hebben gemaakt. Ik wil benadrukken dat ikzelf, buiten mijn eis dat het tot een ontmoeting tussen het ANC en de regering komt, op geen enkel moment onderhandelingen ben begonnen over de toekomst van ons land.

De heer De Klerk is verder gegaan dan enig andere president afkomstig uit de National Party door werkelijke stappen te ondernemen om de situatie te normaliseren. Er zijn in de verklaring van Harare echter verdere stappen vastgelegd waaraan moet worden tegemoet gekomen vóór met de onderhandelingen over de eisen die het uitgangspunt van de strijd van ons volk vormen, kan worden begonnen. Ik herhaal onze oproep om, *inter alia*, een onmiddellijk eind te maken aan de noodtoestand en alle, en niet slechts en- kele, politieke gevangenen vrij te laten. Alleen een op dergelijke wijze ge- normaliseerde situatie, die vrijheid van politiek bedrijven toestaat, geeft ons de mogelijkheid ons volk te raadplegen en om een mandaat te vragen.

Het volk moet geraadpleegd worden over wie de onderhandelingen zal voeren en waarover deze zullen gaan. Die onderhandelingen mogen niet buiten het zicht van ons volk plaatsvinden. Wij geloven dat de toekomst van ons land alleen kan worden bepaald door een vertegenwoordiging die de- mocratisch en op niet-racistische basis is gekozen. De onderhandelingen over het ontmantelen van de apartheid zullen de allesoverheersende eis van ons volk om tot een democratisch, niet-racistisch en verenigd Zuid-Afrika te komen aan de orde moeten stellen. Er moet een eind komen aan de blan- ke alleenheerschappij op het gebied van politieke macht, en ons politieke en economische systeem moeten fundamenteel worden herschapen om er- voor te zorgen dat de verschillen die de apartheid heeft veroorzaakt worden aangepakt en onze maatschappij door en door democratisch wordt.

Ik moet hieraan toevoegen dat de heer De Klerk zelf een integer man is, die zich scherp bewust is van de gevaren die een publieke figuur loopt die zich niet aan zijn toezeggingen houdt. Als organisatie baseren wij ons be- leid en onze strategie echter op de harde werkelijkheid waarmee we worden geconfronteerd. En die werkelijkheid leert dat wij nog steeds te lijden heb- ben onder het beleid van de door de National Party gedomineerde regering.

Onze strijd is op een cruciaal punt aangekomen. Wij roepen ons volk op om dat moment aan te grijpen opdat het proces in de richting van de de- mocratie snel en zonder onderbrekingen zal verlopen. Wij hebben al veel te lang op onze vrijheid moeten wachten. Wij kunnen niet nog langer wach- ten. Nu is het moment de strijd op alle fronten te verhevigen. Nu verslap- pen zou een fout betekenen die ons tot in lengte der dagen zal worden na- gedragen. Het uitzicht op de vrijheid die aan de horizon gloort, moet ons aanmoedigen onze inspanningen te verdubbelen.

Alleen door gedisciplineerde massa-acties te voeren kunnen wij onze overwinning veilig stellen. Wij roepen onze blanke landgenoten op om sa- men met ons een nieuw Zuid-Afrika te realiseren. Ook u bent welkom in het politieke huis van de bevrijdingsbeweging. Wij roepen de internatio- nale gemeenschap op om door te gaan met hun sancties tegen het apart- heidsregime. Nu de sancties opheffen, kan betekenen dat het proces van de complete uitroeiing van de apartheid voortijdig wordt afgebroken.

Onze mars naar de vrijheid is onomkeerbaar. Wij moeten ons niet door angst laten leiden. Algemeen stemrecht op basis van één kieslijst in een verenigd, democratisch en niet-racistisch Zuid-Afrika is de enige weg die leidt naar vrede en eendracht tussen de rassen.

Tot slot wil ik de woorden citeren die ikzelf sprak tijdens mijn proces in 1964. Ze gelden vandaag net zozeer als toen:

Ik heb tegen blanke overheersing en tegen zwarte overheersing gevochten. Ik heb het ideaal gekoesterd van een democratische en vrije maatschappij waarin alle mensen eendrachtig en met voor ieder gelijke kansen samenleven. Ik hoop dat ik voor dit ideaal mag leven en het zal bereiken. Maar indien nodig, is het een ideaal waarvoor ik bereid ben te sterven.

NOTEN VAN DE VERTALER

1 Gewapende vleugel van het ANC ('Speer van de natie').
2 Samenwerkingsverband tussen kerkelijke en maatschappelijke organisaties ter bestrijding van de apartheid, opgericht door dominee Alan Boesak in 1983.
3 Congress of South African Trade Unions: de Zuid-Afrikaanse vakbondsfederatie.
4 Informeel samenwerkingsverband tussen anti-apartheidsgroeperingen, opgericht in de vroege jaren zeventig.
5 Black Sash, voluit Women's Defence of the Constitution League of Black Sash, zo genoemd naar het feit dat blanke liberale vrouwen een zwarte sjerp (sash) droegen uit protest tegen de onrechtvaardige wetten.

Verkiezing tot president

Toespraak waarin hij de verkiezingsoverwinning van het ANC
aankondigt, Carlton Hotel, Johannesburg, 2 mei 1994

Mede-Zuid-Afrikanen – volk van Zuid-Afrika.

Dit is werkelijk een vreugdevolle avond. Hoewel ze nog niet definitief zijn, hebben wij al wel de voorlopige uitslagen van de verkiezingen binnen, en we zijn opgetogen over de overweldigende steun voor het African National Congress.

Tot al degenen binnen het ANC en de democratische beweging die de afgelopen dagen en de afgelopen tientallen jaren zo hard hebben gewerkt: hulde en dank. Tot het volk van Zuid-Afrika en tot de rest van de wereld die vanavond naar ons kijkt zeg ik: het is een vreugdevolle avond voor de menselijke geest. Dit is ook uw overwinning. U heeft meegeholpen een einde te maken aan de apartheid, u heeft ons in de overgangsperiode niet in de steek gelaten.

Samen met u heb ik gezien hoe tienduizenden van ons volk geduldig urenlang in eindeloze rijen stonden te wachten, hoe sommigen zelfs de nacht in de openlucht doorbrachten, om deze gedenkwaardige stem uit te brengen. Zuid-Afrika kent al heel lang vele legendarische helden, maar u, het volk, bent onze ware held.

Dit is een van de belangrijkste momenten in het bestaan van ons land. Ik sta hier voor u met gevoelens van grote trots en vreugde – ik ben trots op het gewone, nederige volk van dit land. U heeft met kalmte, geduld en vastberadenheid dit land weer tot het uwe gemaakt. Laat ons onze vreugde van de daken roepen – eindelijk vrij!

Ik sta voor u, deemoedig door uw moed, met een hart vol liefde voor u allen. Ik beschouw het als de allerhoogste eer om op dit moment in de geschiedenis de leider van het ANC te zijn en dat wij uitverkoren zijn om ons land de nieuwe eeuw binnen te leiden. Ik beloof u plechtig dat ik alles zal doen wat in mijn vermogen ligt om aan uw verwachtingen van mij en het ANC te voldoen.

Persoonlijk ben ik veel dank verschuldigd aan een aantal van Zuid-Afrika's belangrijkste leiders, die ik bij deze hulde breng: John Dube, Josiah Gumede, G.M. Naicker, dr. Abdurahman, chief Luthuli, Lilian Ngoyi, Helen Joseph, Yusuf Dadoo, Moses Kotane, Chris Hani en Oliver Tambo. Zij zouden hier in de feestelijkheden moeten delen, want dit is ook hun verdienste.

Morgen zitten de leiding van het ANC en ik weer achter ons bureau. Wij zullen onze mouwen opstropen om de problemen aan te pakken waar het land mee wordt geconfronteerd. Wij roepen u op met ons mee te doen – gaat u morgen weer aan het werk. Laten wij Zuid-Afrika weer op gang helpen. Want gezamenlijk en zonder enig uitstel moeten wij gaan bouwen aan een beter bestaan voor alle Zuid-Afrikanen. Dat betekent dat wij banen moeten creëren, huizen en scholen moeten bouwen, en vrede en veiligheid voor iedereen moeten brengen.

De kalmte en verdraagzaamheid van de verkiezingstijd zijn een afspiegeling van ons nieuwe Zuid-Afrika. Ze hebben de toon voor de toekomst gezet. Wij zijn het misschien niet altijd met elkaar eens, maar wij zijn één volk, met een gezamenlijke toekomst, hoe divers onze culturen, rassen en tradities ook zijn. De mensen hebben op de partij van hun keuze gestemd en dat respecteren we. Zo werkt de democratie nu eenmaal. Ik reik de leiders van alle partijen en hun leden in vriendschap de hand en vraag hen zich bij ons aan te sluiten om samen de problemen aan te pakken waarvoor wij als natie staan. Een ANC-regering zal het hele volk van Zuid-Afrika dienen en niet alleen de leden van het ANC. Onze complimenten gelden ook de politie en veiligheidstroepen voor hun geweldige prestatie, waarmee ze een solide basis hebben gelegd voor een door en door professioneel veiligheidsapparaat, dat de belangen van het volk dient en trouw is aan de nieuwe grondwet.

Nu is het tijd om feest te vieren en als Zuid-Afrikanen samen te komen om de geboorte van de democratie te vieren. Ik hef het glas en dank u allen voor uw inspanningen om dat wat niet minder dan een klein wonder genoemd kan worden, te bereiken. Laten onze festiviteiten de sfeer van de verkiezingen weerspiegelen en vredig, waardig en gedisciplineerd verlopen, waarmee wij laten zien dat we gereed zijn de regeringsverantwoordelijkheid te dragen. Ik beloof u dat ik mijn best zal doen uw geloof en vertrouwen in

mij en mijn organisatie, het ANC, te bevestigen. Laten wij gezamenlijk aan
onze toekomst bouwen en een dronk uitbrengen op een beter bestaan voor
alle Zuid-Afrikanen.

Voorafgaand aan de inhuldiging als president

Toespraak tot de bevolking van Kaapstad, Grand Parade, de dag
voor zijn inhuldiging als president, 9 mei 1994

Vandaag breekt voor ons land en volk een nieuw tijdperk aan. Vandaag vieren wij niet de overwinning van een partij, maar van het hele Zuid-Afrikaanse volk.

Ons land is tot een besluit gekomen. Van alle partijen die aan de verkiezingen hebben meegedaan, is door een overweldigende meerderheid Zuid-Afrikanen het African National Congress de volmacht gegeven om ons land de toekomst in te leiden. Het Zuid-Afrika waar wij voor hebben gestreden, waarin alle bewoners, Afrikanen, kleurlingen, Indiërs of blanken, zich als burgers van één land beschouwen, is nabij.

Het heeft misschien zo moeten zijn dat wij hier, bij Kaap de Goede Hoop, de eerste steen van ons nieuwe land zouden leggen. Want het was bij deze Kaap dat meer dan drie eeuwen geleden de mensen van Afrika, Europa en Azië op noodlottige wijze samenkwamen. Het was naar dit schiereiland dat de patriotten van Indonesië in ketenen werden afgevoerd. Het was op de zandvlakten van dit schiereiland dat de eerste gevechten in de epische verzetsstrijd werden gevoerd.

Uitkijkend over de Tafelbaai zien wij Robbeneiland prominent aan de horizon liggen. Het is zolang het kolonialisme in Zuid-Afrika bestaat al berucht als kerker om de geest van de vrijheid te breken. Drie eeuwen lang is dat eiland beschouwd als een ideale plek om paria's op te sluiten. De namen van hen die op Robbeneiland gevangen hebben gezeten vormen een meer dan drie eeuwen oude lijst van verzetsstrijders en democraten. Als dit inderdaad een Kaap van Goede Hoop is, dan komt die hoop in belangrijke mate voort uit de wilskracht van dat legioen van strijders en andere dapperen.

Sinds de jaren tachtig van de negentiende eeuw hebben wij gevochten voor een democratische grondwet. Onze zoektocht was er een naar een grondwet die op vrijwillige basis door het volk van Zuid-Afrika kon worden aangenomen en die zijn wensen en idealen zou weerspiegelen. De strijd om de democratie is er nooit een geweest die door één Zuid-Afrikaanse groep – ras, klasse, geloofsgroepering of geslacht – werd gevoerd. Wanneer wij eer betonen aan hen die hebben gevochten om deze dag te zien aanbreken, betekent dat dat we eer betonen aan de beste zonen en dochters van ons hele volk. Daaronder bevinden zich Afrikanen, kleurlingen, Indiërs, moslims, christenen, hindoes, joden – allen verenigd door het gezamenlijke ideaal van een beter leven voor het volk van Zuid-Afrika.

Dat ideaal inspireerde ons toen wij in 1923 de allereerste Bill of Rights [Lijst van Grondrechten; vert.] van het land opstelden. Hetzelfde ideaal bracht ons ertoe in 1946 de African Claims [het Afrikaans Handvest; vert.] op te stellen. Het vormt ook het uitgangspunt van het Freedom Charter [Handvest van de Vrijheid; vert.] waarop wij in 1955 ons beleid baseerden, en dat in zijn openingsregels een Zuid-Afrika formuleert waarin alle burgers gelijk zijn.

In de jaren tachtig van deze eeuw gaf het ANC nog steeds de toon aan, door zich als eerste grote politieke beweging in Zuid-Afrika te verbinden aan een Bill of Rights, die in november 1990 werd gepubliceerd. Deze mijlpalen geven duidelijk de richting aan waarin Zuid-Afrika kan gaan. Ze voorzien in een grondwettelijke en democratische politieke orde waarin zonder onderscheid tussen ras, geslacht, geloof, politieke overtuiging of seksuele geaardheid, de wet gelijkelijk voor iedere burger zal gelden. Ze voorzien in een democratie waarin de regering, uit wie deze ook mag bestaan, is gebonden aan een hoger stelsel van regels die zijn vastgelegd in een grondwet, en niet volgens eigen inzicht zomaar het land mag besturen.

Democratie is gebaseerd op het principe van de meerderheid. Dat geldt eens te meer in een land als het onze, waar de overgrote meerderheid een tijdlang systematisch alle rechten is ontzegd. Democratie betekent tegelijkertijd dat de rechten van politieke en andere minderheden worden gewaarborgd. In de politieke orde die wij hebben gevestigd zullen op alle bestuurlijke niveaus – de centrale, provinciale en gemeentelijke – de vereiste open en vrije verkiezingen plaatsvinden. Ook zal er een maatschappelijke orde worden gevestigd die de culturen, talen en godsdienstige rechten in alle lagen van onze maatschappij, alsmede de fundamentele rechten van het individu onvoorwaardelijk zal respecteren.

Er wacht ons geen eenvoudige taak. Maar u heeft ons een volmacht gegeven om Zuid-Afrika te veranderen van een land waar de meerderheid nauwelijks enige hoop mocht koesteren, in een land waar zij waardig en met
een gevoel van zelfrespect en vertrouwen in de toekomst kan werken en
wonen. De hoeksteen voor een beter leven met gelijke kansen, vrijheid en
voorspoed voor iedereen wordt gevormd door het Programma voor Wederopbouw en Ontwikkeling. Om het te laten slagen, is een gezamenlijke
doelstelling nodig. Om het te laten slagen, is actie nodig. Het kan alleen slagen als wij allen samenwerken om een eind te maken aan de verdeeldheid
en het wantrouwen, en een land opbouwen dat verenigd is in zijn verscheidenheid.

De bevolking van Zuid-Afrika heeft met deze verkiezingen gesproken. Ze
willen verandering! En verandering zullen ze krijgen. Wij nemen ons voor
banen te creëren, vrede en verzoening te propageren en vrijheid voor alle
Zuid-Afrikanen te garanderen. Wij zullen de armoede aanpakken die zo
alomtegenwoordig is onder de meerderheid van ons volk. Door investeerders en de democratische overheid aan te moedigen om banenplannen te
steunen voor de goederenindustrie, zullen wij proberen ons land van een,
per saldo, exportland van delfstoffen te veranderen in een exportland van
geraffineerde eindproducten.

De regering zal een beleid ontwikkelen dat het opzetten van bedrijven in
de achtergestelde gemeenschappen – van Afrikanen, kleurlingen en Indiërs
– bevordert en beloont. Door het verstrekken van leningen te vergemakke-
lijken kunnen wij hen helpen een plaats te veroveren binnen de wereld van
industrie en nijverheid en zich te ontworstelen aan het kleinschalige distri-
butienetwerk waar zij op dit moment aan vastzitten.

Het zal toewijding en moeite kosten om ons land en zijn bevolking uit
het moeras van racisme en apartheid te trekken. Het ANC zal als overheid
het wettelijke kader scheppen dat de enorme taak om onze gehavende samenleving opnieuw op te bouwen zal ondersteunen, in plaats van daarbij
in de weg te lopen.

Al zullen wij in eerste instantie volledig meewerken aan een regering van
nationale eenheid, we zijn vastbesloten de ommekeer die de bevolking van
ons eist tot stand te brengen. Wij leggen onze visie voor een nieuwe grondwettelijke orde in Zuid-Afrika niet als overwinnaars die iets voorschrijven
aan de overwonnenen, op tafel. Wij spreken als medeburgers om de won-

den van het verleden te helen, met de bedoeling een nieuwe orde te scheppen, gebaseerd op gerechtigheid voor iedereen.

Dat is de uitdaging waar alle Zuid-Afrikanen vandaag de dag voor staan,
en ik weet zeker dat wij die uitdaging zullen aandurven.

Inhuldiging als president

Toespraak tot de natie bij de inhuldiging als president van de
Republiek Zuid-Afrika, Union Buildings, Pretoria, 10 mei 1994

Vandaag schenken wij allen, door onze aanwezigheid hier en de festiviteiten elders in het land en in de wereld, de nieuwe vrijheid glorie en hoop. Uit de ervaring van een uitzonderlijke menselijke ramp die veel te lang heeft geduurd moet een samenleving voortkomen, waarop de hele mensheid trots zal zijn.

Het dagelijks handelen van de gewone Zuid-Afrikaan moet een Zuid-Afrikaanse werkelijkheid doen ontstaan die het geloof van de mensheid in gerechtigheid kracht zal geven, haar vertrouwen in de waardigheid van de menselijke geest zal versterken en de hoop van eenieder op een eervol leven in stand zal houden. Dit alles zijn wij zowel aan onszelf verschuldigd als aan de volkeren van de wereld die hier vandaag zo ruim vertegenwoordigd zijn.

Tot mijn landgenoten zeg ik zonder enige aarzeling: eenieder van u is net zo stevig geworteld in de grond van dit prachtige land als de beroemde palissanderbomen van Pretoria en de mimosabomen die op de bushvelden groeien. Telkens als wij de grond onder onze voeten voelen, ervaren wij een gevoel van persoonlijke vernieuwing. De sfeer in het land verandert met de seizoenen. Een gevoel van vreugde en opwinding maakt zich van ons meester wanneer het gras weer groen wordt en de bloemen gaan bloeien.

Die spirituele en lichamelijke verbinding die wij met ons gezamenlijke land van herkomst voelen, verklaart de hevigheid van de pijn in ons hart toen we moesten toezien hoe ons land zichzelf in een afschuwelijk conflict aan stukken scheurde en we het veracht, vogelvrij verklaard en geboycot zagen worden door de rest van de wereld, juist omdat het de spreekwoordelijke basis van de verderfelijke ideologie en uitoefening van racisme en racistische onderdrukking was geworden.

Wij, het volk van Zuid-Afrika, zijn dankbaar dat de mensheid ons weer in de armen heeft gesloten, dat wij, die tot voor kort nog vogelvrij waren, vandaag het zeldzame voorrecht beleven de landen van de wereld op onze eigen grond te mogen verwelkomen. Wij danken onze geachte internationale gasten dat zij zijn gekomen om samen met de bevolking van ons land, dat wat in wezen een gemeenschappelijke overwinning is van gerechtigheid, vrede en menselijke waardigheid, te komen begroeten. Wij vertrouwen erop dat u ons zult blijven steunen nu wij de uitdagingen zullen aangaan die het realiseren van vrede, voorspoed en een niet-seksistische, niet-racistische democratie ons stelt.

Wij zijn uitermate dankbaar voor de rol die de volksgroeperingen, de vrouwen-, jongeren- en zakenbewegingen, de democratische, religieuze, traditionele en andere politieke groeperingen en hun leiders hebben gespeeld in het tot stand brengen van deze uitkomst. Niet de geringste onder hen is mijn tweede vice-president, de heer F.W. de Klerk.

Ook wil ik hulde brengen aan de politie en veiligheidstroepen, geen enkele rang uitgezonderd, voor de belangrijke rol die zij hebben gespeeld in het behoeden van onze eerste democratische verkiezingen en van de overgang naar democratie, voor de bloeddorstige krachten die nog immer weigeren het licht te zien.

De tijd is nu gekomen om onze wonden te laten helen. Het moment is nu gekomen om wat ons scheidt te overbruggen. De tijd om te gaan bouwen is nu aangebroken. Eindelijk hebben wij dan onze politieke emancipatie bereikt. Wij beloven ons gehele volk te bevrijden uit de ketenen van hun nog immer heersende armoede, ontberingen, lijden, en seksuele en andere vormen van discriminatie.

Wij zijn erin geslaagd om in relatief vreedzame omstandigheden onze laatste stappen op weg naar de vrijheid te nemen. Wij zullen ons inzetten voor een totale, rechtvaardige en duurzame vrede. Wij zijn erin geslaagd miljoenen mensen weer hoop te brengen. Wij sluiten een verbond om een samenleving op te bouwen waar alle Zuid-Afrikanen, blank en zwart, onbevreesd trots op kunnen zijn en verzekerd van hun onvervreemdbaar recht op menselijke waardigheid – een regenboognatie in harmonie met zichzelf en de wereld.

Als bewijs van haar inzet voor de vernieuwing van ons land zal de nieuwe interimregering van nationale eenheid met voorrang het amnestievraagstuk voor verschillende categorieën gevangenen bespreken.

Deze dag dragen wij op aan de helden en heldinnen van dit land en in de rest van de wereld, die op vele manieren offers hebben gebracht en hun leven in dienst hebben gesteld van onze vrijheid. Hun dromen zijn uitgekomen. De vrijheid is hun beloning.

De eer en het voorrecht dat u, het volk van Zuid-Afrika, mij, de eerste president van een verenigde, democratische en niet-racistische en niet-seksistische regering, heeft betoond, vervult mij zowel met nederigheid als met trots. Natuurlijk, de weg naar de vrijheid is nog steeds geen gemakkelijke. Wij zijn ons er terdege van bewust dat wie alleen opereert, geen resultaat zal behalen. Daarom moeten wij verenigd en gezamenlijk te werk gaan om een nationale verzoening, een nieuwe natie, de geboorte van een nieuwe wereld tot stand te brengen.

Laat er gerechtigheid zijn voor iedereen. Laat er vrede zijn voor iedereen. Laat er werk, brood, water en zout zijn voor iedereen. Laat eenieder zich ervan bewust zijn dat onze harten en zielen zijn bevrijd om zichzelf waar te maken. Nooit, nooit, nooit meer zal dit prachtige land de onderdrukking van de één door de ander meemaken of lijden onder de weerzin van de wereld. Laat de vrijheid heersen. De zon zal voor eeuwig schijnen op deze schitterende menselijke prestatie!

God zegene Afrika!

Vrijheidsdag 1998

Toespraak op Vrijheidsdag, Kaapstad, 27 april 1998

Toen wij hier op de Grand Parade in februari 1990 bijeenkwamen, wisten we dat onze mars naar de vrijheid onomkeerbaar was, dat niets de verwezenlijking van onze droom van een vrij Zuid-Afrika in de weg zou staan. Het volk had de deuren van de gevangenis geopend en wij wisten dat het niet lang meer zou duren voor we de weg naar de vrede en de democratie hadden gevonden.

We wisten dat de apartheid onze samenleving had verwoest en dat er een moeilijke en lange weg voor ons lag om de armoede en ongelijkheid die de apartheid had gecreëerd op te heffen. Maar wij realiseerden ons die dag dat we in staat zouden zijn ieder obstakel uit de weg te ruimen, omdat de meerderheid van de Zuid-Afrikanen had onderkend dat er een gezamenlijke toekomst voor hen lag.

Vier jaar later, op 27 april 1994, verklaarden vele miljoenen Zuid-Afrikanen dat ze zichzelf zouden regeren. Die dag stichtten wij ons land opnieuw en bezwoeren we de erfenis van het verleden waarin we verdeeld waren ongedaan te maken, met als doel een beter bestaan voor ons hele volk op te bouwen.

Vandaag komen wij opnieuw bijeen, om vier jaar vrijheid te vieren. Wij komen bijeen om opnieuw te benadrukken dat we één volk zijn, met één bestemming, en om ons opnieuw te verbinden aan het bereiken van de doelstellingen die ons tot een volk maken. De geschiedenis van wat nu de Westkaap is – net als die van de rest van ons land – heeft ons geleerd dat je vrijheid niet kunt verdelen. De vrijheid van één mens is de vrijheid van de andere en waar ook maar één mens niet vrij is, is niemand vrij.

De minderheidsregering kon slechts bestaan zolang ze het volk kon dwingen zich aan haar te onderwerpen op een manier die Adam Small in een gedicht als volgt verwoordt:

God heeft gedobbeld en de stenen zijn verkeerd gevallen,
dat is alles.
Dus zo is het goed, mijn vriend, zo is het goed.[1]

Maar nu zij die onderdrukt werden zich hebben verenigd en hun lot in eigen handen genomen, en nu zij die onderdrukt werden en hun voormalige onderdrukkers tezamen de verantwoordelijkheid voor een gemeenschappelijke toekomst hebben genomen, klinkt er meer hoop in de woorden van Adam Small:

zo is het goed, mijn vriend, zo is het goed.

Op deze Vrijheidsdag bruist door de Parade en de straten van Kaapstad de eenheid in verscheidenheid van een samenleving in harmonie met zichzelf omdat de rechten van allen worden gerespecteerd. Door de verscheidenheid aan huidskleuren en talen die ons zo lang verdeeld hebben gehouden, staan wij nu samen sterk. In de wettelijke basis van ons land, onze grondwet, staat dat we wij allen één zijn. Wij zijn bevrijd van een systeem dat ons allen gevangenhield, we zijn eindelijk vrij om te zijn wie en wat we werkelijk zijn, onbevreesd, omdat onze culturen en religies worden gerespecteerd.

De talen van deze provincie worden net als alle andere talen van ons land niet langer onderscheiden in officiële en niet-officiële. Ze worden niet langer geassocieerd met onrechtvaardigheid en onderdrukking aan de ene kant en met achterstand en armoede aan de andere. Alle talen zijn vrij om ten volle te bestaan als de talen van ons hele volk in al zijn verscheidenheid.

We koesteren onze grondwet en willen ervoor zorgen dat de rechten die eraan kunnen worden ontleend voor ons hele volk gaan gelden. Daarom heeft de regering deze week tot week van de grondwet verklaard. Wij allen moeten een rol spelen in de verspreiding van dit democratisch manifest, op ons werk, op onze scholen en universiteiten; in onze woonoorden en thuis. De politieke partijen moeten er in het heetst van de naderende verkiezingsstrijd ook voor waken niet op de onderbuikgevoelens in te spelen die het gevolg zijn van een verleden waarin wij verdeeld waren, en die nog niet helemaal uit onze samenleving zijn verdwenen.

Onze vrijheid en onze rechten zullen alleen hun volledige betekenis krijgen als wij er gezamenlijk in slagen de verdeeldheid en ongelijkheid van het verleden te overwinnen en het bestaan van vooral de armen te verbeteren. Planning en beleidsontwikkeling hebben inmiddels plaats gemaakt voor de uitvoering ervan en het tempo wordt steeds meer opgeschroefd. Wij zijn trots op het feit dat de basisvoorzieningen die zo lang voor de meeste bevolkingsgroepen slechts een droom waren, nu het leven van miljoenen mensen beginnen te veranderen. Maar deze taak is verre van voltooid. Ofschoon de oude machtsverhoudingen niet meer gelden, zijn ze nog steeds wel zichtbaar in het maatschappelijke en economische leven – in de woonoorden, op de werkvloer, tussen de armen en de rijken.

Wanneer wij het begin van de ontmanteling van die erfenis vieren, doen we dat in de wetenschap dat er nog veel gedaan moet worden. Wij zullen allemaal nog veel werk moeten verzetten – werkgevers en arbeiders; leraren en leerlingen; overheden en bevolkingsgroepen. Voor de regering geldt dat ze er in het bijzonder op moet letten dat publieke gelden efficiënt en met strakke hand worden beheerd en besteed. Voor ons allen, waar wij ook staan in de maatschappij, geldt dat we gezamenlijk aan de slag moeten gaan om de ongelijkheid van het verleden op te heffen. Dit betekent onder andere dat we ons beleid moeten verbeteren om de werkgelegenheid voor hen die vroeger buitengesloten of achtergesteld werden te bevorderen. In het afronden van de details van de Wet op de Rechtvaardige Verdeling van Arbeid, een instrument dat de misstanden uit het verleden die veroorzaakt zijn door de discriminatie en achterstelling van Afrikanen, kleurlingen, Indiërs, vrouwen en gehandicapten moet rechtzetten, moeten wij volkomen duidelijk zijn in ons standpunt dat eenieder die ook maar iets onderneemt om een bepaalde groep te laten profiteren, niet handelt in overeenstemming met de principes die aan deze wet ten grondslag liggen.

Onze vrijheid is ook niet compleet zolang wij niet worden beschermd tegen de misdadigers die het op onze woonoorden hebben gemunt; die onze bedrijven plunderen en onze economie ondermijnen; die hun destructieve drugshandel op onze scholen drijven; die onze vrouwen en kinderen geweld aandoen. Hoewel het regeringsbeleid vruchten begint af te werpen en, dankzij uw steun, het tij begint te keren, woekert de misdaad op een onacceptabel niveau voort en moet er meer tegen worden gedaan. Wij moeten vooral de macht van de georganiseerde bendes in woonoorden voorgoed breken. De wijze waarop de Westkaap zich organiseert om de strijd met dit kwaad aan te gaan is veelbelovend.

De lancering vandaag van een campagne die de samenwerking tussen lokale partijen en overheidsinstellingen verbetert om de speelruimte voor de bendes te verkleinen, geeft de strijd een nieuwe impuls. Hoe beter deze campagne erin slaagt de bevolkingsgroepen te stimuleren om samen te werken met de politie en de rechterlijke macht, hoe meer de Westkaapse Commissie tegen Bendegeweld zal bijdragen aan de vrijheid die wij vandaag vieren. Ik zal met mijn ministers ook de voorstellen die eergisteren zijn gedaan door de Interreligieuze Commissie tegen Misdaad en Geweld in de Westkaap, bespreken. De vooruitgang die wij boeken zal een blijvend effect hebben wanneer we tevens de sociaal-economische omstandigheden uitroeien die het de bendeleiders mogelijk maken om hun boosaardige plannen uit te voeren.

Om al deze doelen te bereiken is een duurzame economische groei nodig. De basis hiervoor is gelegd door ons economische beleid en door onze nieuwe positie in de wereld. Wij moeten gezamenlijk de kans grijpen om de grondstoffen te produceren en de arbeidsplaatsen te creëren die het bestaan van ons volk een compleet ander aanzien zullen geven.

Aan deze vooravond van ons vijfde jaar van vrijheid kunnen wij concluderen dat we grote stappen hebben genomen op de weg die voor ons lag toen we hier acht jaar geleden bijeenkwamen aan het begin van onze overgang van een pijnlijk verleden naar een zonnige toekomst. Vele uitdagingen zijn alleen nog maar groter geworden. Maar zoals wij de obstakels die destijds voor ons lagen wisten te overwinnen, zullen we die van vandaag tegemoettreden. De bodem voor een beter bestaan is gelegd en het bouwen is begonnen. Laten wij vandaag opnieuw de plechtige gelofte afleggen om Zuid-Afrika gezamenlijk tot het land van onze dromen te maken!

1   Originele tekst:
    Die Here het geskommel en die dice het verkeerd geval vi'ons dacu's maar al/So dis
    allright, pellie, dis alright.

3

Verzoening

Een nieuw tijdperk van hoop

Nieuwjaarsboodschap van de voorzitter van het ANC gericht aan het volk van Zuid-Afrika, 30 december 1991

Een nieuw jaar is in aantocht. Een nieuw jaar dat, in het laatste decennium van deze eeuw, de Zuid-Afrikanen een nieuw tijdperk van hoop kan brengen. Ofschoon we veel hebben bereikt, moeten we het nieuwe jaar niet met een zelfvoldane houding tegemoettreden, maar kunnen we het beter als een moment bezien om rustig en nuchter terug te kijken. Wij moeten de taken en uitdagingen die nog voor ons liggen inventariseren. Toch is het tekenend voor de vooruitgang die wij hebben geboekt dat we thans de gelegenheid hebben om Zuid-Afrika een stevige duw in de richting van de democratie te geven.

Er is veel gebeurd in 1991, onder andere de oprichting van het Patriotic Front.[1] Wij kunnen allemaal met recht trots zijn op het succes van de eerste vergadering van de Convention for a Democratic South Africa (Codesa),[2] waar een overweldigende meerderheid van Zuid-Afrika's politieke partijen, organisaties en groeperingen elkaar heeft ontmoet. Het gezamenlijke doel van Codesa, waar op twee na alle partijen zich aan hebben verbonden, is het bereiken van een niet-racistische democratie.

Het drama van Zuid-Afrika is dat Codesa pas kon ontstaan na tachtig jaar bloedige strijd door de meerderheid van de Zuid-Afrikanen, die van de zogenaamde Nationale Conventie van 1909 waren buitengesloten. Na de ontelbare gemiste kansen van de afgelopen acht decennia biedt Codesa de Zuid-Afrikanen het veelbelovende vooruitzicht van een gezamenlijk vorm te geven toekomst voor ons land.

Nu 1991 ten einde komt blijft er het pijnlijke, zinloze en tragische bloedvergieten dat in Natal en andere delen van het land zoveel ellende heeft veroorzaakt. Het heeft niet zoveel zin om vandaag met de vinger te wijzen naar wie het eerste schot heeft gelost. Maar het is overduidelijk dat niemand – behalve zij die de apartheid in stand willen houden – enig baat heeft bij de aanhoudende slachtpartijen.

In deze kerst- en nieuwjaarstijd, die in het teken staat van vrede op aarde en in de mensen een welbehagen, roep ik de leiders van ons volk op, of zij nu behoren tot burgerrechtenorganisaties, volksbewegingen, vakbonden, vrouwen-, onderwijs- of jeugdorganisaties, culturele instellingen, de Kerk of de zakenwereld, om zich alle inspanningen te getroosten om het Vredesakkoord te doen slagen en vrede in ons leven te brengen. In het belang van onze kinderen, voor de toekomst van ons land, en om ervoor te zorgen dat het democratisch bestel waar zovelen zoveel voor hebben gegeven, geen doodgeboren kindje zal zijn: laat het moorden nu ophouden. Geen leven mag in dit zinloze geweld nog verloren gaan.

Aan het begin van het nieuwe jaar mogen wij niet onze medeburgers vergeten wier lot het is dakloos, hongerig en arm te zijn. Miljoenen mensen moeten het nog steeds zonder de meest basale mensenrechten stellen – een dak boven hun hoofd, eten en het recht op een volwaardig en vruchtbaar leven. Op de toekomst die wij voor ogen hebben zal een ernstige smet rusten wanneer dit nationale probleem niet wordt aangepakt. Het ANC heeft zijn eigen voorstellen om de sociaal-economische problemen van het land op te lossen. Ik doe op anderen een beroep om de zaak de prioriteit te geven die zij verdient.

We beseffen dat vele Zuid-Afrikanen zich grote zorgen maken over de toekomst, vooral over het vraagstuk hoe we een sterke, groeiende economie kunnen ontwikkelen. Het tempo van die ontwikkeling hangt samen met de snelheid waarmee fundamentele veranderingen tot stand komen. Wij hebben, met instemming van de wereld, voorgesteld de sancties gefaseerd op te heffen. Tot op heden zijn wij erin geslaagd de sancties tussen de Zuid-Afrikaanse volkeren onderling op te heffen, met verheugende, voor ieder zichtbare resultaten – in cricket en andere sporten, op het gebied van cultuur en toerisme. Een democratische grondwet kan alle resterende sancties, met inbegrip van de financiële, helpen opheffen en ons in staat stellen met opgeheven hoofd ónze plaats in de internationale gemeenschap in te nemen. Investeerders zijn uitermate geïnteresseerd in de vooruitgang die wij boeken. Als wij deze doelen bereiken, ligt de wereld voor ons open.

Het komende nieuwe jaar zal voor velen die aan de strijd hebben deelgenomen het eerste zijn dat ze buiten de gevangenis zullen meemaken. Ik wil hierbij opnieuw deze voormalig politieke gevangen van harte welkom heten. Ik omhels mijn kameraden en ben vol vertrouwen dat zij de plaats zullen innemen die hen toekomt in de rangen van de strijd waarin ze zo eervol hebben gediend, al zaten ze gevangen. De vrijlating van de meerderheid van de politieke gevangenen, waarvoor het volk van Zuid-Afrika zo succesvol heeft gestreden, en waaraan miljoenen mensen in de hele wereld hun steun hebben gegeven, betekent een belangrijke overwinning. Maar ze is niet compleet: er zijn meer dan vierhonderd politieke gevangenen die nog steeds in de gevangenis zitten of de doodstraf afwachten, en onder hen bevinden zich grote patriotten als Robert McBride, Mthetheleli Mncube en Mzondeleli Nondula.

De harde werkelijkheid is dat, los van de aantallen die wij door onze gezamenlijke inspanningen uit de gevangenissen van de apartheid weten te bevrijden, niemand in Zuid-Afrika werkelijk vrij is zolang het racistische grondwetsstelsel van kracht blijft. In onze optiek maken de grondslagen zoals geformuleerd door Codesa het mogelijk een interimregering van nationale eenheid te vestigen om het overgangsproces te organiseren en toe te zien op vrije en eerlijke verkiezingen voor een constituerende vergadering, uitgaande van *one person, one vote* (één stem per burger, vert.). Een democratische grondwet is daarom een van onze belangrijkste doelstellingen voor 1992.

Komend jaar kan het jaar worden waarin ons land deze enorme stap voorwaarts neemt, zo noodzakelijk om onze democratische doelstelling te bereiken en internationaal voor vol te worden aangezien. Maar dat alles kan alleen worden gerealiseerd door ons eigen handelen. In het belang van ons land en van onze toekomst: wij mogen niet falen!

Laten wij dit nieuwe jaar beginnen ons voor te nemen de opsplitsing in rassen, etniciteiten en talen, een erfenis van de apartheid, af te schaffen en in plaats daarvan ons op te stellen als mede-Zuid-Afrikanen die bereid zijn en gereed staan om samen te werken. Laten wij de gelegenheid aangrijpen om een nieuw begin te maken door op creatieve wijze de beste dingen uit het verleden om te smeden tot bouwstenen voor de toekomst. Voor iedereen in ons land is er een rol en een plaats weggelegd. Laten wij onze kortzichtige sectorale en partijpolitieke belangen opzij schuiven om het hogere nationale belang te dienen dat ons een toekomst zal bieden van vrede, stabiliteit en voorspoed voor iedereen.

Wanneer wij dát allemaal voor elkaar krijgen, zal 1992 werkelijk een gelukkig en voorspoedig nieuwjaar worden.

NOTEN VAN DE VERTALER

1 Samenwerkingsverband tussen de Zuid-Afrikaanse vakbeweging, de Communistische Partij, de liberale Democratische Partij en verschillende maatschappelijke bewegingen, opgericht in Durban in 1991.
2 Vergadering waarin verschillende zwarte en blanke partijen sinds 1991 over een nieuwe grondwet onderhandelden.

Het ANC en de National Party

Verklaring aan het begin van het topoverleg tussen het ANC en de
National Party (NP), 26 september 1992

Graag wil ik er mijn waardering over uitspreken dat wij elkaar nu eindelijk ontmoeten. Het simpele feit dat wij elkaar op dit niveau treffen biedt alle Zuid-Afrikanen op zijn minst een teken van hoop. Het is onze plicht hen niet teleur te stellen.

Mijn complimenten gaan uit naar secretaris-generaal Cyril Ramaphosa en minister Roelf Meyer en hun staf, die zo hard hebben gewerkt om deze top mogelijk te maken. Maar boven alles prijs ik het volk van Zuid-Afrika dat er op allerlei manieren voor heeft gezorgd dat de vraagstukken van vrede en democratie hoog op de politieke agenda zijn blijven staan.

Er zijn momenten geweest dat we de wanhoop nabij waren. Maar de vraagstukken zouden niet zo kritiek, en de noodzaak ze te behandelen zou niet zo dringend zijn geweest, als zich onderweg geen problemen zouden hebben voorgedaan.

Nu zijn wij dan hier bijeen – als vertegenwoordigers van het ANC en de regering – om praktische oplossingen te zoeken voor de meest dringende problemen waar dit land mee kampt. Ik wil deze gelegenheid aangrijpen om de onlangs vrijgelaten politieke gevangenen weer in ons midden welkom te heten en spreek de hoop uit dat de anderen spoedig zullen volgen. Deze belangrijke stap alsmede het nemen van praktische maatregelen om het geweld aan te pakken zullen bijdragen aan een klimaat dat het mogelijk maakt onze directe onderhandelingen voort te zetten.

Wij zijn hier bijeengekomen in de hoop dat er aan het eind van deze top een stevige basis zal zijn gelegd voor een vervolg van de onderhandelingen. Dat is de wens van ons hele volk. Dat is wat onze economie nodig heeft. Dat is waar ons land naar snakt.

Het ANC is hier niet naartoe gekomen om de overwinning op te eisen. Wij zijn hier naartoe gekomen om de problemen waar ons land voor staat serieus aan te pakken. Wij moeten hier weer vandaan gaan in de vaste overtuiging dat we de weg vrij zullen maken naar een nieuw democratisch bestel. De overwinning moet aan Zuid-Afrika zijn.

Wij geloven dat de onderhandelingen alleen kunnen slagen als alle partijen en organisaties sterker worden. Hoe moeilijk het ook is, het zou een ernstige vergissing betekenen als de organisaties zich in de onderhandelingen laten leiden door sektarische belangen.

Natuurlijk zijn de NP en het ANC voortgekomen uit specifieke achtergronden. In het belang van onze gezamenlijke toekomst moeten wij proberen de sentimenten die daarmee in verband staan te kanaliseren. In het licht van de huidige situatie moeten wij vooruitkijken en kalm de zaken waar het feitelijk om draait aanpakken.

We zijn de afgelopen tijd geconfronteerd met een reeks bloedbaden zoals die in Boipatong en Bisho. Wij hebben elkaar de schuld daarvoor gegeven. Op onze schouders rust de plicht om zo snel mogelijk een interimregering van nationale eenheid samen te stellen. Daarmee kunnen dit soort problemen beter worden aangepakt. Ik hoop dat wanneer wij elkaar opnieuw ontmoeten het mogelijk zal zijn overeenstemming te krijgen over de data voor de verkiezingen van een constituerende vergadering en de beëdiging van een interimregering.

Onze economie heeft zware averij opgelopen. Honger, werkloosheid, de crisis in het onderwijs, gebrekkige voorzieningen en criminaliteit verzieken op dit moment onze samenleving. Hoe langer deze problemen onopgelost blijven, hoe meer zij aan kracht zullen winnen en ons land verder naar de rand van de afgrond zullen sleuren. Hoe langer de overgang naar de democratie op zich laat wachten, hoe verder de oplossingen voor deze problemen naar achteren worden geschoven.

Maar om op dat punt te komen moeten wij het geweld en de politieke onverdraagzaamheid met hernieuwde vastberadenheid aanpakken. Iedereen in onze samenleving – met inbegrip van degenen in de zogenaamde thuislanden – moet vrijheid van meningsuiting en vergadering krijgen. Iedereen, niemand uitgezonderd, heeft recht op een waardig bestaan.

Door serieus de kwesties op de agenda van deze top onder de loep te nemen wordt het Vredesakkoord verstevigd en dragen wij in belangrijke mate bij aan een nationale verzoening.

Deze topontmoeting kan een stevige basis leggen voor een snelle overgang naar de democratie. Het aannemen van een Grondwet waar alle Zuid-Afrikanen trouw aan beloven en het installeren van een regering die een ware afspiegeling is van het volk van Zuid-Afrika, vormen daarin de twee belangrijkste mijlpalen.

Mijn afvaardiging en ik zullen alles wat in onze macht ligt doen om te zorgen dat deze top slaagt. Er is voor Zuid-Afrika geen andere keuze.

Het ANC en de Inkatha Freedom Party

Openingstoespraak voor de top van het ANC en de Inkatha Freedom Party, 29 januari 1990

Graag wil ik namens het bestuur van het ANC en namens al onze leden mijn grote dank uitspreken aan allen die hier bijeengekomen zijn voor deze historische ontmoeting tussen onze twee organisaties.

De hoogste lof moet natuurlijk uitgaan naar de bevolking van de provincie Natal en andere delen van het land, die er met hun verlangen naar vrede voor hebben gezorgd dat wij elkaar vandaag in dit overleg treffen. Een vergadering als deze is de bekroning van lokale en regionale initiatieven zoals het Lower Umfolozi-akkoord. Om aan hun verlangens tegemoet te komen en om hun inspanningen vorm te geven, komen wij hier vandaag samen.

De bijzondere betekenis van deze topontmoeting ligt in de lange, moeizame weg die wij hebben moeten afleggen alvorens deze mogelijkheid zich voordeed. Deze ontmoeting is voor ons het hoogtepunt van onze aanhoudende inspanningen om een eind te maken aan de rivaliteit die onze twee organisaties en ons volk zo lang heeft geteisterd.

Wij willen al direct één ding volstrekt helder maken. Wij zijn hier niet gekomen om elkaar de schuld te geven voor het feit dat het zo lang heeft geduurd voor we om de tafel zijn gaan zitten om vrede en verzoening te bewerkstelligen. Wij denken evenmin dat het ons streven naar vrede zou dienen als we onze tijd verdoen met elkaar op te zadelen met de verantwoordelijkheid voor de vreselijke slachtpartijen waarin vele duizenden van onze mensen zijn gewond of gedood.

Om de werkelijke doelstelling van deze bijeenkomst te realiseren, mogen ANC en Inkatha niet denken in termen van verliezers of overwinnaars. Alleen het volk zelf moet als overwinnaar te voorschijn komen. En de enige verliezers moeten degenen zijn wier racistische ideologieën baat hebben bij het bloedvergieten door zwarten onderling.

De ogen van de wereld zijn op ons gericht. De meerderheid van de bevolking in deze verwoeste provincie en in andere delen van het land wenst ons in ieder geval alle succes. De boodschappers van dood en verderf – die de blanke minderheidsheerschappij willen behouden – wensen het tegenovergestelde. Wij moeten in gelijke mate bijval en teleurstelling oogsten. Wij moeten met een resultaat komen.

Het is ironisch dat het zoveel inspanningen heeft gekost om twee partijen die de onderworpenen vertegenwoordigen, bij elkaar te brengen. En het is hoe dan ook tragisch dat het land van de koningen Shaka, Dingane en Cetshwayo ten onder gaat aan het bloedvergieten dat zijn zonen en dochters zichzelf aandoen.

Deze provincie heeft enkele van de grootste vrijheidsstrijders van het land voortgebracht. Onvergetelijk is de dappere strijder Bambatha, die voorging in de gewapende strijd vlak voor het moderne Zuid-Afrika ontstond. Koning Dinizulu, John Dube en Josiah Gumede waren medeoprichters van het ANC. Wij zijn het aan deze en andere helden, onder wie chief Albert Luthuli en bisschop Zulu, verplicht postuum vrede te brengen.

Zij offerden zich op voor de eenheid van het volk tegenover de gezamenlijke vijand van alle onderworpenen: het apartheidssysteem. Hun bloed vloeide, opdat vrede zal herrijzen uit de ruïnes van de apartheid.

Het ANC is opgericht om dat systeem te vernietigen. En dat is nog steeds wat het vandaag de dag nastreeft. Het juk van de blanke koloniale overheersing rust nog steeds op de schouders van ons volk. De grootste wens van iedere Zuid-Afrikaan, van welke rang of stand ook, is dat juk af te werpen.

Onze ontmoeting van vandaag moet gebaseerd zijn op het fundament dat onze voorgangers hebben gelegd. De pogingen om de leden van onze bevolking door etnische grenzen van elkaar te scheiden, om hun kleurrijke verscheidenheid tot een dolk om te smeden waarmee zij zichzelf in het hart zullen treffen, moeten worden verijdeld.

Ons zwaar op de proef gestelde land kan alleen worden verlost als wij ons realiseren dat we één volk zijn – zwart en blank. Wij zijn misschien niet allemaal hetzelfde, maar we vormen één, onderling samenhangend volk – wat onze politieke of ideologische uitgangspunten ook mogen zijn.

Dankzij de niet-aflatende inspanningen van ons volk komt er een einde aan het wrede en schandelijke tijdperk van de apartheid.

Groots waren de offers die ons volk heeft gebracht om de regenten van de apartheid te laten inzien dat zij geen toekomst in Zuid-Afrika hebben als ze niet accepteren dat het lot van ons land in handen van het hele volk ligt, waarbij iedereen gelijkwaardig is.

Duizenden hebben het leven gelaten in de strijd tussen de bevolkingsgroepen onderling in Natal en andere delen van het land. Uiteindelijk ontkomen wij er niet aan de schuld daarvan aan het apartheidsregime te geven, dat ons volk zo heeft uitgeperst en vernederd. Wij hebben het zonder twijfel bij het rechte eind, te stellen dat de opheffing van dit systeem een absolute voorwaarde is om aan geweld in ons land een einde te maken. Maar dergelijke gemeenplaatsen helpen ons niet veel verder.

We kunnen ook met de vinger naar elkaar wijzen en elkaar van alles de schuld geven. Dat streelt misschien een enkel ego. Maar de problemen worden de wereld niet uit geholpen als wij zelf, hoe terecht wij dat ook mogen vinden, alle kritiek van de hand wijzen. Daarom moeten wij met elkaar blijven praten, wat verder ook het resultaat van de besprekingen van vandaag zal zijn. Alleen dan zullen onze punten van overeenstemming aan kracht winnen en onze punten van conflict definitief uit de wereld worden geholpen.

Het ANC gelooft dat ons volk door zijn inspanningen een situatie heeft gecreëerd waarin de apartheid met vreedzame middelen kan worden uitgeroeid.

Noodzakelijk hiervoor is een sfeer te creëren waarin eenieder vrijelijk zijn eigen politieke voorkeuren kan uitdragen. Het gebruik van geweld of de weigering openbare voorzieningen voor anderen open te stellen, of dat nou is bij onrust binnen bevolkingsgroepen of door overheidsmaatregelen, alleen omdat men er een andere mening op na houdt, bevestigt alleen maar de verwerpelijkheid van die mening. Voor de vrijheid van het bedrijven van politiek en het bereiken van de vrede die ons voor ogen staat, is het noodzakelijk dat politie en veiligheidstroepen onpartijdig en in het belang van de vrede optreden.

Wij zijn er tevens van overtuigd dat de overgang naar een nieuw Zuid-Afrika een zaak is van alle Zuid-Afrikanen. Bij iedere fase moet het gehele volk worden betrokken en moeten alle partijen worden gehoord. Ons voorstel een congres te organiseren waar alle partijen samenkomen, komt voort uit die overtuiging, net als onze oproep om een onafhankelijk orgaan van toezicht in het leven te roepen, en een gekozen commissie om de blauw-

druk voor een nieuwe grondwet op te stellen. Alleen dan zal het eindpro-
duct op de steun van het volk kunnen rekenen.

Het ANC eist niet van Inkatha dat zij het met al onze inzichten volledig
eens is. Wanneer wij de voorspoed die we voor Zuid-Afrika wensen willen
bereiken, moet de dialoog blijven bloeien. Wij moeten ervoor zorgen dat
alle Zuid-Afrikanen, met inbegrip van de politie en veiligheidstroepen, ons
een staat helpen vormen waar we trots op kunnen zijn. Op korte termijn
moeten wij de woonoorden zodanig opnieuw opbouwen en ontwikkelen
dat de angel van het geweld er geen houvast krijgt, en de geslagen wonden
kunnen helen.

Dit is de uitdaging waar wij aan de vooravond van deze historische onderhandelingen voor staan. In onze strijd hebben wij het moment bereikt
waarop we de richting van een democratische toekomst kunnen inslaan,
zonder dat er nog veel bloed hoeft te vloeien.

Vandaag rust op ons de verplichting die mogelijkheid met beide handen
aan te grijpen. Wanneer wij inderdaad onze rol als katalysator in dit proces
zullen spelen, is onze missie volbracht. Wij mogen in wezen niet falen. Het
geweld moet stoppen. Laat er vrede heersen.

De overgangsperiode

Toespraak bij de topontmoeting van het Patriotic Front,[1] Mahlangu, KwaNdebele, 24 november 1993

Het Patriotic Front als geheel kan oprecht trots zijn op het resultaat van de onderhandelingen. Ons land heeft nu eindelijk door middel van onderhandelingen een pakket maatregelen aanvaard dat alle Zuid-Afrikanen, blank en zwart, in staat stelt om het verleden achter zich te laten en de weg naar de toekomst in te slaan.

De vier wetten die onlangs door het parlement zijn aangenomen, waaronder de wet die in de Raad voor de Overgangsperiode voorziet, bieden de noodzakelijke instrumenten die vrije en eerlijke verkiezingen mogelijk maken. Wij hebben ervoor gezorgd dat de regering-De Klerk niet zowel deelnemer als scheidsrechter is. Dit was een van de eerste doelstellingen zoals geformuleerd in het voorstel van het Patriotic Front dat in 1991 in Durban werd aangenomen.

Met die instrumenten moeten wij nu de onderlinge verschillen wegnemen, de vrijheid van het bedrijven van politiek garanderen en het land in staat stellen vrije en eerlijke verkiezingen te houden.

De overgangsperiode wordt vormgegeven aan de hand van de onlangs door het parlement aangenomen Regeling van Overgang. De regeling voorziet in een regering van nationale eenheid die het land maximaal vijf jaar regeert. De regering zal worden samengesteld aan de hand van de verkiezingsuitslag van 27 april 1994. Wij kunnen nu dan ook definitief verklaren dat de stem van het volk ons in staat zal stellen om de architecten van de apartheid uit het zadel te wippen. Dat was een volgende doelstelling van het Patriotic Front.

De Regeling van Overgang voorziet er ook in dat gedurende de periode dat de regering van nationale eenheid het land bestuurt, een grondwetscommissie de definitieve grondwet van een niet-racistisch, niet-seksistisch, democratisch Zuid-Afrika opstelt. Dat was de derde en meest zwaarwegende doelstelling van het Patriotic Front.

Zo wordt aan het mandaat dat wij onszelf hebben gegeven tegemoet gekomen. De onderhandelingen hebben de weg geëffend om Zuid-Afrika zonder onderbrekingen in een ware democratie te veranderen, waarin de stem van de meerderheid doorslaggevend is.

Alleen door onze immense inspanningen en vastberadenheid hebben wij dit punt bereikt. Wij hebben een pakket maatregelen uit het vuur gesleept waar alle Zuid-Afrikanen trots op kunnen zijn. Wij hebben gedurende de onderhandelingen vele compromissen moeten sluiten. Maar die compromissen hebben wij steeds gesloten met het landsbelang in het achterhoofd en zonder onze principes te verkwanselen.

Ik breng hulde aan alle leden van het Patriotic Front voor de wijze waarop wij hebben samengewerkt om deze resultaten te behalen. Laten wij over deze samenwerking vooral niet geringschattend doen. Wij moesten in de onderhandelingen opboksen tegen de overweldigende macht van het apartheidsregime. Wij hebben een resultaat geboekt dat de basis vormt waarop ons land en ons volk binnen één staat worden verenigd.

Wat onze problemen ook zijn, laten wij onszelf aansporen onze inspanningen om samen te werken te verdubbelen opdat we op 27 april een eind maken aan het blanke minderheidsbewind en ons land de weg naar de vrede, de wederopbouw en de democratie kunnen wijzen.

De weg die voor ons ligt is geen gemakkelijke. De krachten die tevergeefs hebben geprobeerd het onderhandelingsproces te blokkeren, hebben het nog niet opgegeven. Velen van hen zullen zich als een kat in het nauw gaan gedragen. Om die problemen aan te kunnen pakken, moeten wij vertrouwen in onszelf hebben. Wij moeten er vertrouwen in hebben dat het Patriotic Front als eenheid kan opereren. Maar vooral moeten wij vertrouwen hebben in het volk dat we dienen.

Er zijn bewegingen in de extreem-rechtse vleugels van zowel zwarte als blanke organisaties die zich niet willen onderwerpen aan de wil van het electoraat. Vooral blank extreem-rechts vormt een ernstige bedreiging. Ze weten heel goed dat ze de veranderingen niet kunnen tegenhouden. En ze hebben wel degelijk de mogelijkheden om op allerlei manieren de boel te destabiliseren.

Maar wij kunnen met deze dreiging omgaan. In de eerste plaats moeten wij de juiste politieke antwoorden vinden om deze krachten als kleine minderheid te isoleren. Wij mogen nooit toestaan dat ze zich als een maatschappelijke beweging gaan manifesteren. Wij moeten flexibel zijn en tegelijkertijd streng. Wij moeten bereid zijn compromissen te sluiten zonder onze principes op te geven. Wij moeten klaarstaan om onze tactiek te wijzigen en we mogen ons einddoel nimmer uit het oog verliezen.

Een van de belangrijkste redenen waarom extreem-rechts een ernstige bedreiging vormt, is omdat de regering-De Klerk altijd heeft gedaan alsof het niet bestond. Hetzelfde geldt voor de wijze waarop de regering-De Klerk altijd heeft geweigerd op te treden tegen hen die geweld propageren.

Naast de kracht die wij als volk zelf hebben, heeft de internationale gemeenschap altijd aan de kant gestaan van onze strijd voor democratie. Ondanks het feit dat de internationale verhoudingen zijn gewijzigd, hebben wij de internationale steun behouden om niet alleen de apartheid te doen verdwijnen, maar ook voor de wederopbouw van onze economie en onze samenleving.

We moeten onze blik nu richten op de eerstvolgende periode, die loopt van nu tot 27 april 1994. Centraal hierin staan de komende verkiezingen. De andere partijen hebben één ding gemeen: ze zijn tegen het ANC. Ze wensen een spaak in het wiel van de overwinning van het ANC te steken.

Het ANC is de architect geweest van het meerpartijenstelsel in Zuid-Afrika. Maar de andere partijen hebben het meerpartijenstelsel wel een heel bijzondere betekenis gegeven. Ze proberen de boodschap aan de man te brengen dat het land erbij gebaat is als niet één partij een overweldigende meerderheid krijgt. Zij weten dat ze het in de verkiezingsrace zullen afleggen en smeken het electoraat daarom niet de uitspraak te doen die de eenheid van ons land overduidelijk zal onderstrepen. En toch, wat dit land nodig heeft in deze overgangsperiode, is de bevestiging dat het volk zich als geheel verenigt achter de enige organisatie die heeft gevochten voor eenheid, vrede en democratie.

Er staat ons een strijd te wachten waarin alle middelen zullen worden gebruikt om het ANC te verzwakken. Alles wat in de macht van de partijen die tegen het ANC zijn ligt, zal worden gebruikt; eerlijke en oneerlijke middelen zullen worden ingezet om het electoraat in verwarring te brengen, om het angst in te boezemen voor het ANC en zijn medestanders. Ze zullen er alles aan doen een wig tussen ons te drijven.

Al zijn wij nog zo zeker van de overwinning, we moeten ons volk serieus blijven nemen. Wij moeten onze boodschap naar alle uithoeken van het land uitdragen. De verkiezingen van 27 april worden de meest geavanceerde vorm van massa-actie waar ons volk aan zal deelnemen.

De Regeling van Overgang voorziet in een sterke centrale regering en een sterke provinciale overheid. Een van de grootste gevaren is dat wij ons blindelings richten op het verkrijgen van de centrale macht en automatisch de provinciale macht in andere handen laten vallen. Dat zou een vreselijke vergissing betekenen. Het zou het centrum verzwakken en het onbereikbaar maken voor de massa. Zoals uit de grondwet is af te leiden, staat of valt een rechtvaardig bestuur dat sociaal-economische ontwikkeling brengt, met de mate waarin het volk met de provinciale overheid in contact kan komen.

Ons doel moet daarom zijn de macht over het centrum te verkrijgen, de macht in alle negen provincies te verkrijgen en diegenen aan de macht te helpen die een efficiënt lokaal bestuur zullen installeren. Hoe wij ons ook inzetten, nooit mogen we die drieslag uit het oog verliezen of aan het toeval overlaten.

Ik ben vol vertrouwen dat wij erin zullen slagen het volk te mobiliseren en hen ervan te overtuigen ons te steunen. Ik ben vol vertrouwen dat we de de National Party telkens te vlug af zullen zijn, in welke bochten ze zich ook wringt. Sinds onze oprichting in 1912 weten wij dat er één cruciale regel is wanneer je steun mobiliseert: misleid nooit het volk. Wees eerlijk en helder tegen hen. Wees begripvol voor hun problemen en zoek naar middelen om deze op te lossen. Dat plaveit de weg naar de overwinning.

NOOT VAN DE VERTALER

1   Samenwerkingsverband tussen de Zuid-Afrikaanse vakbeweging, de Communistische Partij, de liberale Democratische Partij en verschillende maatschappelijke bewegingen, opgericht in Durban in 1991.

4

Wederopbouw

Zuid-Afrikanen, Afrikanen en wereldburgers

Fragmenten uit de presidentiële rede, parlementsgebouw, Kaapstad,
24 mei 1994

De tijd zal aanbreken dat ons land zijn zonen, dochters, moeders, vaders, jongeren en kinderen zal herdenken die ons door hun woorden en daden het recht hebben gegeven met trots te verklaren dat wij Zuid-Afrikanen, Afrikanen en wereldburgers zijn.

Als wijsheid met de jaren komt, gebiedt die wijsheid me te zeggen dat zich onder hen een Afrikaner vrouw bevindt die uit de schaduw van haar eigen leven stapte en een Zuid-Afrikaanse, een Afrikaanse en een wereldburger werd.

Haar naam is Ingrid Jonker.

Zij was zowel dichteres als Zuid-Afrikaanse. Ze was zowel Afrikaner als Afrikaanse. Ze was zowel kunstenaar als mens.

Temidden van de wanhoop was ze vol hoop. Wanneer de dood nabij was, bezong ze de schoonheid van het leven.

In de donkere dagen dat de situatie in ons land hopeloos leek, toen velen weigerden haar heldere stem te horen, beroofde ze zichzelf van het leven.

We zijn het aan haar en anderen zoals zij verplicht voor het leven te kiezen. Wij zijn het aan haar en anderen zoals zij verplicht ons op te offeren voor de armen, de verdrukten, de miserabelen en de verketterden.

Na het bloedbad tijdens de demonstratie tegen de pasjeswet in Sharpeville schreef ze:

Het kind is niet dood
het kind heft zijn vuist naar zijn moeder
die Afrika schreeuwt [–]

Het kind is niet dood
noch bij Langa noch bij Nyanga
noch bij Orlando noch bij Sharpeville
noch bij het politiebureau van Philippi
waar het ligt met een kogel door zijn hoofd [–]

Het kind is aanwezig bij alle vergaderingen en wetgevingen
het kind loert door de vensters van huizen en in de harten van moeders
het kind dat alleen maar wilde spelen in de zon bij Nyanga is overal

Het kind dat een man is geworden trekt door heel Afrika
het kind dat een reus is geworden trekt door de gehele wereld

Zonder pas[1]

Met dit prachtige beeld leert ze ons dat onze inspanningen de emancipatie van de vrouw, de bevrijding van de man en de vrijheid van het kind tot doel moeten hebben.

Dát zijn de doelen die wij moeten bereiken om onze aanwezigheid in deze Kamer betekenis te geven en op zinvolle wijze de regeringszetel in te nemen. Wij zijn verplicht, derhalve, hoezeer we ook worden beperkt door de last van onze geschiedenis, om van dit moment gebruik te maken om te bepalen hoe onze gezamenlijke toekomst eruit zal zien.

De regering die ik de eer heb te leiden en zeker ook de massa die ons tot deze taak heeft geroepen, worden bezield door dat ene idee: een maatschappij te creëren waarin het volk centraal staat.

Deze regering zal daarom opereren met de intentie de mogelijkheden tot een vruchtbaar menselijk bestaan uit te breiden en de grenzen aan de vrijheid te verruimen. De lakmoesproef die bepaalt of de programma's die wij voorstellen, de overheidsinstanties die we opzetten en de wetgeving die we ontwikkelen legitiem zijn, moet zijn of ze die intentie waarmaken.

De uitdaging die daarom boven alle andere uittorent, is een sociaal stelsel te helpen realiseren waarin de vrijheid van het individu werkelijk de vrijheid van het individu is. Wij moeten die vrije maatschappij waarin het volk centraal staat zodanig vormgeven dat de politieke rechten en de mensenrechten van iedere burger worden gegarandeerd.

Als bewijs voor het feit dat de regering zich zal inzetten voor een struc-

turele maatschappelijke inbedding van de mensenrechten, zullen wij onmiddellijk stappen ondernemen om de secretaris-generaal van de Verenigde Naties mede te delen dat we de Universele Verklaring van de Rechten
van de Mens onderschrijven. Wij zullen ervoor zorgen dat wij toetreden tot
het Internationale Convenant Inzake Burgerlijke en Politieke Rechten, het
Internationale Verdrag Inzake Economische, Sociale en Culturele Rechten
en andere mensenrechteninstrumenten van de Verenigde Naties.

Onze definitie van de vrijheid van het individu moet worden bepaald
door de fundamentele doelstelling om iedere Zuid-Afrikaan zijn menselijke waardigheid weer terug te geven. Dit houdt in dat wij het niet alleen over
politieke vrijheden mogen hebben. De verplichting die mijn regering aangaat om een vrije maatschappij te creëren waarin het volk centraal staat, betekent dat wij ernaar moeten streven het volk te vrijwaren van armoede,
honger, ontbering, onwetendheid, onderdrukking en angst.

Wanneer wij daarvan verlost zijn, komt het begin van menselijke waardigheid in zicht. Het vormt derhalve een wezenlijk onderdeel van de centrale doelstelling van onze regering, het brandpunt waar onze aandacht permanent op gericht zal zijn. Wat wij hebben gezegd vormt de werkelijke
betekenis, de rechtvaardiging en het doel van het Programma voor Wederopbouw en Ontwikkeling.

Toen wij dat programma uitwerkten, hadden we de hoop dat alle Zuid-
Afrikanen van goede wil tezamen een beter bestaan voor iedereen konden
gaan realiseren. Wij waren verheugd dat andere politieke organisaties vergelijkbare doelen nastreefden.

[–]

Morgen is het Afrikadag en zal de droom van Ingrid Jonker bewaarheid
worden. Het kind dat een man is geworden zal door heel Afrika trekken.
Het kind dat een man is geworden zal over de hele wereld reizen – zonder
pas!

Morgen is het Afrikadag en zal onze nieuwe vlag worden gehesen tijdens
een historische plechtigheid in Addis Abeba, bij het hoofdkantoor van de Organisatie voor Afrikaanse Eenheid, die ons reeds heeft geaccepteerd als lid.

Morgen is het Afrikadag en zal de VN Veiligheidsraad bijeenkomen om
de laatst overgebleven sancties tegen Zuid-Afrika op te heffen en ons land
als een waardig, verantwoordelijk en vredelievend lid in haar organisatie op
te nemen.

De regering is als zodanig ook reeds betrokken bij gesprekken om te bepalen wat onze bijdrage kan zijn aan het herstellen van de vrede in Angola en Rwanda, het ondersteunen van het vredesproces in Mozambique, en het realiseren van een nieuwe wereldorde waarin het tot vruchtbare samenwerking, gerechtigheid, voorspoed en vrede voor onszelf en de andere landen van de wereld zal komen.

Het kabinet heeft gisteren ook besloten om ons land kandidaat te stellen voor het lidmaatschap van de Gemenebest. Dit belangrijke statenverbond wacht ons met open armen op.

We hebben de les geleerd dat onze schandvlekken de gehele mensheid tot afschrikwekkend voorbeeld dienen. Tegelijkertijd is wat wij hebben bereikt, het hoogste wat het menselijk vernuft kan bereiken.

In onze dromen zien wij ons hele land in vrede en veiligheid genieten van sport en spel, in theaters en musea, op de stranden, in de bergen, op de vlakten en in de parken.

Die wonderschone toekomst, die maatschappij waarin het volk centraal staat, zullen wij bereiken door gezamenlijk hard te werken aan het waarmaken van de idealen die liggen verankerd in ons plan voor wederopbouw en ontwikkeling.

Laten wij aan de slag gaan!

NOOT VAN DE VERTALER

1 Uit: Ingrid Jonker, *Ik herhaal je*. Vertaling Gerrit Komrij, nawoord Henk van Woerden. Uitgeverij Podium, 2000.

Ontwaken in het land van onze dromen

*Fragmenten uit de presidentiële rede, parlementsgebouw, Kaapstad,
5 februari 1999*

Vandaag begint de laatste zittingsperiode van ons eerste democratisch gekozen parlement.

Door de verregaande veranderingen lijken de afgelopen vierenhalf jaar
voorbij te zijn gevlogen en lijkt het einde zo plotseling. Tegelijkertijd lijken
door de enorme vooruitgang die is geboekt wel decennia te zijn verstreken.

Zuid-Afrika ondergaat gedenkwaardige veranderingen, die het land naar
een veilige toekomst zullen brengen. De tijd zal komen waarin wij afscheid
moeten nemen, aangezien velen van ons – door eigen keuze of door omstandigheden gedwongen – niet zullen terugkeren. Maar wij mogen niet uit-
rusten. De lange weg is nog niet ten einde. De eindoverwinning, een beter
bestaan, moet nog worden geboekt.

Ik wil nog wat verder terugkijken dan de meest recente periode. Tien jaar
geleden, in een brief aan het hoofd van de apartheidsstaat en in een poging
onderhandelingen te beginnen, schreef een eenvoudige gevangene dat bij
een eerste ontmoeting tussen de regering en het ANC twee belangrijke zaken moesten worden besproken:

[–] ten eerste de eis van een meerderheidsregering in een eenheidsstaat; ten
tweede de bezorgdheid van de blanke Zuid-Afrikanen over deze eis en hun
nadruk op structurele garanties dat een meerderheidsregering niet zal betekenen dat de blanke minderheid door de zwarten zal worden overheerst.

En in een volgende brief benadrukte hij:

De allereerste stap op weg naar verzoening is uiteraard het ontmantelen van de apartheid en van alle maatregelen waarmee dat systeem wordt afgedwongen. Het is volkomen ongeloofwaardig om te praten over verzoening als die ingrijpende stap niet wordt genomen.

Ik zal het vandaag onder meer over dit soort zaken hebben.

De overgangsperiode is zo succesvol verlopen dat sommigen het ruimhartig over een 'wonder' hebben. Zaken als gelijkheid, stemrecht binnen een stelsel van vrije en eerlijke verkiezingen en vrijheid van meningsuiting worden nu door velen vanzelfsprekend gevonden. Vele knelpunten uit het verleden zijn gereduceerd tot voetnoten van de geschiedenis.

Het staat buiten kijf dat de meerderheid van de Zuid-Afrikanen die zich verenigden rondom onze beginselverklaring, de zorgen over de complexe 'structurele garanties' die zij de eerste jaren hadden, beginnen los te laten. Onze methoden verschillen misschien van elkaar, maar het is een nationale sport geworden te verklaren dat wij ons inzetten voor een beter bestaan voor iedereen.

[–]

In een van zijn brieven schreef die beruchte gevangene waar ik het eerder over had:

Ik heb, zoals vele Zuid-Afrikanen met mij, het schrikbeeld van een Zuid-Afrika dat is verdeeld in twee vijandige kampen: enerzijds de zwarten [–] en anderzijds de blanken, die elkaar kapotmaken; van intense spanningen die op praktisch elk niveau aan het ontstaan zijn.

Als gezegd, wij mogen trots zijn op de wijze waarop we de overgangsperiode gezamenlijk hebben vormgegeven. Maar het is algemeen bekend dat onze verdeeldheid nog niet uit de wereld is. Wij maken elkaar kapot met woorden en daden. Wij maken elkaar kapot met de stereotypen en de achterdocht die ons nog zo eigen zijn en met de hatelijke woorden die we tot elkaar richten. Wij maken elkaar kapot met de reacties van sommigen op pogingen het bestaan van de armen te verlichten. Wij maken elkaar en ons land kapot door de wijze waarop we de zwakke punten van ons land tegenover de rest van de wereld buiten iedere proportie uitvergroten, als woordkunstenaars die hun buitenlandse medestanders door zelfbeklag met stomheid slaan. Hier moet een einde aan komen. Want zij die haat tot hun eigen voedingsbodem maken, ondermijnen hun vermogen om een positieve bijdrage te leveren.

Sommigen maken zich zorgen over de invloed van de democratie op zaken als taal en cultuur, en om de werkelijke dreiging te onderzoeken kondigen wij met trots aan dat er een commissie gevormd zal worden die deze en andere zaken tegen het licht gaat houden, opdat eenieder zich in onze eenheidsstaat veilig zal voelen. Voor zover het gaat om zorgen die zijn ingebeeld of ingegeven door de angst voor verandering, zijn wij ervan overtuigd dat de geschiedenis onze beste leermeester zal zijn.

Wij hopen echter, vooral nu de verkiezingscampagne van start gaat, dat er ware leiders zullen opstaan die hun boodschap baseren op hoop in plaats van angst, op het optimisme dat uit hard werken voortkomt in plaats van op het pessimisme dat wordt veroorzaakt door geklaag vanuit de leunstoel.

Om deze uitdagingen aan te gaan, moeten wij ook de kille feiten van onze geschiedenis aanvaarden. Zoals ik zei toen ik het voorlopige verslag van de Verzoeningscommissie in oktober in handen kreeg: al is het niet volmaakt, de regering aanvaardt het. Wij beseffen dat het niet een definitieve of volledige weergave bevat van de periode die onder de loep is genomen; evenmin fungeerde de commissie als een rechtbank. Het is een belangrijke bijdrage geweest op weg naar de waarheid en de verzoening.

De verzoening, om terug te komen op de brieven die ik eerder aanhaalde, staat of valt met het ontmantelen van de overblijfselen van de apartheid. Zonder dat zal de verzoening vluchtig blijken en niet meer zijn dan woorden van valse hoop op de lippen van een zot.

Het is daarom van cruciaal belang dat we, wanneer wij in de komende tijd de aanbevelingen van de Verzoeningscommissie bestuderen, concrete plannen maken over hoe we gezamenlijk tot praktische bijdragen kunnen komen. Het gaat dan vooral om schadeloosstellingen, niet zozeer aan individuen maar aan bevolkingsgroepen en aan het land als geheel.

Ik herhaal dat wij het proces van wederopbouw en verzoening, van reorganisatie en ontwikkeling, zullen ondersteunen door de instellingen te beveiligen die ervoor zorgen dat er geen sociale en politieke misstappen worden begaan. Wij zijn de Mensenrechtencommissie, de Commissie Gelijke Behandeling en andere instellingen dankbaar voor het werk dat ze hebben gedaan om de democratie te verstevigen.

[–]

Terugkijkend op de overgangsjaren en op het begin van de hervormin-

gen is er alle reden om moed te putten uit datgene waartoe de Zuid-Afrikanen in staat zijn. Wij durven in een betere toekomst te geloven, omdat
wij bereid zijn ervoor te werken. De gestage vooruitgang van de afgelopen
jaren heeft de basis gelegd voor nog mooiere resultaten. Maar wij kunnen
in werkelijkheid nog veel en veel beter.

Vice-president Mbeki en ik hebben onszelf in gesprekken de vraag gesteld of wij met 'gestage vooruitgang' tevreden mogen zijn. Kan Zuid-Afrika zich niet losrukken uit het huidige tempo en veel sneller naar een beter
bestaan toe werken?

Zoals de vice-president vaak heeft gezegd, is het huidige beleid gestoeld
op de huidige situatie. Wij hoeven het niet te wijzigen, maar tempo en wijze van uitvoering kunnen beter. Enkele onderdelen moeten daarbij nader
worden bekeken.

Het eerste onderdeel is samenwerking. De grootste successen van het afgelopen jaar zijn geboekt dankzij de samenwerking tussen verschillende sectoren van de maatschappij. De banentop, de aids-campagne, de conferen-
ties over ethiek en corruptie zijn daar concrete voorbeelden uit de afgelopen
maanden van, net als de succesvolle *Masakhane*-campagne [*masakhane*, letterlijk: 'elkaar bouwen', bij uitbreiding: elkaars ontwikkeling bevorderen;
vert.] van vorig jaar. Geïnspireerd door dit soort zaken zullen wij op Vrijheidsdag dit jaar de winnaars van de Presidentiële Prijs voor Gemeenschaps-
initiatieven bekendmaken.

Doordat maatschappelijke instellingen en de overheid samenwerken, zijn
er met dit soort initiatieven belangrijke resultaten geboekt. Om een hoger
vooruitgangstempo te bereiken, moet de Zuid-Afrikaanse samenleving worden gestimuleerd om eendrachtig de problemen waar het land voor staat
aan te pakken.

Het tweede onderdeel is discipline, oftewel de balans tussen vrijheid en
verantwoordelijkheid. Er is overduidelijk iets mis met een maatschappij
waar vrijheid wordt gezien als het recht van leraren of leerlingen om dron-
ken op school te komen; het recht van gevangenisbewaarders om de directie op straat te zetten en hun eigen vriendjes aan te stellen; het recht van sta-
kende arbeiders om geweld te gebruiken en eigendommen te vernielen; het
recht van zakenlieden om enorme sommen geld te besteden aan rechtsza-
ken alleen maar om de invoering van hen onwelgevallige wetgeving uit te
stellen; het recht van individuen om belasting te ontduiken, waardoor ze de
held van de borreltafel worden.

Om dit te veranderen moeten drastische maatregelen worden genomen. De Zuid-Afrikaanse maatschappij – op scholen en universiteiten, op de werkvloer, in de sport, in de zakenwereld en op alle gebieden van sociale interactie – moet zichzelf een vorm van discipline, arbeidsmoraal en verantwoordelijkheid voor eigen handelen opleggen.

Ten derde moet de ziel van het land worden hersteld. Dit hangt samen met de eerder genoemde zaken en kan plaatsvinden door middel van een zogenaamd 'Programma van Wederopbouw en Herstel van de Ziel.' Dat houdt bovenal in dat wij respect hebben voor het leven; dat we trots zijn op onszelf en zelfrespect tonen als Zuid-Afrikanen in plaats van ons te wentelen in zinloos zelfbeklag.

Het houdt in dat wij opkomen voor onze collectieve en individuele identiteit als Afrikanen en ons inzetten voor de wedergeboorte van het continent; dat we onze medeburgers en de vrouwen en de kinderen van ons land die aan allerlei vormen van huiselijk geweld blootstaan met respect gaan behandelen. Het houdt in dat wij onze scholen ombouwen tot instellingen voor onderwijs en karakterverbetering. Het houdt in dat wij elkaar stimuleren en niet louter wachten op de overheid om de straat te vegen of bomen te planten of schoolpleinen te onderhouden.

Nu in ons land een nieuw soort patriottisme het licht ziet, moeten wij dit soort dingen op ons nemen. Ze scheppen de juiste omgeving om toekomstige generaties Zuid-Afrikanen te laten opgroeien. Ze zullen de Zuid-Afrikanen betrekken bij het realiseren van een beter bestaan.

Daarom zullen wij vanaf nu geen kleine stapjes meer nemen, maar grote sprongen voorwaarts maken om in het nieuwe millennium een stralende toekomst tegemoet te gaan. Wij hebben de doemdenkers reeds verslagen, we zullen nu de boodschappers van cynisme en moedeloosheid verslaan. Wij zullen, zoals die brieven van tien jaar geleden beloofden, de apartheid volledig ontmantelen en ons werkelijk met elkaar verzoenen. Onze hoop zal bewaarheid worden.

De basis is gelegd – de bouw is volop aan de gang. Met een nieuwe generatie leiders en een volk dat bereid is gezamenlijk de mouwen op te stropen om tot veranderingen te komen, kunnen wij en zullen wij ontwaken in het land van onze dromen!

De lange weg gaat voort

Toespraak bij de laatste zitting van het eerste democratisch gekozen
parlement, Kaapstad, 26 maart 1999

Vandaag is niet de laatste dag van de eerste democratisch gekozen regering
van ons land. Ook is het niet de laatste dag van de termijn die ik het voorrecht heb president te zijn. De regeringstaken lopen nog enkele maanden
door en de zware verantwoordelijkheden die de grondwet de president op-
legt blijven nog enige tijd, in het belang van ons land, van kracht.

Maar vandaag is een hoogst belangrijke dag voor allen van ons aan wie
het volk van Zuid-Afrika zijn behoeften en belangen, zijn ambities en hoop
heeft toevertrouwd. En zo nemen wij die gezamenlijk het politieke leiderschap van ons land hebben aanvaard, vandaag afscheid van elkaar als lid van
dit eerste democratisch gekozen parlement van ons land.

Omdat het volk van Zuid-Afrika uiteindelijk een door en door wettelijke weg naar de revolutie heeft gekozen, vormen zij die de grondwet en de
wetgeving vormgeven en uitvoeren de voorhoede in de strijd voor verandering. Hier in de wetgevende vergadering zijn de instrumenten ontwikkeld
die een beter bestaan voor allen moeten realiseren. Hier is controle op de
regering uitgeoefend. Hier heeft de samenleving in al haar geledingen de
kans gekregen het beleid en de uitvoering ervan te beïnvloeden.

Kort gezegd, hier hebben wij de fundamenten voor een beter bestaan gelegd. Dingen die we ons een paar jaar geleden nog niet konden voorstellen
zijn dagelijkse werkelijkheid geworden. Daar mogen wij trots op zijn.

We zijn ons ervan bewust dat de vraag is gesteld of dit huis zijn leden
niet op een fluwelen zetel en op kosten van de staat in slaap liet sussen. Maar
ons antwoord is: kijk naar wat ons parlement deze eerste jaren van vrijheid
heeft bereikt. Kijk naar het werk dat de volksvertegenwoordigers hebben
verzet toen zij zich tot een constituerende vergadering verenigden.

Door heel goed naar elkaar te luisteren, door een vorm van participatie van het volk die weinigen voor mogelijk zouden hebben gehouden en bezield door een mate van consensusbereidheid die zijn weerga niet kende, is hier een grondwet geformuleerd en aangenomen waarin de grootste verlangens van ons volk zijn verankerd.

Kijk naar de gemiddeld honderd wetten per jaar die dit huis heeft aangenomen. Dat waren geen derderangs wetjes of aanpassingen van de bestaande regelgeving. Er is een raamwerk ontstaat waarbinnen de revolutionaire veranderingen van de maatschappij en de regering zelf kon plaatsvinden, en de wetgeving uit het verleden ongedaan kon worden gemaakt. Hier zijn de mogelijkheden geschapen om het leven en de arbeidsomstandigheden van miljoenen mensen te verbeteren.

Kijk naar het werk van de commissies die de wetgeving hebben bestudeerd en verbeterd, de uitvoerende macht het vuur aan de schenen hebben gelegd en de bevolking als nooit tevoren inzage in en toezicht op de regering hebben geboden.

Wij kunnen trots zijn op wat we hebben bereikt. Maar dat laat onverlet dat wij onszelf de vraag moeten stellen of we ons kiesstelsel niet moeten herzien teneinde onze relatie, als volksvertegenwoordigers, met de kiezers te verbeteren.

Ik stel die vraag, hoe trots ik ook ben op hoe wij in ons land de basis voor een democratie hebben gelegd. Ik durf te bekennen dat ik zelden zo vaak de opwinding die gepaard gaat met veranderingen heb gevoeld als in deze plechtstatige kamer.

Iedere historische periode formuleert haar eigen specifieke uitdagingen op het gebied van nationale vooruitgang en leiderschap; en geen mens is een eiland. Voor mij persoonlijk geldt dat ik behoor tot de generatie leiders voor wie het bereiken van de democratie de allesbepalende uitdaging was.

Ik prijs mezelf gelukkig dat ik niet de ontberingen van ballingschap en de tientallen jaren van ondergronds en massaal verzet heb hoeven meemaken die het leven van helden als Oliver Tambo, Anton Lembede, Duma Nokwe, Moses Kotane, Robert Sobukwe, Oscar Mpetha, Lilian Ngoyi, bisschop Alpheus Zulu, Bram Fischer, Helen Joseph, Alex La Guma en Yusuf Dadoo hebben bepaald. Ik prijs mezelf gelukkig dat het mij, van die generatie, vergund is geweest deel uit te maken van de overgang van die periode naar een nieuw tijdperk waar wij samen de basis voor hebben gelegd.

Ik hoop dat wanneer over enkele decennia de geschiedenis van dit tijdperk zal worden geschreven, de rol van die generatie op waarde zal worden geschat en dat ik niet schraal zal afsteken tegen haar vastberadenheid en idealen. Ik ben zeer dankbaar voor de lof die me als persoon is toegezwaaid, maar laat daarbij aantekenen: als ik al iets heb kunnen betekenen, dan was dat omdat ik het product ben van het volk van Zuid-Afrika.

Ik ben het product van de plattelandsmassa's die me hebben geïnspireerd trots te zijn op ons verleden en op de geest van het verzet.

Ik ben het product van de arbeiders van Zuid-Afrika die, in hun mijnen, fabrieken, akkers en kantoren van ons land het principe hebben hoog gehouden dat de belangen van het individu voortkomen uit eeniders gemeenschappelijk belang.

Ik ben het product van de intelligentsia van Zuid-Afrika, van iedere huidskleur, die ervoor heeft gezorgd dat onze maatschappij zichzelf kon leren kennen, en die onze wensen en verlangens tot een te verwezenlijken droom heeft gemaakt.

Ik ben het product van de zakenmensen van Zuid-Afrika – uit de landbouw en industrie, de handel en het bankwezen – die er met hun ondernemingsgeest aan hebben bijgedragen dat onze rijkdom aan natuurlijke hulpbronnen aan de welvaart van ons land ten goede is gekomen.

Als ik al in staat ben geweest ons land de stap voorwaarts naar dit nieuwe tijdperk te helpen maken, is het omdat ik het product ben van de mensen in de wereld die het ideaal van een beter bestaan hebben gekoesterd, voor iedereen, overal. Zij hebben vastgehouden aan en zij hebben zich opgeofferd voor de overtuiging dat dat ideaal ook in Zuid-Afrika gestalte moest krijgen. Zij hebben ons hoop gegeven, want wij wisten dat dankzij hun solidariteit onze ideeën niet het zwijgen kon worden opgelegd, want het waren de ideeën van de hele mensheid.

Ik ben het product van Afrika en van haar lang gekoesterde wens een wedergeboorte te ondergaan, opdat al haar kinderen kunnen spelen in de zonneschijn.

Als ik er al aan heb bijgedragen ons land enkele schreden voorwaarts te helpen in de richting van de democratie, van niet-racisme en niet-seksisme, is dat omdat ik het product ben van het ANC, van de beweging voor gerechtigheid, respect en vrijheid die de talloze reuzen heeft voortgebracht in wier schaduw wij mogen oplichten.

Wanneer ik, zoals over een paar maanden het geval zal zijn, weer een gewone burger van dit land ben, ben ik er een wiens zorgen en vermogens het product zijn van het volk van ons land.

Ik zal dan een oude van dagen in onze samenleving zijn; een lid van de plattelandsbevolking; iemand die zich zorgen maakt om de kinderen en jongeren van ons land; een wereldburger die zich, zolang hij de kracht heeft, zal inzetten voor een beter bestaan voor iedereen, overal. En ik zal zoals ik altijd heb gedaan, binnen de regels van de brede beweging voor vrijheid en democratie waartoe ik behoor, doen wat ik kan.

Ik zal dan deel uitmaken van de gewone mannen en vrouwen wier welbevinden, waar ook ter wereld, de maatstaf is waaraan een democratische regering moet worden beoordeeld.

Boven aan die lijst van criteria staat het Programma voor Wederopbouw en Ontwikkeling, dat erop gericht is een beter bestaan voor iedereen te realiseren. Bovenaan staat ook de nationale eenheid en verzoening tussen onze bevolkingsgroepen en burgers onderling, die een gezamenlijke lotsbestemming hebben.

Ons succes als land kan worden afgemeten aan de manier waarop de internationale gemeenschap, die onszelf zoveel hoop heeft geboden, nu zelf hoop put uit hoe wij de eeuwenlange tweespalt hebben bijgelegd door elkaar de hand te reiken. Als wij al iets hebben bijgedragen aan het vestigen van hoop in de harten van mensen op deze wereld, dan zijn we daar dankbaar voor en voelen we ons gezegend. Het is vanzelfsprekend dat wij zullen moeten voldoen aan de verwachtingen die de wereld van ons heeft.

Ik werd er gedurende mijn bezoek aan Nederland en de Scandinavische landen onlangs nogmaals aan herinnerd dat de wereld ons bewondert vanwege ons succes als een land dat de uitdagingen van het hier en nu is aangegaan. Die uitdagingen werden gevormd door het omzeilen van de nachtmerrie die een slopende rassenoorlog en bloedvergieten zouden betekenen, en door het met zichzelf verzoenen van ons volk op basis van de overtuiging dat het primaire doel moest zijn de erfenis van armoede, tweespalt en verdeeldheid ongedaan te maken.

Aangezien wij nog niet klaar zijn ons volk met zichzelf te verzoenen en ons land weer heel te maken, en aangezien de gevolgen van de apartheid nog immer in onze samenleving zichtbaar zijn en het leven van miljoen Zuid-Afrikanen bepalen, gelden die uitdagingen nog steeds.

Ik wil deze gelegenheid aangrijpen om alle partijen die in dit parlement vertegenwoordigd zijn te danken voor hun bijdrage aan de vooruitgang die wij hebben geboekt. Al hebben wij verschillen van inzicht die soms zwaarwegend en soms diepgaand zijn, toch hebben we als geheel aangetoond dat we ons uiteindelijk verbinden aan het nieuwe stelsel dat we gezamenlijk mogelijk hebben gemaakt. U heeft ervoor gezorgd dat dit parlement geen stempel in handen van de regering is geworden, en aldus een nieuwe democratische politieke cultuur gerealiseerd.

In die democratische geest nemen wij vandaag afscheid van elkaar, opdat onze partijen zich opnieuw aan de stem van het volk kunnen onderwerpen.

Velen van ons zullen in het tweede democratische parlement terugkeren. Anderen zullen niet terugkeren in deze gewijde instelling, hetzij vanwege het oordeel van de kiezers, hetzij door eigen keuze, hetzij vanwege hoge leeftijd.

Ikzelf wil nog zeggen dat ik het een groot voorrecht heb gevonden verantwoording te moeten afleggen aan dit parlement. Al doet afscheid nemen pijn, ik heb groot genoegen geschept in het aanhoren van de stemmen gedurende de vele debatten die ik in deze nationale assemblee, in de senaat en in zijn opvolger, de nationale provincieraad, heb meegemaakt.

Het debat van gisteren over zaken die de Afrikaner en andere gemeenschappen aangaan, was geen uitzondering. Een van de principes die de bevrijdingsbeweging vanaf het begin van de onderhandelingen hoog heeft gehouden, is dat wij uit ieder debat sterker naar voren moeten komen en dat er geen winnaars of verliezers mogen zijn.

Vice-president Thabo Mbeki, van wie wij allen verwachten dat hij de nieuwe president van Zuid-Afrika zal worden, belichaamt deze benadering, die cruciaal is voor de eenheid van ons land. Ik roep u allen op zijn leiderschap te steunen, welke politieke richting u ook aanhangt.

Zijn stem en die van anderen behoren tot die van een nieuwe generatie leiders die verrijzen in antwoord op nieuwe historische uitdagingen. Het zijn de stemmen van fatsoenlijke mannen en vrouwen uit alle bevolkingsgroepen en alle partijen, die zichzelf tot leiders maken door zaken op de agenda te zetten die ons als land geheel aangaan. Samen moeten wij onze inspanningen voortzetten om onze hoop werkelijkheid te doen worden.

De lange weg gaat voort.

Ndlelanhle! Mooi loop! Tsela tshweu! [Het ga u goed!; vert.]

5

Ontwikkeling

Masakhane

Toespraak bij het begin van de Masakhane-*campagne, Marconi Beam, Koeberg, 25 februari 1995*

Hier in Marconi Beam zien wij het Programma voor Wederopbouw en Ontwikkeling in de praktijk gebracht. Het is het product van de samenwerking die nodig is om ons land te veranderen.

We zien de samenwerking tussen een woonoord dat vastbesloten is om zelf de verantwoordelijkheid te nemen om zich uit het dal omhoog te werken, en een overheid die de verantwoordelijkheid heeft genomen om onze middelen zo efficiënt mogelijk te verdelen, om zo de erfenis van het verleden aan te pakken. De *Masakhane*-campagne [*masakhane*, letterlijk: 'elkaar bouwen', bij uitbreiding: elkaars ontwikkeling bevorderen; vert.] zal onze samenwerking bevorderen, opdat wij tezamen de ontwikkeling bevorderen.

Dit betekent niet dat dit soort projecten geen problemen kent. Maar als wij maar goed naar elkaar luisteren kunnen we erop vertrouwen dat de problemen worden opgelost en dat het niet bij goede voornemens blijft, maar dat er concrete basisvoorzieningen worden gerealiseerd. Wat hier te zien is, is op steeds meer plaatsen te zien. Binnenkort zal het overal in het land te zien zijn.

Van Soweto tot Mitchell's Plain, van Chatsworth tot Khayelitsha biedt het democratische proces buurten en woonoorden de mogelijkheid om de veranderingen die in het land plaatsvinden ook daar zichtbaar te maken. De *Masakhane*-campagne ondersteunt de woonoorden om overheidsprogramma's om te smeden tot de projecten die werkelijk nuttig zijn.

Vrijheid betekent verantwoordelijkheid, de verantwoordelijkheid van het meedoen. Iedere steen in de muur, iedere druppel uit de kraan is het resultaat van de inzet van vele mensen en maakt gebruik van de middelen die het land biedt. De regering investeert enorm in programma's om huisvesting en dienstverlening te verbeteren. Wij moeten gezamenlijk de verantwoordelijkheid nemen om te betalen voor wat wij gebruiken, anders drogen de investeringen op en moeten projecten worden gestaakt. Wij moeten ervoor zorgen dat we als land voor de miljoenen mensen die nog zonder basisvoorzieningen zitten, kunnen blijven zorgen.

Het leggen van deze steen symboliseert de wederopbouw van ons land, door ons allen, door samen te werken en zo alle Zuid-Afrikanen een beter bestaan te bezorgen.

Laten wij de samenwerking bevorderen, en zo elkaars ontwikkeling bevorderen.

Masakhane!

De handen ineen

Toespraak tijdens de Masakhane-*week, Bothaville, 14 oktober 1998*

Zuid-Afrikanen hebben aangetoond dat ze bij moeilijkheden een geweldig vermogen hebben om de handen ineen te slaan. Het apartheidssysteem is uiteindelijk gevallen vanwege de onderlinge saamhorigheid van hen die alle rechten waren ontnomen, en omdat alle geledingen van de maatschappij beseften dat er meer te winnen was door samen te werken dan door elkaar te bestrijden. Diezelfde eigenschap heeft ons ook geholpen zo snel al de fundamenten voor een beter bestaan te leggen.

Toen er een einde aan de apartheid kwam, zagen wij ons voor de zware opdracht gesteld onze stukgeslagen samenleving te herbouwen en ons volk van eerste levensbehoeften te voorzien. Scholen, huizen en klinieken moesten worden gebouwd; banen moesten worden gecreëerd; de economie moest worden gestimuleerd; de rechten van het volk moesten in de grondwet worden verankerd en door rechtbanken worden beschermd; Zuid-Afrika moest worden geholpen in het reine te komen met de tweedracht uit het verleden en haar wonden moesten helen; de schade en schande die de meeste van onze bevolkingsgroepen was aangedaan, moest ongedaan worden gemaakt.

Onze opdracht kwam en komt er in wezen op neer dat wij de voorwaarden moesten scheppen die iedere Zuid-Afrikaan in staat zou stellen een beter bestaan voor zichzelf te realiseren. Maar de regering kan die taak niet alléén volbrengen. Wij moeten samenwerken om de noodzakelijke veranderingen tot stand te brengen.

Om die doelen te bereiken was het ook noodzakelijk dat de regering niet langer de belangen van enkele minderheden behartigde, maar in de behoeften van alle Zuid-Afrikanen ging voorzien. En dat alles in een land waar de meeste mensen geen enkele ervaring hadden met regeren, of zelfs maar behoorlijk onderwijs of een opleiding hadden genoten. Daarom hebben wij zo de nadruk gelegd op het opbouwen van bestuurlijke ervaring.

Ondanks alle moeilijkheden zijn wij er als land in geslaagd het leven van miljoenen mensen te veranderen op een manier waar zij enkele jaren geleden alleen nog maar van konden dromen. De afgelopen vier jaar heeft de regering samengewerkt met de private sector, met non-gouvernementele organisaties, met arbeiders en bevolkingsgroepen om ons land opnieuw op te bouwen en te ontwikkelen. Die geest van samenwerking en overleg heeft het mogelijk gemaakt dat wij meer dan tweeënhalf miljoen mensen inmiddels van water hebben voorzien, meer dan zeshonderd klinieken hebben gebouwd en twee miljoen huizen op het elektriciteitsnet hebben aangesloten. Dit is nog maar het begin, dat zijn wij ons bewust, en er moeten nog heel wat gebreken worden verholpen. Maar wij zijn inmiddels vol vertrouwen dat we het tempo van de uitvoering van onze taak zullen kunnen opvoeren.

We zijn vandaag bijeengekomen om enkele resultaten te vieren die democratie en samenwerking in Bothaville/Kgotsong tot stand hebben gebracht. Hier hebben de democratisch gekozen lokale overheid en de steeds saamhoriger bevolking samen met de landelijke en provinciale regering ervoor gezorgd dat het leven in dit woonoord, dat nauwelijks infrastructuur had of behoorlijke huisvesting bood en waar misdaad, werkloosheid, belastingontduiking en de boycot van betalingen voor allerlei vormen van dienstverlening aan de orde van de dag waren, een geregelde loop nam.

De twee projecten die ik hier in Bothaville/Kgotsong heb bezocht laten zien wat er bereikt kan worden wanneer wij samenwerken.

Het project om buiten de boerenerven woningen voor de landarbeiders te bouwen, waar uiteindelijk zo'n duizend mensen van hebben geprofiteerd, heeft een groot aantal verschillende partijen samengebracht: boeren, landarbeiders, de ministeries van Grondzaken, van Landbouw en van Huisvesting. Weliswaar is het project al vele jaren geleden bedacht, maar het kon pas gerealiseerd worden toen de democratie was ingevoerd. De boeren die erbij betrokken waren moeten alle lof krijgen voor hun praktische aanpak van de behoeften aan grond en huisvesting van hun werknemers. Alleen wanneer wij elkaar over de voormalige scheidslijnen heen de hand reiken door in de praktijk de erfenis van het verleden uit te wissen, kan er een ware verzoening en vervolgens een wederopbouw van het land plaatsvinden.

We zijn de laatste tijd opgeschrikt door berichten over steeds meer gewelddadige aanvallen op boeren. In het gebied rond Bothaville vonden het afgelopen jaar maar liefst vijf afzonderlijke aanvallen plaats. De topconferentie over veiligheid op het platteland die onlangs is gehouden, heeft ongetwijfeld een betrouwbare basis gelegd voor het stabiliseren van de veiligheidssituatie op de boerderijen.

Maar de ingewikkelde problemen van de misdaad op onze boerderijen en elders roepen om langetermijnoplossingen. Voor het zover is moeten wij ons allemaal inzetten om dergelijke geweldsuitbarstingen te stoppen. Daartoe zullen we de plattelandsgebieden stabieler moeten maken door de arbeidsverhoudingen te normaliseren en de veiligheid van de arbeiders te garanderen.

Omdat het huisvestingsproject in Bothaville een testcase was voor het beleid, geformuleerd in de nieuwe Wet Uitbreiding van de Zekerheid van Verblijfsrecht, om voor landarbeiders huizen te bouwen buiten de boerenerven, is het ontworpen met de bedoeling dat bouwgrond en huisvesting werden gerealiseerd in de buurt van klinieken, bibliotheken en sportfaciliteiten. Dergelijke inspanningen zullen de stabiliteit bevorderen.

Het project om de infrastructuur te verbeteren is net zo belangrijk. Buiten dat het meer dan veertienduizend mensen van water heeft voorzien, heeft het de lokale economie gestimuleerd door voor de aanleg ervan lokale arbeiders in dienst te nemen.

Het project in Bothaville om de infrastructuur te verbeteren is slechts een van de duizenden projecten die in de achthonderdvijftig gemeenten van het land lopen in het kader van het Programma voor Gemeentelijke Infrastructuur. Dat programma bevindt zich in de derde fase en heeft reeds circa elf miljoen mensen geholpen, en nog eens zeshonderd projecten staan op stapel.

Uw huisvestingsproject draagt bij aan de landelijke inspanningen waardoor nu dagelijks met de bouw van zo'n duizend huizen wordt begonnen en hetzelfde aantal wordt opgeleverd.

Deze en andere lokale projecten zijn geïnitieerd, gerealiseerd en worden onderhouden door u, de bevolking van Bothaville/Kgotsong. U heeft dit gezamenlijk bewerkstelligd. U heeft naar elkaar geluisterd en bent op verantwoorde wijze gaan samenwerken om de *masakhane*, de traditie om 'elkaar te bouwen', elkaars ontwikkeling te bevorderen, werkelijk betekenis te geven. Ik wil u allen hiermee van harte geluk wensen!

Gedurende deze *Masakhane*-week vieren overal in Zuid-Afrika mensen vergelijkbare wapenfeiten in de wederopbouw van ons land. *Masakhane* betekent dat mensen de verantwoordelijkheid nemen voor hun eigen ontwikkeling en het heft weer in eigen handen nemen. Het betekent dat wij onszelf mondiger maken door gezonde verhoudingen tussen de overheid en de bevolkingsgroepen te scheppen, waar eenieder van kan profiteren, zoals u hier heeft gedaan en in woonoorden elders ook is gebeurd.

Het betekent dat wij onze gemeentebesturen en provinciale overheden beter opleiden, opdat zij ons op hun beurt optimale dienstverlening kunnen bieden. Wij vieren dat onze programma's voor de verbetering van dienstverlening en levensomstandigheden steeds efficiënter worden uitgevoerd. Ook komen wij hier samen om ons opnieuw bereid te verklaren deze en andere uitdagingen, zoals de bestrijding van misdaad, werkloosheid en aids, op te pakken.

Wanneer wij verklaren dat samenwerking de beste manier is om die zaken aan te pakken, moet eenieder van ons zich daartoe voor honderd procent bereid verklaren. De vraag die wij onszelf vandaag moeten stellen is: wat heb ik gedaan om mijn eigen leefomgeving te verbeteren? Vervuil ik mijn buurt of bescherm ik haar? Propageer ik rassenhaat of vrede en verzoening? Koop ik gestolen goederen of help ik de misdaad te bestrijden? Kom ik mijn verplichtingen na of ontduik ik de belasting en weiger ik te betalen voor gas en licht? Wil ik alles op een presenteerblaadje aangereikt krijgen of werk ik met het gemeentebestuur samen om betere omstandigheden voor mij en mijn woonoord te realiseren?

Samenwerking tussen de overheid, de zakenwereld, arbeiders en andere sectoren komt allen ten goede. Het plaveit de weg naar het creëren van banen en handelsmogelijkheden, naar het reduceren van de misdaad en het verbeteren van het dagelijks bestaan van de mensen.

Samenwerking heeft ons geholpen het fundament te leggen voor de wederopbouw waar wij nu aan zijn begonnen. Samen kunnen wij onze dorpen, kleine en grote steden, en het platteland herscheppen tot onderdelen van een nieuw Zuid-Afrika waar wij allen werkelijk trots op kunnen zijn.

Masakhane!

Huizen voor de onbehuisden

Fragmenten uit de afsluitende toespraak tot de VN Habitat II-Conferentie van Afrikaanse ministers van Volkshuisvesting, WTC Johannesburg, 18 oktober 1995

Allereerst wil ik de VN danken voor het feit dat Zuid-Afrika de gelegenheid is geboden om de gastrol te vervullen voor deze historische bijeenkomst. Het is voor deze jonge democratie een eervolle opdracht geweest.

Ik heb begrepen dat u als Afrikaanse landen over dit belangrijke onderwerp tot een consensus bent gekomen en dat deze volgend jaar juni op de Habitat II-Conferentie in Istanbul zal worden gepresenteerd. Ik wil u gelukwensen met dit belangrijke resultaat.

De wereld kan worden verdeeld in landen waar het merendeel van de mensen goed is gehuisvest, en landen waar huisvesting onderdeel is van de dagelijkse strijd om het bestaan. De meeste landen in Afrika, met inbegrip van Zuid-Afrika zelf, behoren tot die laatste categorie. Het is een van de voorbeelden van de uitdagingen waar wij voor staan om ons volk een beter bestaan te brengen.

We gaan er in onze benadering van het huisvestingsprobleem in Zuid-Afrika van uit dat de overheid een belangrijke rol moet spelen. Maar tegelijkertijd erkennen wij dat de overheid alleen het probleem niet kan oplossen. Wij staan dan ook voor de volle honderd procent achter het belang van een vruchtbare samenwerking tussen overheid, de private sector en de daklozen zelf.

Afrika heeft in het bijzonder te kampen met grote armoede; simpel gezegd zijn de meeste mensen eenvoudigweg te arm om iets te hebben aan marktwerking op het gebied van de huisvestingsproblematiek. Maar armoede betekent niet uitzichtloosheid. De belangrijkste bron die voor de oplossing van het probleem kan zorgen, wordt gevormd door de energie en de creativiteit van de onbehuisden zelf. Die energie kan worden aangewend om tot een vruchtbare samenwerking te komen die de bevolkingsgroepen helpt zichzelf te helpen.

In de aanpak van het huisvestingsprobleem wordt ons de kans geboden om economische en sociale verhoudingen fundamenteel te veranderen. Ons eigen land heeft in het verleden aan den lijve ondervonden hoe huisvesting en het gebrek daaraan kunnen worden gebruikt als een vorm van sociale en politieke controle. Net als elders is huisvesting vaak gebruikt om de stedelijke en landelijke armen op hun plaats te zetten – om hen weg te stoppen, uit te zetten, te terroriseren en hun trots te verpletteren.

Een succesvol huisvestingsprogramma kan daarom tegelijkertijd ook een instrument zijn om meer economische en sociale vrijheden te verwerven. Maar dan moet aan een paar fundamentele eisen tegemoet worden gekomen.

Ten eerste moeten de huurtermijnen vastliggen. Een van de belangrijkste redenen waarom de huisvestingssituatie niet verbetert, is dat die zekerheid niet is ingebouwd. Als dat wel gebeurt, zullen de betrokken bevolkingsgroepen zich van een heel andere kant laten zien.

Een volgend cruciaal punt is de verstrekking van leningen aan mensen die voor het bankwezen geen interessante doelgroep vormen. Eigen spaartegoeden van de mensen zelf kunnen hiervoor worden ingezet. Er worden in Zuid-Afrika belangrijke initiatieven genomen die aantonen hoe vruchtbaar deze benadering is.

Een derde bepalende factor wordt vaak over het hoofd gezien of zelfs bewust genegeerd: het succes van ons huisvestingsprogramma – van welk huisvestingsprogramma dan ook – staat of valt met het aandeel van vrouwen daarin. Wanneer wij het hebben over ontwikkelingshulp waarin mensen centraal staan, mogen we niet vergeten dat vrouwen hierin vaak het verschil bepalen tussen welslagen of mislukken.

Als laatste wil ik benadrukken dat welk huisvestingsprogramma, welk programma dan ook, staat of valt met fatsoenlijk en eerlijk beleid.

Het is erg moeilijk een democratie op te bouwen als het dagelijks leven zo'n moeizame strijd is. Het is nu eenmaal de realiteit in Zuid-Afrika dat het huisvestingsprogramma in essentie door de armen zelf moet worden uitgevoerd. De overheid speelt een belangrijke rol in de facilitering en uitvoering van het proces. Ze speelt een belangrijke rol in de ontwikkeling van de infrastructuur. En door de bevolking zelf erbij te betrekken, vergroten wij niet alleen de werkgelegenheid maar zorgen we ook dat ze eigen baas wordt over het proces en het eindresultaat.

Zo meteen zal een Zuid-Afrikaanse scholier een zelf geschreven opstel voorlezen. David Dladla woont in KwaZulu-Natal en hij heeft het in zijn inzending voor de opstelwedstrijd die werd georganiseerd door ons ministerie van Volkshuisvesting over de dromen die veel kinderen op ons continent koesteren.

Onze taak als leiders is ervoor te zorgen dat de dromen van de kinderen van Afrika uitkomen.

Huisvesting als wereldwijd probleem heeft ook te maken met hulpbronnen – met het zorgvuldige gebruik van de natuurlijke hulpbronnen van de wereld, en met de rechtvaardige verdeling ervan. De manier waarop wij met die zaken omgaan, bepaalt onze leefomgeving en, uiteindelijk, of we steden bouwen – of sloppen.

Als continent moet Afrika tijdens Habitat II een rol spelen bij het realiseren van een nieuwe visie op onderdak. Wij moeten beseffen dat huisvesting vaak het begin vormt van het democratische proces, en een rol speelt bij de instandhouding ervan.

De Afrikaanse delegatie die naar Istanbul gaat, moet zich realiseren dat zij een enorm belangrijk mandaat bij zich heeft: het mandaat van de onbehuisden.

Wij staan volledig achter u en wensen u alle succes.

De Wereld in Soweto

Toespraak aan het begin van De Wereld in Soweto, 1 december 1995

Vandaag is de wereld neergestreken in Soweto. Niet om het politiegeweld te onderzoeken of andere schandalen van het apartheidsregime waardoor Soweto internationaal bekend werd. Nee, wij zijn hier bijeen om de bewoners te helpen van Soweto een fatsoenlijk stadsdeel te maken.

De wereld heeft gedurende de jaren van de apartheid altijd met ontzetting gekeken naar de Zuid-Afrikaanse townships. Deze gebieden werden gebouwd voor derderangs burgers, voor mensen die door de machthebbers als minderwaardig werden beschouwd. Degenen die ze bedachten kon het niet schelen wat er met de bewoners gebeurde, hoe het met hun gezondheid ging, hoe welig de misdaad tierde. Nu er een nieuw tijdperk is aangebroken, moet de kwaliteit van deze woonoorden worden verbeterd.

Soweto is het symbool geworden van dit soort townships. Buitenlandse hoogwaardigheidsbekleders bezochten altijd Soweto om hun solidariteit niet alleen met de bewoners hier, maar met alle onderworpenen te betuigen.

De gemeentebesturen zijn verantwoordelijk voor het verbeteren van de woonoorden. Maar gezien de beperkte financiële middelen zou Soweto daar met zijn miljoenen inwoners en zijn enorme oppervlakte tientallen jaren over doen. Daarom was de enige optie internationale samenwerking te zoeken.

De Wereld in Soweto biedt derhalve overheden en burgerinitiatieven uit de hele wereld de gelegenheid zich in te zetten om het bestaan van de Sowetans die nu nog geteisterd door zandstormen tussen de vuilnishopen wonen, te verbeteren.

Vandaag zijn hier ook vertegenwoordigers aanwezig van regeringen, internationale organisaties en buitenlandse steden. Zij reiken ons de hand bij onze inspanningen de levensomstandigheden van de bevolking te verbeteren.

Ze zullen echter niet de verantwoordelijkheid overnemen van de gemeentebesturen die wij vorige maand hebben gekozen. Deze zullen gewoon verantwoordelijk blijven voor de normale gemeentelijke diensten als de water- en elektriciteitsvoorziening en de vuilnisophaal. De Wereld in Soweto gaat zich vooral bezighouden met zaken die anders onder aan de agenda terecht zouden komen: het bestraten van trottoirs, het plaatsten van vuilnisbakken, het planten van bomen, de aanleg van parken en de opschoning van het gebied in het algemeen.

De Wereld in Soweto biedt de gelegenheid met nog meer buitenlandse overheden, steden en private partijen in contact te treden. De meeste daarvan waren bij onze vrijheidsstrijd betrokken. Ze voerden campagne tegen het apartheidsregime en ondersteunden onze strijd financieel. Sommige kwamen hiernaartoe om hun solidariteit te betuigen. Ze hebben ons moreel gesteund door te laten merken dat wij niet alleen stonden.

Nu keren zij terug om ons te helpen onszelf te gaan helpen. Ze lanceren dit project omdat ze er vertrouwen in hebben dat wij vastbesloten zijn te slagen. Ze willen ons niet ons werk uit handen nemen. Ze beseffen dat ze een hard werkend land de hand reiken dat klaar staat om zijn eigen ontwikkeling in gang te zetten. Ze sluiten zich bij ons aan in de geest van *masakhane* [letterlijk: 'elkaar bouwen', bij uitbreiding: elkaars ontwikkeling bevorderen; vert.].

De Wereld in Soweto zal ook een venster vormen waardoor de wereld ons proces van wederopbouw kan aanschouwen. De wijze waarop wij reageren op hun hulp, zal ze ofwel stimuleren hun aandeel in gezamenlijke projecten te verhogen, ofwel ontmoedigen nog verdere investeringen te doen. Het is de verantwoordelijkheid van alle Sowetans om deze gelegenheid met beide handen aan te grijpen. Als wij slagen, zullen ook andere woonoorden ervan profiteren. Als wij falen, zal het hele land daar de gevolgen van voelen. Wij moeten, als pioniers, het hoogste zien te bereiken.

Het is goed om te merken dat de lokale zakenwereld zich bij ons aansluit en dat zo de banden met de gemeenschappen waar ze deel van uitmaken worden aangehaald. Zo laten ze zien dat ze niet alleen geïnteresseerd zijn in geld verdienen. Ik roep daarom de rest van de zakenwereld op zich ook bij onze projecten aan te sluiten. De meeste bedrijven hebben zich gedurende de apartheid uitgesproken tegen dat systeem. Nu is de tijd gekomen om de misstappen van dat systeem recht te zetten. Onze bevolking verwacht concrete stappen. Omdat het om lokale bedrijven gaat, moeten zij meer doen dan onze buitenlandse vrienden, aangezien hun hulp ook henzelf ten goede komt.

De Wereld in Soweto is opnieuw een teken dat wij werkelijk deel uitmaken van de wereldgemeenschap. Ik dank al onze buitenlandse vrienden dat ze van dit initiatief zo'n daverend succes hebben gemaakt en zoveel vertrouwen in ons hebben gehad.

Ik beloof dat ik, als iemand die zelf uit Soweto afkomstig is, er alles aan zal doen om dit project optimaal te laten verlopen.

De planeet en de mensheid

Toespraak voor de International Geographical Union bij de
ontvangst van de Planet and Humanity Award, Durban,
4 augustus 2002

Met een bijzonder gevoel van nederigheid neem ik hier vandaag de Planet and Humanity Award in ontvangst. Ik ben me ervan bewust hoe intensief er is gecorrespondeerd en hoeveel er geregeld moest worden om ervoor te zorgen dat ik hier vanmiddag aanwezig kon zijn. Ik wil benadrukken dat de moeite die het heeft gekost om mij over te halen hier onder u te zijn, niets te maken heeft gehad met onwil om deze prestigieuze prijs in ontvangst te nemen of met 'verstoppertje spelen', zoals dat wordt genoemd. Ik heb de minister van Kunst, Cultuur, Wetenschap en Technologie al lang geleden laten weten dat ik het een grote eer zou vinden de prijs te mogen ontvangen. Maar de grilligheid van de periode die volgde op mijn vertrek als president, waarin ik als gepensioneerde een huis moest zoeken, droeg bij aan de onzekerheid over waar de ceremonie zou plaatsvinden en hoe ik er dan aan toe zou zijn. Werkende mensen en regeringsvertegenwoordigers kunnen zich niet voorstellen hoe chaotisch en ongeregeld het leven van een gepensioneerde is. Ik ben erg blij dat ik ondanks die chaos hier voor deze bijzondere gelegenheid aanwezig kan zijn.

Ik ben een eenvoudige boerenjongen en ik ben telkens weer verbaasd en onder de indruk van de prijzen en eerbewijzen die men mij, om de een of andere onbegrijpelijke reden, wil toekennen. Een collega vraagt me wel eens hoe het mogelijk is dat ik me al die mensen die ik heb ontmoet, al die dagen waarop bepaalde gebeurtenissen hebben plaatsgevonden en alle daarmee verbonden details, onthoud. Ik antwoord dan altijd in alle eerlijkheid: ik ben als eenvoudige boerenjongen onbekend met dit soort fantastische, wonderbaarlijke zaken. Elke keer als ik mensen ontmoet of dingen meemaak, maken ze een onuitwisbare indruk op me.

Ik verliet het platteland in april 1941, en velen zullen zich afvragen waarom ik mezelf dan nog steeds een boerenjongen noem. Wel, al liet ik het platteland destijds achter me, het platteland heeft mij nooit achtergelaten. Dit
bezoek zal weer een van die gebeurtenissen worden die ik niet zal kunnen
vergeten en bovendien roept het concrete herinneringen bij me op aan mijn
jeugd als boerenjongen en hoe ik daar nu op terugkijk.

Wanneer ik mijn geboortegrond bezoek, ofschoon dat maar zelden gebeurt, maken de veranderingen in de geografie telkens weer diepe indruk
op me. En die geografie geldt niet zozeer het landschap of de plaatsen, het
is de geografie van de mensen. Waar eens bomen en zelfs bossen groeiden,
is het nu kaal. Ik ben nu niet meer in staat om dergelijke afstanden af te leggen, maar tot enkele jaren geleden trok ik nog wel eens te voet door de omgeving die me als kind en jongeman zo vertrouwd was en toen trof me de
armoede van de mensen – armoede die was terug te zien in de geografie.
Het is de geografie van vrouwen en kinderen die kilometers moeten lopen
om wat brandhout bijeen te sprokkelen om een kookvuurtje mee te stoken
en een schuilhutje mee warm te houden.

De bomen en de bossen werden omgehakt juist omdat onze bevolking
er zo afhankelijk van was als energiebron. En omdat de bomen en de bossen zijn omgehakt hebben de mensen het vandaag de dag koud en ontbe-
ren ze de energiebronnen om te koken, te wassen en in hun eerste levensbehoeften te voorzien. Op mijn tochten door mijn geboortestreek zag ik
vrouwen lopen, gebukt onder armoede en gebrek. De beken die vroeger het
landschap verfraaiden waren dichtgeslibd en vervuild. De nazaten van de
moeders uit mijn jeugd schepten gehurkt met blote hand de schoonste rest-
jes water uit die beekjes en bronnetjes.

Maar hoe konden ze dat water ontsmetten om voor dagelijks gebruik geschikt te maken? Ik vroeg het ze vaak. Dan zeiden ze: 'Als wij maar hout of
andere vormen van brandstof hadden, konden we het eerst koken.'

Ik wandelde onlangs door het dorp op het platteland waar ik woon en
ik zag een vervuilde beek met uiterst langzaam stromend water. Ik ontmoet-
te er drie vrouwen die water haalden. Ik vroeg ze: 'Wat gaan jullie met dat
water doen?'

Ze antwoordden: 'Dat is voor huishoudelijk gebruik. Wij gaan er eten
mee bereiden en het drinken en ons ermee wassen.'

Ik zei: 'Maar er zwemmen kikkervisjes in rond, er zitten algen in, dat
groene spul dat over het stilstaande water ligt.' En ik zei: 'En daar, stroom-

opwaarts, zien jullie daar die mensen zichzelf en hun kleren wassen? Dat water stroomt hiernaartoe.'

Ze zeiden: 'Zo is ons leven.'

En toen vroeg ik hun dit: 'Wat doen jullie met dit water voor je het gebruikt?'

Ze zeiden: 'Niets. Wij gebruiken het zo.'

En toen stelde ik hun een domme vraag. Ik ben in die streek geboren en zou de omstandigheden moeten kennen, maar na zevenentwintig jaar gevangenschap was ik de levensomstandigheden van mijn eigen volk vergeten. Ik vroeg hen: 'Koken jullie het niet voor gebruik?'

En tegelijk riepen ze uit: 'Koken? Waarmee? Kijk om je heen, tot aan de horizon is geen boom te zien, wij hebben geen elektriciteit. Waar moeten wij het mee koken? Wij gebruiken koemest, maar dat geeft meer rook dan warmte.'

Ik schaamde me, want ik had die vraag nooit mogen stellen, maar ik had het wel gedaan. Ze hadden geen alternatief, ze moesten gebruiken wat voorhanden was en voor de gevolgen opdraaien: cholera en andere ziekten die door vervuiling ontstaan.

Op 9 mei was ik in New York en maakte ik kennis met een van de machtigste zakenmensen van de wereld, iemand die ons in het verleden heeft gesteund en die een school en een kliniek had laten bouwen. Toen ik de Nelson Mandela Foundation oprichtte, nodigde hij mij en mijn vrouw uit in de Verenigde Staten. Hij gaf mijn vrouw vijf miljoen dollar en mij tien miljoen. Zijn vrouw gaf mijn vrouw zevenenhalf miljoen dollar en mij ook [voor liefdadigheidsdoelen in Zuid-Afrika].

Nu zei ik tegen hem: 'Ik wil dat u vijfenveertig plattelandsscholen in Zuid-Afrika laat bouwen, want er zijn uitgestrekte gebieden op het platteland waar geen scholen of klinieken zijn.'

Hij zei: 'Nee, ik concentreer me op de gezondheidszorg. Ik wil graag zoen-zoveel klinieken laten bouwen.'

Zo kregen wij een meningsverschil. Ik zei: 'Klinieken zijn prima. Maar op het platteland is de situatie zo dat de mensen denken dat *sangoma's*, medicijnmannen, betrouwbaarder zijn dan klinieken. Daarom willen wij dat er een kern van mensen ontstaat die goed onderwijs hebben gehad en campagne zullen voeren op het platteland om de mensen ervan te overtuigen dat klinieken beter zijn dan *sangoma's*. Daarom wil ik dat u vijfenveertig scholen laat bouwen.'

Ons meningsverschil bleef overeind. Hij zei: 'Nee, ik ben bereid aan uw wensen tegemoet te komen, maar alleen op het gebied van de gezondheidszorg.'

'Goed,' zei ik, 'dan moet ik overleggen.'

Thuisgekomen overlegde ik met de minister van Onderwijs, professor Kader Asmal. Hij gaf ons beiden ongelijk en zei: 'Er zijn veel scholen in het hele land zonder water, zonder riolering, waar de kinderen naar buiten moeten om hun behoefte te doen. Ze gebruiken gras om zich af te vegen en krijgen zo vieze vingers omdat er geen water is om hun handen te wassen en met hun vieze vingers eten ze vervolgens hun boterhammen, hun pap, vlees en fruit en zo wordt cholera verspreid.' En toen zei professor Asmal: 'Wat nodig is, is dat de scholen worden aangesloten op de waterleiding. En dat gaat handenvol geld kosten.'

Ik heb nu een brief aan de zakenman geschreven om te vertellen wat de man die er verstand van heeft ervan zegt. Geen scholen, geen nieuwe scholen, geen klinieken, maar water voor de bestaande scholen. Want dat zal een heel eind helpen de verspreiding van cholera te stoppen.

Dergelijke omstandigheden heb ik overal in ons land aanschouwd, overal op ons continent, overal in de derde wereld.

We aanvaarden de eer die u ons vandaag betoont, maar niet als een eerbetoon in de gewone zin van het woord. Wij aanvaarden het als een erkenning van de weinig eervolle wijze waarop we, als mensheid, moeder aarde aan het verwoesten zijn en daarmee de kansen van onze kinderen op een duurzame toekomst. Uw prijs is echter ook een aanmoediging om door te gaan met de strijd om de wereld te veranderen in een plek waar wij waardig kunnen leven, niet alleen onderling, als mensen, maar ook als mensen in relatie met onze natuurlijke omgeving.

Zuid-Afrika organiseert binnenkort de uiterst belangrijke Wereldtopconferentie voor Duurzame Ontwikkeling. De bijeenkomst van de International Geographical Union op dit moment vormt een onderdeel van de uitdaging waarvoor dit land, zijn leiders en zijn bevolking staan om het voortouw te nemen in de actuele strijd om onze leefomgeving duurzaam leefbaar te maken voor onze kinderen. Ik probeer te leven met het eenvoudige streven de wereld te veranderen in een wereld die een beter bestaan voor allen biedt, vooral voor de armen, de verwaarloosden, de kwetsbaren. Een geruïneerde leefomgeving is fataal voor de mensen die er wonen. Ze worden er kwetsbaar door en degenen die het meest kwetsbaar zijn – vrouwen en kinderen, ouden van dagen en gehandicapten – zullen altijd het zwaarst te lijden hebben.

Laten wij ons er samen voor inzetten om van deze wereld een duurzame bron voor onze toekomst als mensheid op deze planeet te maken.

6

Onderwijs

De onderwijscrisis

Fragmenten uit een toespraak bij een bijeenkomst in Soweto,
13 februari 1990

Kameraden, vrienden, burgers van Soweto, ik groet u uit naam van de heroï-
sche strijd van ons volk voor vrijheid en gerechtigheid voor iedereen.

Ik breng een groet aan de moed van de Zuid-Afrikaanse jeugd, die zich
aangesloten heeft in het South African Youth Congress. En ik wil hier in het
bijzonder hulde brengen aan kameraad Hector Petersen, die samen met
honderden andere jonge betogers in 1976 door kogels uit de loop van de
apartheid werd neergemaaid. Jullie moed en vastberadenheid hebben mij er
gedurende mijn eenzame jaren op het Eiland doorheen gesleept.

Mijn terugkeer vandaag naar Soweto vervult mijn hart met vreugde. Maar
tegelijkertijd kom ik diepbedroefd terug. Diepbedroefd omdat jullie nog
steeds lijden onder een onmenselijk systeem. De woningnood, de scholen-
crisis, werkloosheid en misdaad zijn niet verdwenen.

De onderwijscrisis die in Zuid-Afrika heerst, verdient bijzondere aandacht. De onderwijscrisis in de zwarte scholen is een politieke crisis. Ze komt
voort uit het feit dat onze burgers nog steeds geen stemrecht hebben en
daardoor de huidige regering niet op hun daden kunnen afrekenen. Onderwijs onder de apartheid is armzalig onderwijs en vormt een misdaad tegen
de menselijkheid. Onderwijs is een onderwerp dat ons allemaal aangaat:
leerlingen, ouders, leraren, arbeiders en alle andere sectoren van de samenleving. Laten wij gedisciplineerd te werk gaan en studentenraden oprichten,
een landelijke organisatie voor onderwijzend personeel, ouderorganisaties
en een Nationale Commissie voor de Onderwijscrisis.

Het ANC heeft altijd het beleid gevolgd dat ofschoon de scholen en het
hele onderwijssysteem zelf deel uitmaken van de strijd, de school tevens de
plek is waar onderwijs genoten moet worden. Ik roep daarom, net als an-

deren aan het begin van dit jaar, de leerlingen op weer naar school terug te keren en te gaan leren. Onze strijd voor het recht op algemeen onderwijs binnen het onderwijssysteem gaat door en we moeten het systeem juist gebruiken om onze doelen te bereiken. Ik roep de regering op om meer scholen te bouwen, om meer leraren op te leiden en aan te stellen, en haar beleid om kinderen door verschillende maatregelen buiten het onderwijssysteem te houden (leeftijdsrestricties, de weigering leerlingen toe te laten die wel eens lessen missen), los te laten. Wij blijven roepen om een gecentraliseerd, niet-racistisch onderwijssysteem dat het beste uit al onze jongeren haalt.

De geest van 16 juni

Fragmenten uit een toespraak ter gelegenheid van de 17de herdenking van de studentenopstand van 1976, Orlando-stadion, Soweto, 16 juni 1993

Opnieuw herdenken vrijheidslievende Zuid-Afrikanen en democratisch gezinde mensen uit de hele wereld de 16de juni, de dag waarop zeventien jaar geleden ongewapende demonstrerende studenten in Soweto werden afgeslacht.

De bijeenkomst van vanmorgen is een van de vele die in het hele land worden georganiseerd.

Terugkijkend op de gebeurtenissen van zeventien jaar geleden kunnen we, zonder vrees door de geschiedenis te worden teruggefloten stellen, dat 16 juni 1976 het begin was van het einde van de eeuwenoude blanke overheersing in dit land. Ons volk reageerde op de slachting door als één man achter de bevrijdingsorganisaties te gaan staan.

Door hard op te treden hoopte het apartheidsregime alle verzet tegen haar duivelse plannen te breken. De gebeurtenissen van 16 juni bliezen de strijd tegen de apartheid echter nieuw leven in. Honderdduizenden mensen gingen zich inzetten voor de strijd. Duizenden besloten actief te worden in de bevrijdingsbeweging. De beste zonen en dochters van ons land zochten aansluiting bij Umkhonto we Sizwe[1] en het ondergrondse ANC.

Onze offers en onze strijd hebben ervoor gezorgd dat we op een punt zijn aangekomen waar democratie niet langer alleen door de slachtoffers van de apartheid wordt verlangd, maar door alle Zuid-Afrikanen wordt geëist. Onze jongeren hebben aan de strijd van de afgelopen zeventien jaar een bijzondere bijdrage geleverd, of zij nu lid waren van het volksbevrijdingsleger Umkhonto we Sizwe, het ANC, of deelnamen aan de massa-acties die georganiseerd werden door het UDF[2], Cosatu[3] of een van de andere democratische bewegingen.

Vele jongeren en studenten zijn die 16de juni 1976 gesneuveld. Duizenden burgers hebben de afgelopen zeventien jaar het ultieme offer gebracht in hun strijd voor de democratie en de bevrijding van ons land. Hoevelen moeten nog sneuvelen voor het tot de machthebbers doordringt dat het zo genoeg is? Hoevelen moeten er nog sneuvelen of gaan een grauwe toekomst zonder scholing of werk tegemoet, voor men zich realiseert dat dit land een democratie móét worden?

De aanleiding voor de opstand in Soweto is vandaag de dag nog niet verdwenen. De onderwijscrisis is de afgelopen zeventien jaar alleen maar ernstiger geworden. Aan de regering moeten een paar pittige vragen worden gesteld.

Ten eerste, hoe komt het dat zeventien jaar na zo'n ernstige crisis als die van 1976 de kwaliteit en de omstandigheden van het zwarte onderwijs nog verder zijn verslechterd? Hoe komt het dat na zeventien jaar de houding van de overheid ten opzichte van klachten en eisen uit de onderwijswereld nog steeds dezelfde is als die ons land in een crisis heeft gestort? Waarom heeft de regering zich steeds minder van het onderwijs aangetrokken, terwijl dat meer en meer het domein van de rijken werd? En waarom weigert de regering de gescheiden situatie in het onderwijs op te heffen, terwijl zij tegelijkertijd zegt dat de apartheid dood en begraven is? Wanneer niet was tegemoet gekomen aan de eisen die leraren en leerlingen onlangs hebben gesteld, is het vrijwel zeker dat de restanten van het apartheidsonderwijs helemaal ineen waren gestort. Zonder te overdrijven kunnen we stellen dat de problemen dezelfde, of zelfs ernstigere proporties als in 1976 begonnen aan te nemen.

De regering heeft weliswaar enkele van de gestelde eisen ingewilligd, maar er zijn nog genoeg andere belangrijke probleemgebieden in het onderwijs die aandacht verdienen. Daarom is het essentieel dat de voorgestelde Nationale Onderwijsraad ten spoedigste bijeenkomt. Opnieuw wil ik er de regering op wijzen dat deze raad alleen succesvol kan functioneren wanneer hij eigenmachtig kan opereren en zijn taken zonder inmenging van buitenaf kan uitvoeren. De raad kan er alleen in slagen een zinnige bijdrage te leveren aan de oplossing van de immense problemen waar het onderwijssysteem en het land zelf voor staan, wanneer hij de volmachten krijgt die hij nodig heeft.

Kameraden, wij eisen dat een onderwijsraad, met alle noodzakelijke volmachten en bestaande uit vertegenwoordigers van alle belanghebbenden, op korte termijn bijeenkomt, opdat we werkelijk kunnen beginnen met het ontmantelen van de huidige, gesplitste instellingen die nu het landelijke onderwijsbeleid bepalen; een raad die zal werken aan de totstandkoming van een gecentraliseerd onderwijsorgaan dat aan ieders behoeften tegemoet komt. We moeten hier niet mee wachten tot andere problemen zijn opgelost. Hoe langer we wachten met het aanpakken van dit probleem, hoe meer we naar de rand van de afgrond zullen afglijden en hoe meer de toekomst van onze kinderen in gevaar komt. De uitdaging waar we voor staan, in dat licht, omvat meer dan het herstel van een onderwijscultuur in ons land, meer dan een herwaardering van de academische prestaties van onze jongeren.

Hoe dichter we bij het invoeren van de democratie in dit land komen, hoe belangrijker het onderwijs wordt voor de miljoenen mensen uit wier naam we strijd hebben gevoerd. We moeten daarom niet langer louter kritiek leveren. Onze jeugd moet worden beoordeeld op de discipline en de inzet waarmee ze studeert.

Daarom roepen wij de studenten op serieus aan de slag te gaan. Je toekomst staat of valt met je opleiding, want deze zal je helpen je gedurende de moeizame periode van de wederopbouw optimaal voor je gemeenschap en je land in te zetten.

1   Gewapende vleugel van het ANC ('Speer van de natie').
2   Samenwerkingsverband tussen kerkelijke en maatschappelijke organisaties ter bestrijding van de apartheid, opgericht door dominee Alan Boesak in 1983.
3   Congress of South African Trade Unions: de Zuid-Afrikaanse vakbondsfederatie.

Het fundament voor onze toekomst

Toespraak bij de opening van de scholen in Qunu en Nkalane,
Qunu, 3 juni 1995

Een gevoel van nederigheid bekruipt me nu ik na zeventig jaar weer terug ben op mijn eerste school. Maar te mogen delen in de heropening van het gebouw vervult me met vreugde.

Onze kinderen vormen het fundament voor onze toekomst, ze zijn van onschatbare waarde voor ons land. Zij worden de nieuwe leiders van ons land, zij zullen ons land welvaart brengen, voor ons volk zorgen en het beschermen. Maar dat kan alleen wanneer elk kind de kans krijgt zijn mogelijkheden te ontwikkelen tot de vaardigheden en de kennis die onze samenleving nodig heeft. Onderwijs vormt hiertoe de sleutel. En het is tevens de deur die ieder dorp, iedere stad, toegang biedt tot de samenleving als geheel, ja, tot de wereld als geheel.

Die les wordt op schokkende wijze duidelijk wanneer we kijken naar het erfgoed van de apartheid. Dat systeem is onder meer berucht geworden door de wijze waarop het de meerderheid van de kinderen de toegang tot het onderwijs heeft ontzegd. Armoede, werkloosheid, analfabetisme en het gebrek aan onderwijs zorgen voor eenzelfde soort verdeeldheid in de samenleving als de apartheid.

De provincie Eastern Cape is een van de zwaarst getroffen gebieden. De provinciale overheid is bezig scholen te renoveren en huurt zelfs ruimte om nog tienduizenden kinderen extra van basisfaciliteiten te voorzien. Maar dit is nog maar het begin.

De schade van het discriminerende beleid van de afgelopen jaren is voor iedereen duidelijk te zien. Er is te weinig economische kennis, waardoor de duurzame economische ontwikkeling in ons land stokt. Onderwijs moet daarom een van de hoogste prioriteiten voor ons land zijn. Nu door het regeringsbeleid de veranderingen overal zichtbaar worden, moet dat zo blijven.

De renovatie van de scholen in Qunu en Nkalane draagt daarom in belangrijke mate bij aan de kwaliteit van het leven in de twee woonoorden. Daarnaast is ze van nationaal belang. Het project waar we vandaag de afronding van vieren, is een voorbeeld van de geest van samenwerking waar we ons aan moeten optrekken. De regering heeft belangrijke stappen genomen om haar onderwijsbeleid zodanig vorm te geven, dat tegemoet wordt gekomen aan de eisen die de mensen en het huidige tijdsgewricht aan ons stellen. Dat lukt alleen wanneer de regering gaat samenwerken met de gemeenschappen, de private sector en sponsoren. *Masakhane!* Laten wij 'elkaar bouwen', laten we samen bouwen.

Om succes te hebben moeten de gemeenschappen zelf ervoor gaan zorgen dat de jeugd het belang van onderwijs gaat inzien en dat de onderwijsvoorzieningen worden onderhouden. De onderwijzers moeten met volledige toewijding de verantwoordelijkheid op zich nemen om het potentieel van de jeugd tot wasdom te brengen. Jongeren zelf moeten het beste van hun opleiding maken om later te kunnen bijdragen aan onze nieuwe maatschappij. Ze moeten zich daarom doelgericht op hun studie storten.

De private sector moet met zijn aanzienlijke middelen aan het herstel van het onderwijssysteem bijdragen, en het volgen van cursussen door werknemers eenvoudiger maken en ook zelf technische trainingen aanbieden. Maar de private sector kan ook op directe wijze bijdragen aan het realiseren van de belangrijkste voorwaarde: klaslokalen voor onze kinderen.

Ik ben dr. Venter, voorzitter van Altron, heel dankbaar voor zijn uitnodiging om bij de heropening van deze scholen aanwezig te zijn. U laat anderen met dezelfde mogelijkheden zien hoe je een praktische bijdrage kunt leveren aan ons nationale doel, een beter bestaan voor iedereen.

Ik voel me zeer vereerd dat ik samen met u deze gerenoveerde lagere school aan de gemeenschap van Qunu en haar kinderen mag aanbieden.

Afrikanen en het Afrikaans

*Toespraak ter gelegenheid van het aanvaarden van een eredoctoraat
in de filosofie aan de Universiteit van Stellenbosch, Stellenbosch,
25 oktober 1996*

Zoals de rector magnificus in zijn laudatio al aangaf, heb ik vanwege huidige en vroegere functies reeds een aantal eretitels mogen ontvangen. Het is derhalve begrijpelijk dat u wellicht zult denken dat mijn dankwoorden bij dit soort gelegenheden na verloop van tijd niet meer dan een beleefdheidsgebaar inhouden. Ik verzeker u echter dat ik iedere keer weer diep geroerd ben, niet slechts door de eer die me wordt betoond, maar vooral door de genegenheid die eruit spreekt. Vanavond is geen uitzondering, en ik dank u.

Het zou oneerlijk van me zijn te doen alsof ik me niet van de bijzondere historische betekenis van deze gelegenheid bewust ben. Tussen de eerste en de laatste Botha hebben alle minister-presidenten van het door de blanken overheerste Zuid-Afrika deze universiteit doorlopen. Deze universiteit was de thuishaven van het Afrikaner nationalisme. Deze universiteit bood in belangrijke mate het theoretische raamwerk voor de apartheid.

Deze instelling heeft onuitwisbare sporen nagelaten op de woelige geschiedenis van ons land – de littekens zijn nog immer zichtbaar.

Vanavond heet u mij als staatshoofd van een democratisch Zuid-Afrika hartelijk welkom. Vanavond eert wat eens de wieg van het Afrikaner nationalisme was, een man die decennialang was opgesloten omdat hij als de aartsvijand van datzelfde systeem werd beschouwd. Vanavond reikt een instelling die lang onderzoek deed naar de theoretische rechtvaardiging van rassenscheiding en discriminatie een eretitel uit aan iemand die bijna zijn hele leven heeft gevochten om daar een eind aan te maken.

Deze gelegenheid zegt veel meer over Zuid-Afrika en de Zuid-Afrikanen dan over de persoon aan wie de graad wordt uitgereikt. Deze gelegenheid bewijst dat wij de weg van een gezamenlijke toekomst zijn ingeslagen, dat we bezig zijn barricaden die ons in het verleden scheidden te slechten en een nieuw land aan het opbouwen zijn – een land dat in al zijn verscheidenheid verenigd is. Ik dank u daarvoor uit de grond van mijn hart.

Er ligt ons nog enorm veel werk te wachten op deze weg – in het land als geheel en zeker ook hier aan de Universiteit van Stellenbosch in het bijzonder. De situatie vraagt ons aan de ene kant te onderkennen dat er al veranderingen hebben plaatsgevonden, en aan de andere kant om onder ogen te zien dat tempo en omvang van de veranderingen nog veel te wensen overlaten.

Ik zal met uw permissie enigszins van deze gelegenheid misbruik maken, door daar enkele woorden aan te wijden.

Vorige week was ik getuige van een gebeurtenis die haar oorsprong hier in Stellenbosch vond. Het was het moment dat het bestuur van de Neder-Duitse Gereformeerde Kerk voor de Waarheids- en Verzoeningscommissie toegaf collectief schuld te hebben aan de systematische onrechtvaardigheid uit het verleden. Laten we de boodschap die daarmee werd overgebracht noch het belang ervan voor het verzoeningsproces onderschatten.

Het idee van veel mensen dat alleen de Afrikaner gemeenschap zal profiteren van het verzoeningsproces, wordt door een daad als die van het kerkbestuur van Stellenbosch krachtig weersproken. Ik zou wensen dat meer Afrikaners eenzelfde verzoenende houding ten opzichte van hun mede-Zuid-Afrikanen zouden aannemen.

Niemand vraagt erom dat de Afrikaners beschimpt worden of eist dat ze zichzelf publiekelijk vernederen. Evenmin kan iemand echter ontkennen dat de apartheid dit land en zijn bewoners vreselijk onrecht heeft gedaan en dat de Afrikaners hierin een cruciale rol speelden.

Het kerkbestuur van Stellenbosch liet zich door zijn schuldbekentenis van zijn beste kant zien, zonder vernederd te zijn, maar wel door zich nederig op te stellen. Zulk een zachtmoedigheid en grootmoedigheid maakt ons bewust van elkaars medemenselijkheid en stelt ons in staat elkaars hand te nemen en gezamenlijk onze blik op de toekomst te richten, bewust van onze feilbaarheid en daardoor eens te meer gespitst op het vermijden van dergelijk onrecht.

De daad die het kerkbestuur van Stellenbosch stelde, roept ook een stukje bijna vergeten, maar niet onbelangrijke geschiedenis van de Afrikaners en deze universiteit in herinnering. Want aan deze universiteit klonken ook dappere stemmen op die waarschuwden voor en zich uitspraken tegen de apartheid. De stemmen van bijvoorbeeld B.B. Keet, Ben Marais, Johan Degenaar, André Hugo, André du Toit en anderen. De erkenning van dat stukje geschiedenis betekent een belangrijke bron van hoop, niet slechts voor uzelf, maar voor heel Zuid-Afrika.

Ook kan met zo'n Afrikaner stem – een stem die zich openstelt voor de rest van de samenleving, een stem die zich tot de rest van de samenleving richt – het pleidooi voor de rol en de plaats van het Afrikaans als wetenschappelijk communicatiemiddel het best worden gevoerd.

Mijn standpunt ten opzichte van het Afrikaans is zo vaak aan de orde geweest dat ik het hier niet zal herhalen. Net als ongetwijfeld alle andere talen moet het Afrikaans zijn eigen bijdrage, positief of negatief, aan de ontwikkeling van de machtsstructuren in de maatschappij onder ogen zien. Dat laat echter onverlet dat het Afrikaans een belangrijke wetenschappelijke taal is geworden. En zoals de Commissie voor Hoger Onderwijs in haar rapport heeft aangegeven: het Afrikaans is als wetenschapstaal van nationaal belang.

Het gaat daarom niet om de uitroeiing of het behoud van het Afrikaans als academisch communicatiemiddel. De vraag is wel: hoe kunnen we het Zuid-Afrikaanse universitaire systeem zo inrichten dat het aan de volgende drie eisen voldoet? Ten eerste: dat het Afrikaans de ruimte wordt geboden zich als communicatiemiddel voor de wetenschap te ontwikkelen. Tegelijkertijd, dat niet-Afrikaanssprekenden niet ten onrechte buiten het systeem worden gehouden. En bovenal, dat geen enkele taal het voertuig wordt, opzettelijk of onopzettelijk, voor het propageren van raciale, etnische of culturele scheidslijnen.

Zonder er doekjes om te winden wil ik het volgende zeggen: binnen een stelsel van twintig universiteiten moet het toch mogelijk zijn ervoor te zorgen dat er ten minste één universiteit is die als belangrijkste taak heeft ervoor te zorgen dat het Afrikaans zich als academisch communicatiemiddel duurzaam ontwikkelt.

Er zullen onderhandelingen nodig zijn om ervoor te zorgen dat andere talen dan het Afrikaans aan die instelling ook aan bod komen. Als we erin slagen de belangrijkste politieke tegenstellingen in het land door onderhandelingen op te lossen, dan moet het toch mogelijk zijn dat de wijze mannen en vrouwen van dit land deze zaak niet als een onoplosbare kwestie beschouwen.

Als zij die het Afrikaans een warm hart toedragen deze dialoog in alle openheid en met de grootmoedigheid waar ik het eerder over had zouden voeren, zou het pleidooi ten gunste van het Afrikaans er veel beter voor staan. Evenzo zou de hele situatie veel eenvoudiger worden voor degenen die de voorstanders van het Afrikaans tegemoet willen komen.

Laat me afronden met een citaat uit een gedicht van Breyten Breyten-bach, waarin hij het woord 'Afrikaans' gebruikt in de zin van 'karakteristiek voor Afrika'. Het gedicht, een brief aan het Afrikanerdom, stamt uit de duis-tere jaren van de apartheid:

> Net die hoop dan, barse broer,
> dat jy wat te klein was om op te neem
> tog iewers in ons groot land nog opneembaar is.
> My broer, my dor, verlate broer:
> iets wens dat mens weer in jou groei,
> dat alles groots, Afrikaans gaan word
> en jy ook in mensbruin mense bloei.
>
> (Dan hoop ik maar, mijn norse broeder,
> dat jij die te klein was om opgenomen te worden,
> ergens in ons immense land kan worden opgenomen.
> Mijn broeder, mijn dorre en verlaten broeder,
> ik wens dat er in jou een mens weer groeit,
> dat alles groots en Afrikaans weer wordt,
> dat jij in menselijke bruine mensen ontbloeit.)

Sinds de tijd dat Breytenbach dit gedicht schreef, is er veel veranderd in Zuid-Afrika. Ik wens echter, dat wij allen zullen worden opgenomen in dit immense land. En dat de Afrikaner instellingen en het Afrikaner volk zich nooit meer nors afzijdig houden, maar dat zij een onlosmakelijk deel wor-den van wat wij bezig zijn opnieuw vorm te geven.

In de wetenschap dat deze universiteit een belangrijke rol heeft te spelen in het verwezenlijken van die wens, aanvaard ik de eer alumnus te worden van de Universiteit van Stellenbosch.

Rentmeesters en voortrekkers

Toespraak bij de installatie van professor Colin Bundy als rector
magnificus, Universiteit van Witwatersrand, Johannesburg,
25 maart 1998

Universiteiten zijn tegelijkertijd rentmeesters van tradities en voortrekkers in de vooruitgang. De samenleving verwacht van hen dat ze kennis die honderden jaren teruggaat bewaren en altijd op zoek zijn naar de grenzen van het weten. Op zichzelf zijn de belangrijke universiteiten altijd die instituten met een solide basis in het verleden en een permanente honger naar het onbekende.

Bij de aanstelling en installatie van een rector magnificus moet men altijd oog hebben voor die overlapping van tradities en vooruitgang.

In de eerste plaats ben ik hier vanavond aanwezig als alumnus van de Universiteit van Witwatersrand. Ik heb dus deel uitgemaakt van de geschiedenis ervan, en er misschien zelf enigszins aan bijgedragen.

Het vervult me met trots en vreugde te mogen bijdragen aan de formele installatie van de nieuwe academische leider van deze instelling. Hij is een wetenschapper en een bestuurder die ongetwijfeld een voortrekkersrol zal spelen in de vooruitgang van de universiteit, en tegelijkertijd gespitst zal zijn op het bewaren van de traditionele universitaire waarden.

Deze avond roept veel herinneringen aan het verleden in me op en bevestigt mijn hoop voor de toekomst. Ik herinner me mijn eigen tijd als student en ik wil eer betonen aan mijn vrienden die aan deze universiteit hebben gestudeerd, gedebatteerd en geprotesteerd. Hun namen zijn legendarisch geworden: Joe Slovo, Ismail Meer, Harold Wolpe, J.N. Singh, William Nkomo en Ruth First. Zij behoren tot degenen die een boodschap en een ethiek uitdroegen die in scherp contrast stond met de angst, de onderdrukking en de ondergeschiktheid die de wetgeving destijds wenste op te leggen en af te dwingen. Zij vormen een onderdeel van de traditie van 'Wits' waar de universiteit trots op kan zijn en waar zij op kan terugvallen in haar bijdrage aan een nieuwe Zuid-Afrikaanse samenleving.

Het is een bijzonder voorrecht dat de nieuwe rector magnificus een vooraanstaand historicus is die heeft bijgedragen aan een belangwekkende herziening van de Zuid-Afrikaanse geschiedschrijving. Een historicus van dergelijk kaliber hoeft er niet aan te worden herinnerd dat onze universiteiten niet op alle aspecten uit het verleden en in hun tradities trots hoeven te zijn. Je bewust zijn van dat verleden betekent echter niet dat je je moet blind staren op de tekortkomingen ervan – het betekent dat je het heden kunt veranderen en de toekomst kunt vormgeven.

'Wits' en enkele andere Zuid-Afrikaanse universiteiten hebben hun autonomie gekoesterd en heldhaftig verdedigd in de tijd dat de apartheidsregering deze wilde inperken. De geschiedenis van de verdediging van onze vrijheden blijft incompleet wanneer ze ons niet zou herinneren aan de principiële standpunten die deze universiteiten durfden in te nemen omtrent wie en wat onderwerp van wiens curriculum zouden zijn.

Terugkijkend kunnen we vandaag constateren dat onze universiteiten ondanks deze nobele standpunten toch te vaak water bij de wijn hebben gedaan en zich hebben neergelegd bij de wettelijke beperkingen en de heersende maatschappelijke moraal. Maar al érkennen we dat, we kunnen niet óntkennen dat er een waardevolle traditie van universitaire onafhankelijkheid bestaat die we niet mogen vergeten bij het hervormen van ons stelsel van hoger onderwijs. Een open debat, waardevrij onderzoek en het opzoeken van wetenschappelijke grenzen behoren tot de tradities van een universiteit, en in wezen van een land, nu evenzeer als vroeger.

Perioden waarin fundamentele politieke en maatschappelijke veranderingen plaatsvinden zullen altijd verbanden en verhoudingen aan de oppervlakte brengen die eerder meer impliciet waren en als vanzelfsprekend werden aangenomen. De maatschappelijke verplichtingen die ontstaan uit de formulering van nieuwe rechten, zijn veelal explicieter in een tijd van verandering. Dat is ook nu het geval. Het recht van universiteiten om het eigen curriculum te bepalen schept zware maatschappelijke verplichtingen.

Wanneer dat recht wordt uitgeoefend zonder oog te hebben voor het verleden waarin de meerderheid van de bevolking werd uitgesloten van het geven en ontvangen van onderwijs, zou onze academische wereld gemakke-

lijk ten prooi kunnen vallen aan een gevaarlijke en uiteindelijk zelf onder-
mijnende vorm van decadentie.

Op het recht blijven staan het eigen curriculum te bepalen zonder oog
te hebben voor de ernstige behoefte van de maatschappij aan bijdragen aan
de vooruitgang, zou een vorm van inherent autisme betekenen, in plaats
van een vorm van creatieve autonomie.

Wanneer iemand ook nog maar het geringste heimwee naar ons verleden van tweedracht en discriminatie heeft, betekent dat dat we nog niet klaar
zijn de perceptie van dat verleden te corrigeren.

De erfenis waarmee het apartheidsonderwijs ons opzadelt, brengt zware
verantwoordelijkheden voor onze universiteiten met zich mee. De zonden
van onze voorvaderen tonen zich in de slecht voorbereide studenten die we
moeten helpen de creatieve scheppers van de toekomst van ons land te worden. De uitdaging is zorgzaam, verantwoordelijk en vernieuwend te zijn; en
in onze aanpak en houding waarlijk Zuid-Afrikaans te zijn, niet paternali-
serend of overheersend.

De universiteit heeft daarnaast de plicht mogelijkheden te bieden voor
'levenslang leren', zich dus niet alleen op jonge studenten te richten maar
ook open te stellen voor mensen die nooit de kans hebben gehad hoger onderwijs te volgen. In een zeker verleden eiste 'Wits' de titel van 'open universiteit' voor zich op. Vandaag moet 'levenslang leren' de 'open' aard van
de belangrijke universiteiten bepalen, naast het toelatingsbeleid, de studie-
programma's en de kwaliteit van het onderwijs.

Wij wensen u, professor Bundy, van harte geluk met het aanvaarden
van het leiderschap van een Zuid-Afrikaans instituut dat trots kan zijn op
zijn tradities. Wij wensen u veel succes bij de belangrijke taak dit instituut
te vernieuwen tijdens de overgang naar een nieuw millennium, in een tijdperk waarin ons land en ons continent een wedergeboorte zullen ondergaan.

U heeft gewerkt aan buitenlandse universiteiten; u bent weer thuisgekomen om aan een van onze oorspronkelijk blanke instellingen te gaan werken; u bent een van de vooraanstaande academici geweest die zo'n instelling vervolgens verruilde voor een jongere, oorspronkelijk zwarte instelling
om uw bijdrage te leveren aan de spannende overgangsperiode waarin we
ons bevinden.

Er zijn maar weinig academische leidsmannen in het land die daartoe, met uw kennis van de tradities en uw ervaring in het in kaart brengen van nieuwe gebieden, beter uitgerust zijn.

Welkom in 'Wits'.

7

Cultuur

Onze muziek, dans en poëzie

Toespraak bij een concert georganiseerd door de Ierse anti-
apartheidsbeweging, Dublin, 1 juli 1990

Het is fantastisch om hier vanavond in uw gezelschap te zijn. Ik breng u een hartelijke, broederlijke groet over van het ANC, van de Mass Democratic Movement[1], ja, van ons hele volk, dat klaar is voor de strijd. Ook voorzitter Oliver Tambo wenst u allen alle goeds.

Ik ben meer dan verheugd in gezelschap van u allen, leden van onze uitgebreide familie, te verkeren. De Ierse anti-apartheidsbeweging heeft ons bijna dertig jaar lang op betrouwbare, onverzettelijke wijze gesteund in onze strijd tegen het schandelijke apartheidssysteem. U heeft het voortouw genomen in het verwoorden van de internationale verontwaardiging die zo velen voelen voor de apartheid. Dankzij uw onvermoeibare inspanningen staat vandaag de dag de hele wereld achter onze strijd. Dankzij uw geweldige inzet zal het apartheidssysteem geen dag langer meer bestaan.

Onze gezamenlijke strijd is in een vergevorderd en beslissend stadium gekomen. Onze beweging heeft door de nieuwe situatie, nieuwe verantwoordelijkheden gekregen. Door onze bemiddeling moet er nu vrede worden gesticht en democratie ontstaan. Om deze historische missie te volbrengen, hebben we politieke en materiële steun nodig. Om een eind aan de apartheid te maken, moeten de sancties en alle andere middelen waarmee druk kan worden uitgeoefend, worden gecontinueerd. Om een rechtvaardige en blijvende vrede te bewerkstelligen heeft onze beweging financiële en andersoortige ondersteuning nodig. Onze jongeren moeten worden opgeleid, opdat ook zij op een dag kunnen meehelpen hun eigen land opnieuw op te bouwen. Op al deze punten zijn we ervan overtuigd dat we op uw steun kunnen blijven rekenen.

Ook gaat onze dank uit naar alle muzikanten, zangers en andere artiesten die vanavond optreden. De Ierse anti-apartheidsbeweging heeft altijd vooraan gestaan in de culturele boycot van de apartheid; uw beste schrijvers en kunstenaars hebben geweigerd geld te verdienen aan de apartheid, en uw beste sporters hebben geweigerd naar Zuid-Afrika af te reizen. Wij brengen hen vanavond een groet, zoals wij ook u een groet brengen.

Spoedig zullen wij in een vrij Zuid-Afrika bijeenkomen met onze muziek, onze dans, en met onze poëzie die die ene eenvoudige boodschap door de wereld doet klinken: *Amandla!*

Noot van de vertaler
1   Informeel samenwerkingsverband tussen anti-apartheidsgroeperingen, opgericht in de vroege jaren zeventig.

Erfgoed Robbeneiland

Toespraak op monumentendag, Robbeneiland, 24 september 1997

Weinig gebeurtenissen geven aanleiding tot zo veel gemengde gevoelens als die van vandaag, of belichten zo scherp de veranderingen van de afgelopen jaren. Nog minder laten zo helder zien wat nog voor ons ligt.

Het doet me veel genoegen dat wij hier allen als vrije Zuid-Afrikanen – met onze vrienden – op Robbeneiland bijeen kunnen zijn en dat we bovendien ons gezamenlijk nationaal erfgoed eer bewijzen in het licht van ons geloof in democratie, tolerantie en mensenrechten.

Door deze plek als gezamenlijk erfgoed te beschouwen, worden we eraan herinnerd dat onze hoogstaande idealen eens te meer werden nagejaagd vanwege het feit dat ze ons zo lang werden onthouden, dat de eenheid die we vandaag tonen een overwinning is op de verdeeldheid en de strijd van gisteren.

Wanneer we denken aan de politieke gevangenen die hier op dit eiland en elders gevangen zaten, beseffen we dat die idealen een concrete inhoud moeten hebben om werkelijk iets te betekenen. Ze moeten tot rechtsbescherming leiden en schoon water, adequate gezondheidszorg en huisvesting brengen. Ze moeten garanderen dat iedereen kan meedoen aan het tot stand brengen van een gezamenlijke, democratische toekomst, zijn eigen taal kan spreken, trots kan zijn op zijn eigen cultuur en erfgoed.

Wanneer we ook ons erfgoed met die idealen willen verbinden, slaan we een nieuwe weg in.

In de koloniale tijd en tijdens de apartheid weerspiegelden onze musea en monumenten de geschiedenis en de politieke opvattingen van een minderheid, ten koste van de meerderheid. De meeste mensen hadden weinig zeggenschap over de wijze waarop hun geschiedenis door boeken, bibliotheken of onderzoeksinstituten werd weergegeven. De herinnering aan de vernederende wijze waarop de zwarten – dat wil zeggen, Afrikanen, Indiërs en kleurlingen – werden geportretteerd, is pijnlijk.

Slechts drie procent van onze musea verheerlijkte niét ons voornamelijk blanke, koloniale verleden. En zelfs de minimale representatie van de zwarte geschiedenis in de geschiedschrijving werd bepaald door racistische en andere stereotypen.

Jammer genoeg moeten wij erkennen dat die situatie nog nauwelijks is verbeterd. Wanneer wij ons realiseren dat de meeste Zuid-Afrikaanse bevolkingsgroepen werden buitengesloten en verwaarloosd, is het dan verbazingwekkend dat onze musea en nationale monumenten veelal als vreemd territorium worden gezien? Hoeveel mensen bezoeken er nou eigenlijk onze monumenten? In andere landen wemelt het op dergelijke plekken van de mensen.

Onze culturele instellingen mogen niet losstaan van onze grondwet of onze Bill of Rights [Lijst van Grondrechten; vert.]. Wat vinden we, in het licht van onze strijd voor een democratisch, menswaardig Zuid-Afrika, van tentoonstellingen – soms zelfs in musea voor natuurlijke historie, die meestal dieren tentoonstellen – die sommige van onze bevolkingsgroepen afbeelden als minderwaardige mensen? Mogen we blijven toestaan dat onze voorvaderen worden neergezet alsof er niets is veranderd? Door dergelijke mensonterende tentoonstellingen wordt een ongunstige waardering van onze kinderen voor de waarde en de kracht van onze democratie, voor tolerantie en mensenrechten, bevorderd. De slachtoffers worden erdoor vernederd, de daders misleid.

In de jaren dat de apartheid heerste, reageerden mensen op de ontkenning en de manipulatie van hun erfgoed door er dan maar zelf inhoud aan te geven – zoals de Afrikaners voor hen ook hadden gedaan. Zij vierden hun erfgoed met liederen en ceremoniën; met festivals en feesten; door hun eigen spullen te verkopen en door zaken aan te schaffen die met hun erfgoed hadden te maken; door de geschiedenis van hun bevolkingsgroep in hun dagelijkse gebruiksvoorwerpen te verwerken, zoals de vrouwen van de Hlabisa, die hun verhalen in hun biermanden weven.

De democratie biedt ons thans de gelegenheid ervoor te zorgen dat onze instellingen de geschiedenis op een voor alle burgers respectvolle wijze gaan weergeven. De regering gaat die uitdaging aan. Onze musea en de erfgoedsector als geheel worden geherstructureerd. Overleg met de bevolkingsgroepen, een efficiënt gebruik van onze bescheiden middelen en laagdrempeligheid vormen de leidraad voor het herstel van de balans.

In het kader van het onlangs gestarte Erfgoedproject zal worden getracht nieuwe monumenten en beschermde lokaties te realiseren. Zo kunnen we ervoor zorgen dat er nationale monumenten komen waar mensen werkelijk wat mee hebben. Wanneer deze het hele spectrum van onze geschiedenis reflecteren, wanneer ze voor de mensen openstaan en een relatie leggen met de veranderingen om hen heen, zullen ze het belang van de mensenrechten, van het wederzijdse respect en de democratie verstevigen en ertoe bijdragen dat deze in stand blijven.

Robbeneiland is een cruciaal onderdeel van Zuid-Afrika's gemeenschappelijke erfgoed. *Siqithini,* 'het eiland' – eeuwenlang een plaats van lijden en ballingschap, nu een plaats waar we de overwinning vieren – biedt alle aspecten die met erfgoed te maken hebben. Wat te doen met het eiland is de inzet geworden van vurige debatten.

Hoe kijken we aan tegen de geschiedenis van de verschillende groepen mensen die hier door de eeuwen heen hebben gewoond: lepralijders, gevangenen, gevangenbewaarders, verzetsleiders, niet alleen uit Zuid-Afrika maar ook afkomstig uit verre oorden als Namibië en Indonesië? Hoe geven we die veelzijdige geschiedenis in een gezamenlijk monument weer?

Hoe laten we zien dat het volk van Zuid-Afrika gezamenlijk, met hulp van de internationale gemeenschap, een van de meest beruchte voorbeelden van racistische onderdrukking in de wereld heeft omgesmeed tot hét symbool van mensenrechten, hoop, vrede en verzoening? Hoe laten we zien wat dit eiland ons heeft geleerd?

Deze en vele andere belangrijke kwesties worden in de meer dan tweehonderd voorstellen voor de toekomst van het eiland aan de orde gesteld. We zullen ze allemaal nauwkeurig bestuderen.

Ik heb er alle vertrouwen in dat we samen een vorm zullen vinden die de vele aspecten van het eiland tot uitdrukking brengt, een vorm die bovenal symbool staat voor de overwinning van de menselijke geest op politieke onderdrukking, en van de verzoening op gedwongen scheiding. Daardoor zal men zich gaan realiseren dat erfgoed de mensen bij elkaar moet brengen, in plaats van gescheiden houden; de waarheid moet weergeven in plaats van een kunstmatige reconstructie die ons allemaal tevreden moet stellen.

De dag dat het kabinet Robbeneiland tot nationaal monument en museum verklaarde, begon de eerste fase van een ontwikkeling die van het eiland een plek moet maken waar de Zuid-Afrikaanse democratie onder de aandacht wordt gebracht, wat ook het educatieve potentieel ervan zal versterken.

Sinds januari, toen het ministerie van Kunst, Cultuur, Wetenschap en Technologie met de verantwoordelijkheid voor het eiland werd belast, zijn er belangrijke stappen in die richting gezet. Wij bedanken bij deze professor André Odendaal en het interimbestuur voor hun geweldige werk, en we zijn ervan overtuigd dat hun ervaring ons blijvend van pas zal komen.

Vandaag begint een volgende fase in de herontwikkeling van het eiland. Wij wensen het bestuur alle succes bij het uitvoeren van de zware opdracht die op hen wacht.

Deze plechtigheid laat zien dat de strijd voor de menselijke waardigheid en de vrijheid – in de hele wereld en vooral in Zuid-Afrika – doorgaat. Wij moeten ervoor zorgen dat we toekomstige generaties Zuid-Afrikanen een land nalaten waar de erfenis van de bittere armoede waarin velen van onze generatie zijn opgegroeid, is uitgewist; een land waar in alle geledingen van het maatschappelijk leven het racisme is uitgebannen en de waardigheid van alle verschillende bevolkingsgroepen is gewaarborgd.

Laten wij opnieuw beloven ons in te zetten voor de idealen die in de grondwet zijn verankerd, idealen die door de strijd hier op Robbeneiland en in de gevangenis die de apartheid in Zuid-Afrika was, zijn gevormd.

Laat dit monument en museum ons eens te meer sterken in de overtuiging dat in dit land nooit meer de een de ander zal onderdrukken, of het erfgoed van de een dat van de ander zal wegdrukken.

Dan open ik nu met veel genoegen officieel het nieuwe Robbeneilandmuseum, de eerste grote nieuwe erfgoedinstelling van het democratische Zuid-Afrika.

Het monument voor de kolonisten van 1820

Toespraak bij de heropening van het monument, Grahamstown,
16 mei 1996

Sommige monumenten zijn de stille getuigen van een onwrikbaar verleden dat steeds verder achter ons ligt. Ze zijn levenloos geworden en alleen nog van betekenis in de geschiedenisboekjes en voor een enkel geleerd persoon. Maar dit nationale monument niet, anders zou het niet in staat zijn geweest te herstellen van de aanslag van twee jaar geleden en beter dan ooit uit de herbouw te verschijnen.

Sommige monumenten herdenken het verleden op een manier die een bepaalde traditie in het land in stand houdt en bevordert. Dergelijke 'levende' monumenten dragen bij aan de maatschappij en verrijken het land. Maar ze kunnen ook andere monumenten onzichtbaar maken. Misschien is het monument voor de kolonisten van 1820 ooit zo begonnen.

Sommige monumenten tonen het verleden opdat dat verleden kan opgaan in onze bruisende, veranderende samenleving en zich kan verbinden met de rijke diversiteit van de Zuid-Afrikaanse culturen. Dergelijke monumenten, als ze in die opzet slagen, vormen zowel een baken voor de toekomst van ons volk als een herinnering aan het verleden.

Dit monument heeft zichzelf tot doel gesteld tot die laatste categorie te behoren, en omdat het zich zo krachtig heeft verbonden aan de veranderingen in en de wederopbouw van ons land, is het mij een grote eer vandaag bij de heropening aanwezig te zijn.

De kolonisten die zich in 1820 in dit deel van Afrika vestigden, waren willoze werktuigen in de handen van een imperialistische mogendheid die haar veroveringen en ambities met behulp van haar eigen armen en werklozen wenste uit te breiden. Ofschoon hun eigen vrijheidsdrang ze voor die taak nauwelijks geschikt maakte, kwamen ze toch aan de verkeerde kant van de geschiedenis terecht en waren ze niet in staat of bereid de oorspronkelijke bewoners van het gebied waar ze zich moesten vestigen, als gelijken te beschouwen.

Toen het monument twintig jaar geleden werd opgericht, was het de bedoeling die historische fout weer goed te maken – zonder deze te ontkennen – door het op te dragen aan de algemene geldigheid van de idealen die de Engelse kolonisten zelf destijds hadden. Vandaag, nu ons land een democratie is geworden en onze burgers zelf heer en meester over hun toekomst zijn, dragen wij dit monument opnieuw op aan de algemene geldigheid van die idealen, die we voor iedereen willen verwezenlijken.

Het is uiteraard van groot belang dat het monument nu tevens een nationaal centrum voor kunst en cultuur is geworden. Het speelt een belangrijke culturele en educatieve rol door onderdak te bieden aan het National Arts Festival en de scholenfestivals, door bij te dragen aan een groot aantal culturele activiteiten en aan het opleiden en herscholen van leraren.

De plannen voor een nationaal festival voor wetenschap en technologie zijn veelbelovend. Het enthousiasme van het merendeel van de jeugd in Zuid-Afrika voor wetenschap en technologie is getemperd door het onderwijssysteem tijdens de apartheid, en de wijze waarop de wetenschap voor doeleinden van de onderdrukking werd gebruikt. Het culturele en intellectuele leven in Zuid-Afrika zal worden bevorderd door de wetenschap populairder te maken en te laten zien hoe technologie kan bijdragen aan het verbeteren van de kwaliteit van het bestaan.

Dergelijke plannen zijn hoopgevend en zullen ons helpen onze doelen te verwezenlijken. Het zal met name een zware taak zijn om van het monument een nationaal centrum te maken waar iedereen zich thuis voelt. Maar het is een taak die wij zullen volbrengen.

Met het volwassen worden van onze democratie ontstaat ook het gevoel dat nationale eenheid en verzoening voor de mensen zelf werkelijk betekenis krijgen, en niet alleen omdat het nou eenmaal zo in de wet staat. Het nieuwe patriottisme zal ons bijeenbrengen in een vitale, eensgezinde cultuur die onze diversiteit respecteert, propageert en bejubelt.

Hoe beter dit monument in zijn opzet slaagt, hoe meer wij ons ideaal van een verenigd Zuid-Afrika kunnen verwezenlijken. Door het gerestaureerde en gerenoveerde gebouw te heropenen, bekrachtigen wij zijn originele doelstelling: 'Opdat allen in alle volheid zullen leven'.

Hierbij onthul ik dan met genoegen de plaquette ter herinnering aan de restauratie en de heropening van het monument.

De vrije pers

Fragmenten uit een toespraak tot de International Federation of Newspaper Publishers, Praag, 26 mei 1992

Allereerst mijn dank voor de uitnodiging om deze bijeenkomst toe te spreken. Het is mij een eer te zijn uitgenodigd door uw organisatie om mijn opvattingen vandaag met u te delen. Ik realiseer me dat deze eer niet mij persoonlijk toekomt, maar de beweging waar ik gedurende mijn gehele volwassen leven al aan verbonden ben.

Deze conferentie speelt zich af in een snel veranderende wereld. Deze eeuw is getuige geweest van omwentelingen en veranderingen van ongekende omvang, en het huidige decennium zal de geschiedenis ingaan als een periode van grote veranderingen die schijnbaar onwrikbare instituties hebben weggevaagd en een nieuw tijdperk van democratie hebben ingeluid, van sociale gerechtigheid en vrijheid. Zuid-Afrika zelf is ook onderhevig aan grote veranderingen, die het hele continent zullen beïnvloeden.

De media en vooral de oudste vertegenwoordiger van de massamedia, de kranten, hebben een opvallende rol gespeeld in de verwezenlijking van dit democratische bestel.

Ironisch genoeg heeft het gedrukte woord in een wereld waar miljoenen, niet in de laatste plaats in ons eigen land, nog gebukt gaan onder analfabetisme, toch heel veel invloed. Eigenaren en uitgevers van de media hebben daarom een zware verantwoordelijkheid. Ik weet dat u deze verantwoordelijkheid zeer serieus neemt: u heeft de Gouden Pen uitgereikt aan drie buitengewone Zuid-Afrikaanse journalisten, wijlen Percy Qoboza, Donald Woods en Anthony Heard.

U heeft hun deze prijs toegekend voor hun verdiensten in de strijd voor de vrijheid van meningsuiting in Zuid-Afrika. De International Federation of Newspaper Publishers heeft gedurende de donkerste dagen van de apartheid net als vele andere internationale organisaties de miljoenen mensen die in Zuid-Afrika om persvrijheid riepen gesteund. Wij zijn u daarvoor blijvende dank verschuldigd.

Ooit heeft een Zuid-Afrikaanse schrijver 'de waarheid' vergeleken met een sterke worstelaar. Hoe zijn tegenstander, 'de leugen', ook zal proberen van hem te winnen, hij zal nimmer buigen. En zodra de leugen denkt de waarheid te hebben overmeesterd, verzamelt de waarheid opnieuw haar krachten en werpt zij de leugen omver.

De waarheid is heel sterk en is tegelijkertijd uiterst ongrijpbaar. Niemand heeft een monopolie op de waarheid, geen individu, geen overtuiging, geen politieke of religieuze doctrine. De waarheid komt alleen tot stand door zo veel mogelijk opvattingen vrijelijk en onbevooroordeeld met elkaar te laten wedijveren. Wetten en regels die de vrijheid van meningsuiting inperken doen volgens mij een samenleving dan ook geen goed. Zulke maatregelen worden door de leugen in stelling gebracht. De vrijheid van meningsuiting, waarvan de pers- en mediavrijheid een vitaal onderdeel is, is een van de centrale democratische beginselen waarop het ANC zijn politiek heeft gebaseerd. Dat was vanzelfsprekend, aangezien zich onder de oprichters van het ANC enkele pioniers van de zwarte pers bevonden. Ik noem hier de eerste voorzitter van het ANC, dr. John Langalibalele Dube, een gerenommeerd onderwijskundige die het Ohlange-instituut heeft opgericht alsmede de krant *Ilanga lase Natal*. Ik noem ook Solomon Plaatje, die Afrikaanse schrijver die boven alle anderen uittorent, de oprichter van de *Koeranta eaBatswana*. Een andere, sterk geëngageerde journalist en uitgever was dominee dr. W.B. Rubusana, een eminent schrijver en vertaler, oprichter van *Izwi Labantu*.

Het is dan ook niet verbazingwekkend dat het ANC zich, sinds zijn oprichting in 1912, altijd heeft ingezet om de vrijheid van iedere burger om te zeggen wat hij of zij denkt, te garanderen, zolang anderen er niet het slachtoffer van worden.

Zuid-Afrika is een land van ironieën. Toen het ANC in 1912 werd opgericht, klonken er vele mediastemmen in het land. Dat is nu verleden tijd. In 1912 bestonden er twee Xhosatalige kranten, die eigendom waren van en werden uitgeven door Afrikaanse bedrijven. Er bestond ten minste één weekblad in het Tswana, dat door een Afrikaanse bedrijvencoöperatie werd uitgegeven. Ook bestonden er twee kranten in het Zoeloe, eveneens eigendom van en uitgegeven door Afrikaanse bedrijven.

In 1913 richtte het ANC zijn eigen krant op, de *Abantu-Batho* (Het volk).

Behalve de *Imvo*, die vroeger de *Imvo Zabantsundu* heette (De zwarte mening), en de *Ilanga lase Natal* hebben al deze Afrikaanse kranten opgehouden te bestaan. De *Imvo* en de *Ilanga* zijn niet meer in Afrikaanse handen, maar opgegaan in de groep mediabedrijven die de gedrukte media in Zuid-Afrika volledig hebben overgenomen.

Soms wordt de valse indruk gewekt dat de ondergang van de kranten die eigendom waren van de zwarten, slechts het gevolg was van marktwerking. Maar in werkelijkheid heeft de blanke overheid sinds 1910 gestaag van de meerderheid van de Zuid-Afrikanen, die ook al de burgerrechten werden ontnomen, het recht op eigendom afgepakt.

Het is de keiharde uitvoering van de racistische wetgeving geweest die ervoor heeft gezorgd dat de Afrikaanse bevolkingsgroep geen kans heeft gekregen ook maar enig zelfstandig instituut van enige economische waarde op te bouwen of te behouden. Aan het begin van de jaren vijftig was praktisch iedere poging van een zwarte Zuid-Afrikaan om in de uitgeverswereld een voet aan de grond te krijgen, mislukt. Het volledige verbod van bepaalde publicaties speelde hierin ook een niet-onaanzienlijke rol.

Vandaag de dag bezitten in ons land drie grote concerns, samengesteld uit uitsluitend leden van het blanke spectrum, de gedrukte media. Zoals u zich kunt voorstellen, heeft dit tot een alarmerende mate van conformisme geleid in de Zuid-Afrikaanse gedrukte media. Met uitzondering van één dagblad, *The Sowetan*, bestaan de hoofdredacties van alle Zuid-Afrikaanse dagbladen uit blanke mannen uit de middenklasse met allemaal zo ongeveer dezelfde achtergrond. Hetzelfde geldt helaas voor de grote weekbladen – een enkele uitzondering, opnieuw, daargelaten.

Het ANC heeft in principe geen bezwaar tegen redacteuren met een dergelijk profiel. Het is echter verontrustend en, volgens ons, schadelijk, dat de media in ons land eenzijdig dreigen te worden. Een land waar de bevolking voor meer dan 85 procent zwart is mag niet afhankelijk zijn van kranten die geen benul hebben van de levensomstandigheden van die meerderheid.

[–]

Persvrijheid is een van de oudste en meest waardevolle vrijheden waarvoor zovele Zuid-Afrikanen hun leven hebben gegeven. Met trots noemen wij de namen van ANC -militanten als Joe Gqabi en Ruth First, die dit jaar tien jaar geleden werd vermoord.

Joe Gqabi was een fantastische journalist, die twaalf jaar op Robbeneiland gevangenzat. Hij werd in 1982 in Harare, de hoofdstad van Zimbabwe, door huurlingen van de Zuid-Afrikaanse inlichtingendienst vermoord.

Ruth First was een briljant onderzoeksjournalist en wetenschapper. Zij werd vermoord door middel van een bombrief in haar kantoor op de Eduardo Mondlane Universiteit in Maputo, Mozambique, van agenten van de Zuid-Afrikaanse militaire inlichtingendienst.

Ruth First en Joe Gqabi traden in de voetsporen van de oprichters van het ANC, die ik daarstraks al noemde. Het zou een schande voor hun nagedachtenis en hun pionierswerk betekenen, wanneer onze daden hun offers onwaardig zouden zijn.

Ik kan niet genoeg benadrukken hoeveel waarde we hechten aan een vrije, onafhankelijke, ongebreidelde pers in het democratische Zuid-Afrika waar we naar streven. Niet in het minst in het licht van de manipulatie en verdraaiingen door de trouwe dienaren van de National Party, de South African Broadcasting Corporation.

Een vrije pers zal iedere regering ervan weerhouden macht te vergaren ten koste van de burger. Een vrije pers zal de Zuid-Afrikaanse burger beschermen tegen mogelijk machtsmisbruik. Ook daarom moeten de pers én de eigenaren van de pers in Zuid-Afrika een afspiegeling vormen van de samenstelling en opvattingen van onze hele bevolking.

Het ANC belooft, opnieuw, zich te zullen inzetten om de persvrijheid in Zuid-Afrika, als een democratisch doel op zichzelf, te realiseren.

De annalen van alle landen en volkeren laten zien dat het tij wisselt. Al zullen we tegenslagen ontmoeten, nooit mogen we opgeven. De geboorte van een democratie, zoals nu in Zuid-Afrika, gaat gepaard met veel pijn. Als we het leven van moeder en kind willen sparen, mag onze missie niet mislukken.

Ter afsluiting wil ik de woorden de democratisch gezinde journalist Thomas Paine aanhalen: 'Deze tijden stellen de mens op de proef. Mooi-weersoldaten zullen, in tijden van crisis, ervan afzien hun land te dienen, maar wie zich nu voor zijn land inzet verdient eenieders liefde en dankbaarheid. Tirannie, net als de hel, wordt niet eenvoudig overwonnen, maar onze troost is: hoe bitterder het conflict, hoe zoeter de overwinning.'

8

Religie

Religieuze verscheidenheid

Toespraak naar aanleiding van de Vredeslezing door aartsbisschop Desmond Tutu voor de Zuid-Afrikaanse afdeling van Religies voor Vrede, 7 augustus 1994

Het is al niet eenvoudig om op een Vredeslezing te reageren, maar deze lezing in het bijzonder, van deze ervaren vredesactivist, deze volksbisschop, vormt een uitdaging apart.

Ik hoop dat ik namens allen die hier verzameld zijn spreek, wanneer ik aartsbisschop Desmond Tutu dank voor zijn inspirerende, tot nadenken stemmende observaties. Zijn ideeën zijn eigenlijk zo vanzelfsprekend en hij heeft ze zo helder onder woorden gebracht, dat er in wezen niets aan toe te voegen valt. En dat zijn precies die kenmerken die hem zo gehaat maakten bij de vertegenwoordigers van het onrecht, en zo geliefd bij de armen en de onderworpenen.

Toch zal ik mijn steentje aan deze gedachtewisseling bijdragen.

Het thema van deze bijeenkomst is uiterst actueel en relevant: 'Laten we onze religieuze verscheidenheid vieren.'

In het licht van de schokkende beelden die onze televisie dagelijks laat zien, lijkt er echter niet veel te vieren. In een wereld waar verscheidenheid vooral als een vloek wordt beschouwd, als iets dat gedoemd is ten onder te gaan, waren uw woorden openhartig en bemoedigend. U herinnerde ons eraan dat we door onze verscheidenheid samen sterk staan, onze medemenselijkheid vergroten.

Maar de vijanden van de diversiteit hebben misdaden begaan die landen in Afrika, Europa, Noord- en Zuid-Amerika en Azië uiteen hebben gereten.

Wanneer we die beelden zien, zijn we geneigd te bedenken wie aan de goede kant staat en wie niet. Maar pogroms en genociden staan haaks op iedere vorm van gerechtigheid.

Dus moeten we een aantal vragen durven stellen. Waarom slachten men-

sen elkaar ook vandaag de dag nog steeds af, alleen omdat ze een ander geloof hebben, verschillende talen spreken, of van een ander ras zijn? Is de
mens van nature slecht? Hoe komt het dat sommige mensen zo beheerst
worden door hun machtshonger, dat genocide het middel wordt om het gewenste doel te bereiken?

Het zijn moeilijke vragen die, als ze op een verkeerde wijze worden ge-
analyseerd, ertoe kunnen leiden dat we alle vertrouwen in onze medemens
verliezen. En dat zou verkeerd zijn.

Ten eerste zou het verlies van vertrouwen in onze medemens betekenen,
zoals de aartsbisschop ons zou uitleggen, dat we het vertrouwen in God en
in het doel van het leven zelf verliezen. Ten tweede moeten we de mens niet
een universele eigenschap toekennen die hij niet bezit – dat hij van nature
goed of slecht is.

Ik durf te beweren dat er zich in ieder mens iets goeds bevindt, dat onder meer voortkomt uit het feit dat we allen een sociaal bewustzijn hebben.
En ja, ook is er in ieder van ons iets slechts, want we zijn van vlees en bloed
en erop gericht onszelf op de eerste plaats te stellen en vooruit te helpen.

Dus moeten we ons leven zodanig inrichten en onze ethiek zodanig
vormgeven, dat het goede altijd voorop staat. We zijn, met andere woorden, geen willoze, onfortuinlijke zielen die zich moeten onderwerpen aan
de grillen van een hogere orde. Ieder van ons heeft een rol in het vormgeven van de samenleving.

Wij Zuid-Afrikanen mogen ons gelukkig prijzen dat we politieke, religieuze en andere leiders hebben gehad die ons hebben geleerd onze problemen zo te benaderen, dat de zwartste scenario's altijd konden worden voorkomen. Van vóór het begin van de twintigste eeuw hebben wijze mannen
en vrouwen tegenover onderdrukking en geweld, gelijkheid en non-racisme gesteld.

En zo bracht het slechtste in de mens die het apartheidssysteem aanhing,
het beste in zijn opponent naar boven.

Het ANC mag dan in politieke zin onze beweging hebben geleid, de grondslag voor onze morele overtuigingen troffen we onder andere aan in de leer
van een groot aantal religies, en daar zijn we trots op. Mahatma Gandhi,
Abdullah Abdurahman, dominee Rubusana en pater Trevor Huddleston,
om er enkele te noemen, droegen bij aan de morele opvattingen door welke onze bevrijdingsbeweging zich liet leiden.

Zij hebben ons geholpen onze strijd te zien als een strijd tegen een systeem, niet tegen een ander ras. Ze hebben onze vrijheidsstrijders geleerd zelfs in de meest barre tijden naar verzoening te streven. Onze religieuze leiders konden die lessen overbrengen, omdat ze actief bij de strijd betrokken waren.

We zijn erin geslaagd uit de afgrond te klauteren door een combinatie van strijdlust en verzoeningsgezindheid. En zelfs gedurende de moeizame overgangsperiode, toen geweld en sabotage aan de orde van de dag waren, overwon uiteindelijk de rede. Dit mag gerust een wonder genoemd worden, een prestatie die we met man en macht moeten verdedigen.

Maar we zouden ons vergissen als we denken dat de problemen nu achter ons liggen. Het zal nog jaren, ja, decennia duren voor we de erfenis van de apartheid hebben afgeschud. We moeten nu onze jonge democratie koesteren en zien dat we haar grootbrengen!

Het is van belang dat we de formele zaken als een grondwet en de verdere wetgeving goed regelen; verscheidenheid en tolerantie – raciale, etnische, religieuze of politieke – moeten door een dergelijke regelgeving worden gewaarborgd. We moeten er echter tevens voor zorgen dat iedereen zich deze zaken eigen maakt, dat ze onderdeel van onze nationale cultuur worden. Om ons kleine wonder op eigen benen te laten staan, moeten we onze instelling veranderen – in de woonoorden, thuis, op het werk en in onszelf.

Een van de belangrijkste taken in het veranderen van de maatschappij is het aanpakken van de mensonterende omstandigheden waar de meerderheid van de bevolking onder leeft. Sociale gerechtigheid kan alleen met concrete, realistische programma's tot stand worden gebracht. Ons Programma voor Wederopbouw en Ontwikkeling is met name voor dat doel opgesteld. Economische groei en gelijke kansen, stedelijke en landelijke vernieuwing en het herstel van het sociale netwerk binnen de gemeenschappen, zijn de centrale doelstellingen van dat programma.

Met een aantal van de maatregelen die onderdeel van het programma zijn, zijn we al een eind op weg: gratis gezondheidszorg voor kinderen onder de zes jaar en zwangere vrouwen, het bouwen van huizen, het aanleggen van de elektriciteitsvoorziening, enzovoort. Maar er valt nog veel te leren. Bijvoorbeeld hoe het gehele overheidsapparaat inclusief de ambtenarij voor deze enorme taak klaar te stomen, hoe de bevolkingsgroepen en hun politieke, maatschappelijke en religieuze organisaties actief te betrekken bij het bedenken en uitvoeren van projecten, de noodzaak het tempo van de vorming van lokale interimbesturen op te voeren, en nog veel meer. Binnenkort zullen we belangrijke besluiten over een groot aantal van dit soort kwesties naar buiten brengen.

Hier wil ik het echter over de rol van de religieuze gemeenschap in de wederopbouw en ontwikkeling hebben. Enerzijds is het vanzelfsprekend dat onze samenwerking tegen de apartheid uitgroeit tot een strijd voor een beter bestaan voor alle Zuid-Afrikanen, met name de armen. Aan de andere kant draagt uw religieuze boodschap bij aan het verstevigen van de moraal van de nieuwe democratische staat – of dat nu het toepassen van de mensenrechten betreft of de integriteit van zijn financiële praktijken.

Met andere woorden, de nieuwe democratie heeft u nodig: als actieve deelnemer aan de instandhouding ervan, als kritisch waarnemer en als wezenlijk onderdeel van haar spirituele achtergrond.

Wij moeten onze diversiteit vieren door al onze culturen, bevolkingsgroepen, religies en talen tezamen de rijkdom van onze regenboognatie te laten bepalen; door ervoor te zorgen dat deze pluriformiteit zo wordt aangewend dat we er allemaal, alle Zuid-Afrikanen tezamen, van kunnen profiteren.

Zowel de overheid als de maatschappij zelf moeten daarom uiterst alert zijn. Anders dan in veel andere gevallen leent culturele diversiteit zich niet voor harde cijfers, en toch moet er permanent een balans worden gezocht.

Wij vertrouwen erop dat uw religieuze boodschap ons als land tot grote hoogte zal opstuwen. En dat wij door eendrachtige samenwerking onze diversiteit zullen blijven vieren om de historische missie die Zuid-Afrika thans voor zich heeft liggen te volbrengen: verzoening en wederopbouw.

Zionistische christenen

Toespraak voor de zionistisch-christelijke kerk, paasbijeenkomst, Moria, 20 april 1992

Een gebed om mededogen, Klaagliederen 5:

> Gedenk, Heer, wat ons is overkomen, merk toch op, zie onze smaad:
> Ons eigen land is de vreemdeling toegevallen, ons bezit de buitenlander.
> Wij zijn wezen zonder vader, onze moeders zijn weduwe geworden.
> We moeten betalen om ons eigen water te drinken, en ons hout moeten we kopen.
> We worden op de nek gezeten, we worden afgebeuld, ons wordt geen rust gegund.

Khotsong Masione! Vrede zij met u! *Uxolo Mazayoni!*

Veel dank voor de uitnodiging om uw paasbijeenkomst bij te wonen in de heilige stad Moria, door de zionistisch-christelijke kerk gesticht als tabernakel voor haar jaarlijkse pelgrimsbijeenkomst en persoonlijke vernieuwing. Ik ben vereerd dat u me juist voor deze gelegenheid heeft uitgenodigd om de leiding en de leden van deze op dit subcontinent zo belangrijke kerk een bezoek te brengen Ik heb sinds mijn vrijlating geprobeerd een ontmoeting met de bisschop Lekganyane te organiseren op een moment dat ons beiden uitkwam, opdat wij de toestand in ons land en ons beider rol in deze woelige tijden konden bespreken.

Lang heb ik op dit moment gewacht. Als pelgrim ben ik hier naar de heilige stad Moria gekomen, in het gezelschap van andere pelgrims, leden van de leiding van het ANC, om mijn respect te betuigen en om elkaar de hand te reiken.

Mag ik u voorstellen: Cyril Ramaphosa, secretaris-generaal van het ANC,

Thomas Nkobi, onze penningmeester, Joe Nhlanhla, lid van het dagelijks bestuur van het ANC, en anderen.

Wij brengen u een hartelijke groet over van het voltallige ANC. *Khotso e be le lena!* Vrede zij met u!

Wij hebben ons deze tweede paasdag in uw gezelschap gevoegd om onze solidariteit te betuigen, en om met u een eredienst te volgen. Zoals alle pelgrims zijn we hier gekomen ter herbezinning en herwijding. Het paasfeest, dat zo nauw verbonden is met het Pascha-feest, viert de wedergeboorte van de Messias die waarlijk is opgestaan, die zonder wapenen, zonder leger, politie of geheime dienst, zonder knokploegen of burgerwachten de machtigste staat uit zijn tijd wist te overwinnen.

Dit jubelfestival viert de overwinning van het leven op de dood, van de hoop op de wanhoop. Wanneer wij vandaag het hoofd buigen in gebed, kunnen we het kwaad dat thans door het land waart niet vergeten. Weer horen we het gekerm van moeders die werden aangerand, verkracht en vernederd door gewapende buitenlandse huurlingen en moordenaars.

Wanneer wij het hoofd buigen en bidden tot de Heer, horen we de bloedstollende strijdkreten van gewapende mannen die als een zwerm sprinkhanen door een stadje trekken en weten we dat ergens deze avond een avond van rouw zal zijn.

Wij bidden met u om de zegeningen van de vrede! Wij bidden met u om de zegeningen van de liefde! We bidden met u om de zegeningen van de vrijheid! Wij bidden met u om de zegeningen van de verzoening van alle volkeren van Zuid-Afrika!

Khotso e be le lena! Vrede zij met u!

Toen bisschop Engenas Lekganyane deze kerk in 1910 stichtte was dat een belangrijke daad van verzet door de onderworpenen tegen de theologie van de onderworpenheid. Ze kwamen ermee voor zichzelf op, uit naam van een volk dat geacht werd ongehoord en ongezien te blijven terwijl ze bij anderen in dienst waren.

De zionistisch-christelijke kerk liet op haar eigen manier zien wat het ANC twee jaar later zou verkondigen en waar het voor heeft gestreden om de grondslag van de politiek in dit land te laten zijn. Dat principe, dat zo glashelder is en toch zo diep gaat, heeft duizenden mensen ertoe gebracht door de eeuwen heen voor een betere wereld te strijden. Laten we het vandaag, nadrukkelijk, herhalen: het broeder- en zusterschap van alle mensen en het universele vaderschap van God Almachtig!

Die simpele waarheid hebben we in ons politieke manifest opgenomen, het Freedom Charter [Handvest van de Vrijheid; vert]: Zuid-Afrika behoort aan al haar inwoners, blank en zwart! Omdat we zo houden van dit land, er zo in geloven en omdat we koppig weigeren dat principe op te geven, zijn zovelen vervolgd. Omdat we ons standvastig hebben getoond, zijn we verbannen. Omdat we niet wilden buigen voor intimidaties, zijn we monddood gemaakt, gemarteld, gevangengenomen, zelfs opgehangen.

Jazeker, wij zullen het van de daken schreeuwen, alle mensen, blank of zwart, bruin of geel, rijk of arm, wijs of dom, zijn geschapen in het even-beeld van God en zijn diens kinderen!

Zij die met hun racisme mensen met een donkerder huidskleur denken uit te kunnen sluiten van de mensheid, zij die met hun religieuze onver-draagzaamheid mensen die een ander geloof belijden uit het zicht van de gratie Gods willen houden, zij die met gedwongen verhuizingen hun land-genoten de toegang tot Gods overvloed willen ontzeggen, zij die hen van het altaar Gods wegjagen omdat Hij hen anders heeft geschapen, zij begaan een zware zonde! De zonde van de APARTHEID.

Het ANC, leiding en leden, zal de wet breken en de oppervlakkige wen-sen van stervelingen negeren wanneer we weten dat we zo God gehoorza-men. We gehoorzamen God door te verklaren dat alle Zuid-Afrikanen – christenen, moslims, joden, hindoes, boeddhisten – gelijke en onbeperkte rechten hebben om God op de door hen gewenste wijze te eren. Geen en-kele regering mag haar burgers voorschrijven hoe zij hun religieuze plich-ten moeten vervullen.

De zionistisch-christelijke kerk maakt deel uit van de bonte verzameling achtergronden, culturen en levensstijlen die ons volk eigen zijn. Als kerk en als individuele leden daarvan heeft u bijgedragen aan het bereiken van de vrede in dit land. Met name verdient u lof voor de wijze waarop u in de vak-beweging een rol heeft gespeeld in het realiseren van de rechten van de ar-beider. De strijd van ons volk om grondgebied en tegen de door de apart-heid geïnspireerde landroof – de gedwongen verhuizingen – zou minder effectief zijn geweest zonder de bijdrage van de leden van deze kerk. Ook prijzen we de rol van de zakenmensen uit de zionistisch-christelijke kerk die in weerwil van het discriminerende beleid van de regering in Pretoria suc-cesvolle zaken hebben opgezet en banen en handel in de meest afgelegen dorpjes hebben gerealiseerd.

Veel leden van onze organisatie zijn tevens lid van de zionistisch-chris-

telijke kerk, wat onze band alleen maar verstevigt: Peter Mokaba en Ngoa-
ko Ramatlhodi, die hier vandaag ook zijn, zijn opgegroeid en in de strijd
geworden wat ze zijn, grotendeels geïnspireerd door wat u ze geleerd heeft.
Vele anderen zijn gebleven in de strijd. Velen zijn gevangengezet. Maar
in de geest zijn ze onder het volk.

Khotsong Masione! Vrede zij met u!

De zionistisch-christelijke kerk, deze fantastische beweging, heeft veel te
danken aan bisschop Edward Lekganyane, door wiens onvermoeibare inspanningen dit de grootste kerk op het zuidelijk Afrikaans subcontinent is
geworden.

Wie van zijn geboortegrond wordt verjaagd, komt bij u om troost te zoeken. Wie is veroordeeld tot lage lonen en wie niet het recht wordt gegund
bij te dragen aan de welvaart, komt bij u om geestelijk leiderschap te vinden. Wie in de duisternis en de bittere eenzaamheid van armoede en ontberingen is terechtgekomen, vertrouwt op uw hulp. Wie huis en haard verloren heeft zien gaan opdat de kwaadaardige plannen van de racistische
onderdrukking konden worden verwezenlijkt, komt naar u om troost. Wie
geen stem heeft in het besturen van het land vanwege zijn huidskleur, komt
naar u voor inspiratie.

U heeft in dit tijdperk van racisme, armoede en machteloosheid altijd
hoge morele normen en waarden gesteld. Vanwege die waarden, vertegenwoordigd door deze grootse kerk, komen ieder jaar weer miljoenen mensen samen in Moria voor een spirituele herbezinning.

Khotsong Masione! Vrede zij met u!

Het ANC is sinds 1986 bezig naar vrede in ons geplaagde land te zoeken.
Uit de gevangenis, uit verbanningsoorden, uit ondergrondse schuilplaatsen
binnen Zuid-Afrika hebben wij de Zuid-Afrikaanse regering de hand van
de vrede gereikt. Vier jaar lang, zoals destijds de farao, heeft de Zuid-Afrikaanse regering geweigerd die hand aan te nemen en te luisteren naar onze
smeekbede: 'Laat ons volk gaan!'

Desondanks, ondanks voortgaande arrestaties, opsluiting, marteling, ge-
vangenneming, het neerschieten, vermoorden en executeren van tegenstanders van de apartheid, wensten wij niet op te geven. Wij lieten ons niet tegenhouden. We bleven constant druk uitoefenen om vrede te bereiken
– middels strijd, sancties, boycots – met alle middelen die ons ter beschikking stonden, tot dit moment, vandaag, nu we kunnen zeggen dat werke-

lijk de kans bestaat dat onze problemen door onderhandelingen kunnen worden opgelost.

De Codesa[1]-bijeenkomst betekende een waterscheiding die de weg naar het beloofde land van de vrijheid openlegde. Het was een grote overwinning voor de blanke en zwarte bevolking van Zuid-Afrika. Wij hopen dat het water niet zal terugvloeien voor we zijn overgestoken naar het beloofde land van de democratie.

De vooruitgang van de gesprekken hangt af van de bereidheid van de machthebbers om de macht te delen gedurende de overgang naar de democratie. We moeten zo snel mogelijk een constituerende vergadering kiezen die een nieuwe grondwet kan opstellen waar iedereen in Zuid-Afrika trots op kan zijn. Onze broeders en zusters die vanwege de apartheid het Zuid-Afrikaans staatsburgerschap is ontnomen, moeten dat ogenblikkelijk terugkrijgen!

Over dergelijke beginselen kan zonder verder uitstel overeenstemming worden bereikt, mits zij die aan de macht zijn bereid zijn een en ander tot een spoedig einde te brengen.

Uw kerk kan in deze moeilijke tijden een vitale rol spelen. Het geweld dat ons land ondermijnt en onze bevolkingsgroepen overal in het land verdeelt, moet nu stoppen! In Witwatersrand, Natal en Oost-Transvaal zijn we uit onze huizen verdreven. Zinloze taxi-oorlogen hebben in Kaapstad, Grobbelarsdaal en andere gebieden, dierbaren het leven gekost. De moorden, knokpartijen, de schaamteloze aanranding van vrouwen en het bloedvergieten die ons volk in Phola Park en andere kampen zijn aangedaan, vervult ons hart met droefheid. Iedere dag gaan in de treinen mensenlevens verloren doordat gewetenloze moordenaars zonder enig motief toeslaan en weer verdwijnen, zonder dat ze kunnen worden gearresteerd of vervolgd. Het incident in Trust Feed, waarbij de politie slapende vrouwen en kinderen heeft vermoord en waarvan de daders nu terechtstaan, laat zien hoe diep ons land is gezonken.

Onze menselijke waardigheid wordt ons door al dit geweld ontnomen. Het vormt het belangrijkste obstakel op de weg naar een werkelijk democratisch Zuid-Afrika. We roepen iedereen op te bidden voor en te werken aan de vrede. Er moet een einde aan het geweld komen en de aanstokers ervan moeten worden veroordeeld. We mogen niet falen! Bid voor ons, opdat wij zullen slagen.

Khotsong Masione! Uxolo Mazayoni! Vrede zij met u!

Ik wil afsluiten met een woord van hoop. Moge deze Pasen de zegeningen van onze opgestane Messias brengen en moge Zijn liefde u allen beschijnen.

1   Vergadering waarin verschillende zwarte en blanke partijen sinds 1991 over een nieuwe grondwet onderhandelden.

De islam en de vrede

Boodschap tot de moslimgemeenschap, 12 maart 1993

Ik ben altijd bijzonder gehecht geweest aan de islamitische begroetingswijze, en groet u dan ook u in de naam van de vrede.

Al zien we onverminderd het moorden doorgaan en de criminaliteit groeien, toch blijft in iedere gemeenschap vrede het belangrijkste uitgangspunt.

In de hele wereld zullen vandaag op *Eid ul Fitr* [het suikerfeest; vert.] de gebeden in het teken staan van de wereldvrede.

Ik hoop dat uw gebeden voor vrede en gerechtigheid in dit geplaagde land worden verhoord. Ik weet zeker dat uw opofferingsgezindheid en uw boetedoening in de afgelopen vastenperiode het land heil zullen brengen.

Op dergelijke religieuze feestdagen overdenken we de broederschap van de mens en trekken we ons het lot aan van degenen die zijn buitengesloten en worden geloochend. De opdracht in de koran om ons telkens weer vastberaden in te zetten voor de strijd tegen iedere vorm van onrechtvaardigheid, tirannie en onderdrukking, is een universele oproep en vindt een weerklank in het hart van eenieder, uit welke geloofsrichting ook.

Laten we ervoor zorgen dat dit de laatste keer is dat we *Eid ul Fitr* vieren onder een systeem dat onze rechten en onze menselijke waardigheid stelselmatig met voeten heeft getreden.

Laten we ervoor zorgen dat dit het *Eid ul Fitr* van de hoop wordt – opdat de minder bevoorrechten, de werklozen en de armen ook vooruit kunnen kijken naar een eerlijkere verdeling van wat dit land allemaal te bieden heeft.

Namens het dagelijks bestuur van het ANC en al zijn leden wens ik iedereen *Eid Mubarak* ['een gezegend festival'; vert.] en een vreugdevolle dag toe.

De islam en persoonlijke vernieuwing

Toespraak ter gelegenheid van een interculturele viering van het suikerfeest, Johannesburg, 30 januari 1998

Vol bewondering voor hen die de afgelopen maand van zonsopgang tot zonsondergang vastend hebben doorgebracht, breng ik deze dag in uw gezelschap door. Een offer als de ramadan bevordert de spirituele groei. Het sterkt de zelfbeheersing, laat je meevoelen met hen die honger lijden en biedt de mogelijkheid tot persoonlijke vernieuwing.

We leren er ook enigszins de drijfveren door begrijpen van iemand als Shaykh Matura, op wiens *kramat* [bedeplek; vert.] op Robbeneiland we destijds bijeenkwamen en die ons moed en vertrouwen schonk toen ons land zich in zijn duisterste periode bevond.

Maar er waren ook vrolijke momenten, door het contact met de islam via de *kramat* en de regelmatige bezoeken van imam Bassier. Wij zagen op een gegeven moment dat de gevangene die de *kramat* moest schoonmaken erg dik was geworden, terwijl gevangenen over het algemeen juist mager worden; pas veel later ontdekten we dat hij zich tegoed deed aan de biryani en de samosa's die de bezoekers achterlieten.

De persoon van Shaykh Matura weerspiegelt ook de mate waarin de islam met de Zuid-Afrikaanse geschiedenis is verweven; net als de mensen die als politieke ballingen of slaven naar de Kaap werden afgevoerd, te beginnen met Shaykh Yusuf, een vrijheidsstrijder en leider uit Indonesië; en net als de mensen die als contractarbeiders uit India en Zanzibar werden gehaald om in Natal in de suikervelden te werken. Allen hebben onuitwisbare sporen in Zuid-Afrika achtergelaten.

Ons land is trots op zijn vereerde islamitische broeders en zusters, landgenoten, vrijheidsstrijders en leiders. Met bloed, zweet en tranen hebben zij hun naam vereeuwigd in de annalen van het land.

Nu we op deze vreugdevolle dag het einde van de ramadan vieren en op ons laten inwerken hoe de islam ons land heeft verrijkt en hoe ons land op zijn beurt de moslimgemeenschap als een van de zijnen heeft welkom geheten, vervult het ons hart met verdriet dat in Afrika en elders onwetendheid en vooroordelen omtrent de islam en moslims nog steeds worden gebruikt om partijen tegen elkaar uit te spelen.

Maar toch, al worden religies al te vaak op dergelijke wijze misbruikt, ze hebben een enorm vermogen mensen te verenigen en respect voor elkaar te leren hebben. Ik geloof dat moslims, door de inherente waarden uit hun verleden te onderstrepen, een bijzondere bijdrage aan een menswaardiger Afrika kunnen leveren.

Vanaf het prilste begin, toen de christelijke koning Negus van Abessinië de volgelingen van de profeet Mohammed bescherming bood, heeft Afrika de islam welkom geheten. Aan een dergelijk gebaar van respect en steun kan iedere religie, kunnen geestelijk leiders een voorbeeld nemen bij de vernieuwing van de samenleving van ons continent.

Nu Zuid-Afrika bevrijd is, kan de traditionele verbondenheid van de islamitische gemeenschap met andere delen van het continent tot bloei komen en ongehinderd bijdragen aan het welzijn van ons land. Die verbondenheid vormt een onderdeel van ons gezamenlijke Afrikaanse erfgoed.

Gedurende de apartheidsperiode hebben moslims gehoor gegeven aan de roep zich tegen de onderdrukking te verenigen. Met hun verzet tegen de Groepsgebiedenwet in juist dit deel van Johannesburg hebben zij geschiedenis geschreven.

Onze overwinning, die met steun van de internationale gemeenschap tot stand is gekomen, betekent dat alle Zuid-Afrikanen nu eigen baas zijn. Er is een grondwet gekomen die de gelijkheid van alle religies garandeert en ze volledige bescherming biedt.

Op dit moment ligt er een nieuwe, nog zwaardere strijd in het verschiet. In het eerste jaar van onze vrijheid hebben we, als land, een goede start gemaakt. Maar ieder van ons, in iedere bevolkingsgroep, weet dat er nog veel meer werk moet worden verzet. We moeten onszelf telkens weer de vraag stellen: doen we er alles aan om het land van onze dromen te verwezenlijken; om de mogelijkheden voor werk en duurzame groei optimaal te benutten; om als burgers die zich aan de wet houden de criminelen in ons midden op te sporen en uit te leveren; om de plek waar we wonen metterdaad te verbeteren?

Ik weet zeker dat de moslimorganisaties in Zuid-Afrika hun uitmuntende humanitaire werk zullen voortzetten en de scheidslijnen die ons ooit waren opgedrongen zullen overstijgen. Zo dragen zij bij aan de wederopbouw van onze door de lange, verwoestende apartheidsgeschiedenis aan stukken gescheurde samenleving.

De viering van het einde van de ramadan vandaag, en de bezieling die we eruit putten zullen bijdragen aan wat in het Arabisch *soemoed* heet, eeuwige morele kracht, en ons helpen een beter bestaan op te bouwen, met name voor de armen.

Moge God u bijstaan in uw reis naar de vernieuwing van uw hart en uw ziel. Moge er, in uzelf en in anderen, gehoor worden gegeven aan uw krachtige roep, op deze laatste dag van de ramadan, om de mensheid te dienen.

Mahatma Gandhi

Toespraak bij de opening van de Gandhi Hall, Lenasia,
27 september 1992

Vandaag brengen wij opnieuw welverdiende hulde aan de nagedachtenis van Mahatma Gandhi, en het is mij een voorrecht en een genoegen bij deze historische gebeurtenis aanwezig te mogen zijn. Zijn leertijd bracht hij gedurende eenentwintig jaar in Zuid-Afrika door en vervolgens bevrijdde hij als de Mahatma, 'hij die groot van ziel is', India middels massa-acties uit haar imperialistisch lijfeigenschap. Hij was een Zuid-Afrikaan en nu wij de apartheid van ons hebben afgeschud, verdient zijn nagedachtenis het door ons gekoesterd te worden.

Gandhi's filosofie van vrede, tolerantie en geweldloosheid was in Zuid-Afrika in eerste instantie een belangrijk hulpmiddel voor sociale verandering. In India werd het middel effectief toegepast om het volk te bevrijden. In de Verenigde Staten gebruikte Martin Luther King het in zijn strijd tegen het racisme.

Decennia van apartheid hebben Zuid-Afrika opgezadeld met een erfenis van racisme en geweld. Als de Mahatma hier vandaag aanwezig zou zijn, zou hij ons vertellen dat in de apartheid de kern van het geweld ligt. Hij zou ons hebben gewaarschuwd niet toe te staan dat de filosofie van verdeel-en-heers ons daadwerkelijk verdeelt, ons hebben gemaand gezamenlijk de menselijke vrijheid in Zuid-Afrika te herstellen.

Het is uiterst belangrijk dat we vandaag duidelijk maken wat de Mahatma voor Zuid-Afrika en voor de rest van de wereld heeft betekend. En we mogen nooit vergeten dat Gandhi's filosofie in de 21ste eeuw de sleutel kan zijn tot het overleven van de mens.

Het ANC was de wegbereider van de duurzame vrede in dit land. Het initiatief om met de regering te gaan onderhandelen en de gewapende strijd

op te schorten kwam voort uit onze wens een einde te maken aan het geweld dat zo inherent was aan de apartheid, ja, om een eind te maken aan
de rassenscheiding die de apartheid ons oplegde.

Ons besluit om onderhandelingen te beginnen heeft de weg gebaand voor
de hereniging van mensen van ieder ras, iedere huidskleur en ieder geloof.
Neem de vorming van het Patriotic Front.[1] Gandhi zou hebben erkend dat
het moeilijke en gevaarlijke tijden zijn waarin wij leven en ons hebben op-
gedragen voort te gaan op de ingeslagen weg en ervoor te zorgen dat onze
bevrijding uiteindelijk geen proefballon zou zijn maar tot duurzame vrede,
democratie en vrijheid zou leiden.

Deze Gandhi Hall van de Seva Samaj moet een ijkpunt in de ontwikkeling van een niet-racistisch en niet-seksistisch Zuid-Afrika worden. Als dat
lukt, zal ze de naam van Mahatma Gandhi waardig zijn. En zal ze de naam
waardig zijn van degenen die in 1946 met hun passieve verzet in zijn voetsporen traden, in 1952 met hun campagne van burgerlijke ongehoorzaamheid, in 1955 met de organisatie van het Volkscongres en het opstellen van
het Freedom Charter [Handvest van de Vrijheid; vert.]. Het zal de opkomst
van het United Democratic Front[2] en de Mass Democratic Movement[3] waardig zijn, twee historische gebeurtenissen die hebben geresulteerd in de le-
galisering van de bevrijdingsbewegingen en de vrijlating van politieke gevangenen.

Tot het bestuur van de Hindu Seva Samaj zeg ik: u vertegenwoordigt een
belangrijk democratisch erfgoed, dat u tezamen met de rest van Zuid-Afrika hoog moet houden. Wees in dit nieuwe tijdperk van vrijheid niet slechts
trots op het verleden, maar ook op het heden.

Ik herinner me de Gandhi Hall in Fox Street. Daar kregen wij lessen in
vrijheid, van leermeesters als dr. A.B. Xuma, Yusuf Dadoo en Monty Naicker, die aan de basis van het Freedom Pact [Vrijheidspact; vert.] van 1947
stonden.

Na de historische ondertekening van het Freedom Charter in Kliptown,
werd deze voor de eerste keer in de Gandhi Hall voorgelezen. De apartheid
heeft de oude Gandhi Hall afgebroken, maar het volk heeft ons dit nieuwe
vredessymbool geschonken en daarmee de herinnering hersteld aan een man
die in de 20ste eeuw het denken over rassen en klassen heeft veranderd.

Gisteren zijn het ANC en de Zuid-Afrikaanse regering overeengekomen
de onderhandelingen te hervatten. Wij, het ANC, hebben besloten dat we
kost wat kost de vrede voor dit land zullen nastreven, maar niet tegen elke

prijs. Politieke gevangenen zijn veel te lang als gijzelaar gebruikt, de wapenkwestie is deels besproken en de pensions die een broeinest zijn geworden van het stille geweld tegen onze woonoorden, moeten worden geïsoleerd en geneutraliseerd.

Wij zullen de gesprekken gaande houden en vasthouden aan het creëren van een interimregering van nationale eenheid en een constituerende vergadering die door alle Zuid-Afrikanen zal worden gekozen. Gandhi zette zich eenentwintig jaar van zijn leven in voor non-racisme en democratie in ons land. Wij zijn verplicht niet alleen zijn daden te herdenken, maar ze tevens hoog te houden, voort te zetten.

Een verenigd, niet-racistisch en niet-seksistisch Zuid-Afrika is de parel in de kroon van deze planeet. De toekomst lacht ons toe, ondanks de verschrikkingen die de apartheid en het geweld hebben betekend. Wij streven naar een op vreedzame wijze bereikt akkoord en een duurzame vrede. Wij roepen iedereen die hier aanwezig is en iedereen die hier niet aanwezig is op met de apartheid en haar toenmalige en huidige medestanders te breken. Uw en mijn plaats is aan de zijde van de Mahatma.

Onze bevrijding zal niet eenvoudig of zonder tegenslagen verlopen. Door onze gezamenlijke inspanningen zullen we haar bereiken. Moge de nieuwe Gandhi Hall in dienst staan van het hele volk van Zuid-Afrika en vrede, gerechtigheid en verzoening dichterbij brengen.

Met die wens verklaar ik dit gemeenschapshuis genoemd naar de Mahatma voor geopend.

NOOT VAN DE VERTALER

1 Samenwerkingsverband tussen de Zuid-Afrikaanse vakbeweging, de Communistische Partij, de liberale Democratische Partij en verschillende maatschappelijke bewegingen, opgericht in Durban in 1991.
2 Samenwerkingsverband tussen kerkelijke en maatschappelijke organisaties ter bestrijding van de apartheid, opgericht door dominee Alan Boesak in 1983.
3 Informeel samenwerkingsverband tussen anti-apartheidsgroeperingen, opgericht in de vroege jaren zeventig.

Wereldreligies

Toespraak voor het Parlement van Wereldreligies, Kaapstad,
december 1999

Ik moet tot mijn spijt beginnen met een anekdote die ik al bij honderden van dit soort gelegenheden heb verteld, aangezien ze enkele opmerkingen die hier over een zekere persoon zijn gemaakt in een ander daglicht stelt. Het overkwam me tijdens een vakantie op de Bahama's in 1993. Ik liep tijdens een wandeling een echtpaar tegen het lijf en de man sprak me aan met de woorden: 'Meneer Mandela.'

Ik zei: 'Ik word wel vaker voor die vent aangezien.'

En hij zei: 'Mag ik dat in dit geval ook doen?'

En ik zei: 'U zou slechts herhalen wat andere mensen ook doen.'

Toen wendde hij zich tot zijn vrouw en zei: 'Lieverd, dit is meneer Mandela.'

Ze was totaal niet onder de indruk. Ze zei: 'Is hij beroemd of zo?'

De man geneerde zich en zei zachtjes: 'Meneer Mandela, meneer Mandela.'

Maar de vrouw hield vol: 'Ik vroeg of hij beroemd was of zo.' En voor haar echtgenoot iets kon zeggen wendde ze zich tot mij en zei: 'Bent u beroemd of zo?'

Ik kon geen antwoord geven.

Thuis overkwam me onlangs het volgende. Een vijf jaar oude jongedame had zich aan de poort gemeld, meldde de bewaking, en ik zei: 'Laat haar maar binnenkomen.'

De bewaker zei: 'Ze is erg brutaal.'

En ik zei: 'Juist daarom. Laat haar maar binnenkomen.'

Het was inderdaad nogal een jongedame, want ze stormde binnen zonder kloppen, begroette me niet, maar stak meteen van wal met de vraag:

'Hoe oud ben jij?'

Ik zei: 'Nou, dat weet ik niet precies, maar ik ben lang, lang geleden geboren.'

En ze vroeg: 'Twee jaar geleden?'

'Nee,' zei ik, 'wel veel langer geleden.'

Toen veranderde ze ineens van onderwerp en zei: 'Waarom zat jij in de gevangenis?'

'Nou, niet omdat ik dat graag wilde, maar omdat bepaalde mensen dat wilden.'

'Wie?'

'Mensen die mij niet aardig vonden,' zei ik.

Zij zei: 'Hoelang moest jij daar blijven?'

Ik zei: 'Dat weet ik niet meer.'

'Twee jaar?'

'Nee, wel langer,' zei ik.

Toen zei ze: 'Jij bent vast gewoon een domme oude man.' En met die vernietigende woorden kwam ze bij me zitten en begon grapjes met me te maken, alsof ze me een compliment had gegeven.

Ik hoop dat u aan het eind van deze toespraak, indien u vindt dat ik niet aan de verwachtingen heb voldaan, toch diplomatieker zult zijn dan die jongedame.

Er is een oud Afrikaans spreekwoord dat luidt dat wij mensen zijn dankzij andere mensen. Dat spreekwoord wordt hier vanavond, door deze bijeenkomst van uiteenlopende mensen uit alle delen van de wereld, op niet mis te verstane wijze waargemaakt.

Deze bijeenkomst, hier in de meest zuidelijke stad op het Afrikaanse continent, van vertegenwoordigers van zo veel zo uiteenlopende religies uit de hele wereld, staat symbool voor onze onderlinge afhankelijkheid en voor wat wij als mensen met elkaar delen. Het maakt me nederig deel uit te mogen maken van deze ontroerende uiting, dit ontroerende bewijs van de voortreffelijkheid van de menselijke geest. Deze eeuw is er een van verwoesting, onrechtvaardigheid, conflicten en verdeeldheid, ellende en pijn en onmenselijkheid. Reden genoeg om cynisch te zijn over de waarde van een mensenleven, en over de mensheid. Maar deze bijeenkomst aan het eind van de eeuw is nu juist bedoeld om een tegenwicht tegen dat cynisme, die wanhoop te bieden en om ons opnieuw te laten inzien wat wij eigenlijk al weten: hoe groot en goed en mild de menselijke geest is. Om weer te horen dat

we, zoals de psalmdichter het verwoordt, bijna een god zijn gemaakt, en ge-
kroond met glans en glorie.

Nederig maar ook dankbaar neem ik de eer die u mij, een oude, gepensioneerde man, heeft bewezen in ontvangst. Ze toont in elk geval aan dat
ouderdom andere mensen nog steeds ontzag en eerbied inboezemt.

Ik accepteer deze eerbewijzen niet slechts uit naam van mijzelf. Ik draag
ze op aan de drie mensen naar wie ze zijn genoemd en aan hun gedachte-
goed. Door het in ontvangst nemen ervan laat ik zien dat ik achter de waarden sta waar ieder van hen zich in zijn leven en werk zo krachtig voor uit-
sprak: vrede, geweldloosheid en dialoog.

Ik draag deze prijzen verder op aan de miljoenen onbekende mannen en
vrouwen uit de hele wereld die in deze eeuw zo heldhaftig hebben geweigerd zich door hun oerdriften te laten regeren, en hun levens in dienst hebben gesteld van vrede, tolerantie en respect.

Ook aan het einde van deze eeuw hebben we kunnen zien hoe een bittere interne strijd kon uitmonden in een genocide waarin voormalige bu-
ren elkaar afslachtten. Deze eeuw heeft helaas ál te veel leiders gekend die
voor hun eigen politieke doeleinden verschillende bevolkingsgroepen tegen
elkaar hebben uitgespeeld. Meestal waren het de daadkracht en de vastberadenheid van de gewone burger om zich te verzetten tegen sektarisch geweld, die de wereld hebben behoed voor nog meer voorbeelden van genocide en gewapende conflicten. Die burgers, de gewone, fatsoenlijke burgerman
en -vrouw, brengen wij aan het eind van deze gewelddadige eeuw een groet.
Er zijn mensen geweest die zo hovaardig waren de wereld te willen veroveren en de overwonnenen te onderwerpen. Het gewone volk heeft dat uiteindelijke altijd weten recht te zetten. Alexander de Grote dacht dat hij de
wereld kon veroveren. Caesar had dezelfde ambities. Napoleon slaagde er
bijna in heel Europa te onderwerpen. En in onze eigen eeuw probeerde Hit-
ler precies hetzelfde. Maar de gewone burgers, niet de koningen of de ge-
neraals, de gewone burgers die soms zelfs in hun eigen woonplaats onbekend waren, legden die tirannen, die dictators uiteindelijk het zwijgen op.
Daarom zijn de ware wereldleiders de mensen die vierentwintig uur per dag
slechts het belang van de allerarmsten wensen te behartigen. Die mannen
en vrouwen realiseren zich namelijk dat armoede vandaag de dag het allergrootste gevaar is dat de wereldvrede bedreigt.

In ons land heeft mijn generatie haar opleiding te danken aan een religie.
Toen wij opgroeiden bestond de regering louter uit blanken, die minder dan

15 procent van de bevolking vormden. Ons onderwijs interesseerde hen niet. In Zuid-Afrika kochten religieuze organisaties – christelijke, islamitische, hindoeïstische, joodse – land aan, bouwden scholen en richtten ze in, stelden leraren aan en betaalden hen. Zonder de Kerk, zonder die religieuze organisaties, zou ik hier vandaag nooit voor u hebben gestaan. En daarom heb ik mijn reis naar de Verenigde Staten uitgesteld toen ik hoorde dat deze bijeenkomst zou plaatsvinden, om in staat te zijn hier te kunnen verschijnen.

Maar ook onderken ik naast het educatieve belang, het belang van religie zelf. Wie tijdens de apartheid in Zuid-Afrika gevangenzat, heeft met eigen ogen de wreedheid van de mens in haar naaktste vorm kunnen aanschouwen. Maar ook daar waren het de religieuze organisaties, hindoes, moslims, joodse geloofsleiders en christenen die onze hoop op bevrijding levend hielden: wij zouden terugkeren. Ook creëerden de religieuze organisaties in de gevangenissen fondsen voor onze kinderen, die bij duizenden gevangen werden gezet.

Velen van ons lieten de gevangenis achter zich met een behoorlijke opleiding, mogelijk gemaakt door de religieuze organisaties. Daarom heb ik zoveel respect voor ze en probeer ik zoveel ik kan de teksten te lezen waarin de grondslag voor fatsoenlijk menselijk handelen is vastgelegd: de Bhagavad-Gita, de koran, de bijbel en andere belangrijke religieuze boeken. Ik vertel u dit omdat propaganda tegen de bevrijdingsbeweging in dit land, die anders beweert, vals is. Religie was een van de drijfveren in alles wat wij deden.

De eeuwwisseling is enerzijds natuurlijk gewoon een toevallige gebeurtenis in een mensenleven, waar de ene dag altijd overgaat in de andere. Anderzijds krijgen we, symbolisch, de kans de balans van ons leven op te maken en vooruit te kijken.

Op de grens van de eenentwintigste eeuw is overduidelijk dat we ons op een tweesprong in de geschiedenis bevinden. De gewone burgers waar ik eerder aan refereerde – de vrouwen, mannen en kinderen die een normaal leven wensen en daar alle recht op hebben – lijden nog steeds ontberingen en armoede. De ongelijkheid in de wereld is nog steeds enorm. Oorlog en geweld beheersen in veel te veel delen van de wereld het dagelijks leven. Machthebbers regeren over de rug van de armen en de kwetsbaren. We moeten deze eeuwwisseling aangrijpen om te beloven de komende eeuw dit soort zaken structureel aan te pakken. En daar is veel geloof en vertrouwen voor nodig; het geloof zal net als in ieder ander tijdperk een vitale rol spelen in het leiden en inspireren van de mensheid bij de enorme uitdagingen waar ze voor staat. In Zuid-Afrika hebben we besloten vanaf nu onze materiële en maatschappelijke wederopbouw hand in hand te laten gaan met een Programma voor de Wederopbouw en Ontwikkeling van de ziel – een moreel programma. Zo zal dat ook in de rest van de wereld moeten gebeuren.

In de hele wereld veranderen waarden en inzichten op dit moment snel. Door de globalisering van de wereldeconomie en de voortschrijdende communicatietechnologie is de wereld kleiner geworden. Maar ook is er mede door die technologische vooruitgang bij de mensen, terwijl zij hun nieuwe plek in die geglobaliseerde wereld zoeken, verwarring op het gebied van de moraal ontstaan. De armoede in de wereld neemt hand over hand toe, maar ook de extreme rijkdom; het lijden en de verwaarlozing van kwetsbare groepen neemt toe in een tijd dat democratie en gelijkheid universeel worden geacht te zijn geworden; de gretigheid waarmee de industriële ontwikkeling voortgaat leidt tot zware milieuverontreiniging – het zijn slechts enkele van de tegenstrijdigheden die onze ethische en morele vragen bepalen. En op het persoonlijke vlak wordt de eenzaamheid van het individu groter naarmate de wereld kleiner lijkt te worden.

Het geloof kent, net als andere aspecten van het leven, zijn eigen problemen. Soms vormt het, zoals we hebben kunnen zien, de basis van of legitimeert het zelfs de bloedige uitspattingen waarmee sommige vormen van onverdraagzaamheid en geschillen gepaard gaan. Het geloof lijkt tragisch genoeg soms niet in staat om mensen naar normen en waarden te laten leven die verder gaan dan de dagelijkse behoeften. Religieuze leiders, organisaties en gelovigen moeten opnieuw de kern van het geloof vinden die het al eeuwenlang zo'n centrale plaats in het menselijk bestaan heeft gegeven. Weinig aspecten van het menselijk bestaan kunnen zoveel mensen bereiken als het geloof. Het heeft zijn wortels in de meest afgelegen hoekjes van de samenleving, waar politieke leidsmannen en economische belanghebbenden geen bereik hebben. Er wordt geluisterd naar het geloof. Er wordt over nagedacht. Daarom is het zo belangrijk die spirituele krachten, die bron van zuiverheid opnieuw aan te spreken.

Geen regering of maatschappelijke kracht kan de huidige problemen alleen aan. Er moeten overal samenwerkingsverbanden worden gezocht. Om de problemen van armoede, verwaarlozing, geweld tegen vrouwen en kinderen en milieuverontreiniging aan te pakken, kan het geloof met zijn spirituele en maatschappelijk krachten een belangrijke partner zijn.

Dat u in Zuid-Afrika bijeenkomt, beschouw ik als een erkenning van wat dit land heeft bereikt; en we geloven dat onze strijd die van anderen elders in de wereld misschien een beetje heeft geholpen.

Ik prijs het Parlement van Wereldreligies om zijn enorme bijdrage aan het wederzijds begrip tussen verschillende bevolkingsgroepen, door hen te laten inzien dat gezamenlijkheid te verkiezen is boven verdeeldheid. Laten we in die geest de nieuwe eeuw met frisse moed tegemoet treden, in de hoop dat de wereld er voor iedereen beter zal uitzien.

9

Gezondheid

Voor ieders gezondheid

Toespraak bij de opening van de kliniek in Sangoni,
10 juli 1998

Het doet me bijzonder veel genoegen vandaag aanwezig te mogen zijn bij deze feestelijke gebeurtenis, die voor mij van speciale betekenis is. Zoals velen van u weten, ben ik op loopafstand van hier geboren en ieder bezoek aan deze plek roept bijzondere herinneringen bij me op.

Omdat ik in deze streek ben opgegroeid, heb ik van dichtbij de ellende meegemaakt die in deze provincie door de apartheid en de voormalige corrupte bestuurders van ons land is aangericht. Jarenlang zag ik om me heen hoe de bevolking de meest simpele basisvoorzieningen werden onthouden: voedsel, onderdak, behoorlijk onderwijs, gezondheidszorg, werk. Velen moesten enorme afstanden afleggen om werk te vinden, wat hier tot ongezonde situaties leidde, aangezien gezonde broodwinners verplicht waren elders werk te zoeken.

Na de eerste democratische verkiezingen in dit land in 1994 heeft de regering in samenwerking met partijen uit de private sector, niet-gouvernementele organisaties en de bevolkingsgroepen zelf hard gewerkt aan het herstellen van het evenwicht. Er zijn omvangrijke programma's opgestart op het gebied van bijvoorbeeld huisvesting, water- en elektriciteitsvoorziening, en schoolmaaltijden. Inmiddels zijn ongeveer twee miljoen mensen van schoon water voorzien, twee miljoen huishoudens van elektriciteit en een miljoen van een telefoonaansluiting.

Op het gebied van de gezondheidszorg was het noodzakelijk de zaken structureel te reorganiseren, aangezien in het verleden de ziekenhuizen met name voor de zorg voor een minderheid van de Zuid-Afrikaanse bevolking waren bedoeld. Dat verklaart de grote druk op voorzieningen en middelen toen de zorginstellingen voor iedereen werden opengesteld.

De nadruk die de regering heeft gelegd op de eerstelijnsgezondheidszorg zal de druk op de ziekenhuizen verlichten. Het kliniekenprogramma voorziet in het realiseren van een kliniek op loopafstand van ieder huishouden. Sinds 1994 zijn er al vijfhonderd klinieken gebouwd, waardoor nog eens vijf miljoen mensen toegang tot de gezondheidszorg hebben gekregen.

Onlangs heb ik de eerste steen mogen leggen voor het Umtata Academisch Ziekenhuis. Het zal het niveau van de gezondheidszorg in het gebied omhoogtillen, aangezien het specialisten en wetenschappers zal aantrekken. Deze kliniek in Sangoni zal een dochterinstelling van het ziekenhuis in Umtata worden. Net als andere eerstelijnsgezondheidscentra zal het bijdragen aan een gezonder land. De bevolking zal van de verbeterde voorzieningen van de kliniek profiteren en de verbeterde arbeidsomstandigheden zullen de doktoren en het verplegend en ondersteunend personeel ten goede komen.

Deze kliniek is tot stand gekomen in de geest van *masakhane* [letterlijk: 'elkaar bouwen', bij uitbreiding: elkaars ontwikkeling bevorderen; vert.], dat komt er hier in Sangoni op neer dat alle organisaties en individuen een rol moeten spelen in het bewaken en verbeteren van de volksgezondheid.

Hulde met name aan de ministeries van Gezondheid en Welzijn, van Openbare Werken en van Water- en Bosbouw van de Oostkaap, aan het Independent Development Trust en aan de bevolking als geheel. Bijzondere dank ook aan Siemens voor zijn bijdrage. Door dit project financieel mogelijk te maken en door een plaatselijk bedrijf in te huren voor de bouw, heeft Siemens aangetoond werkelijk betrokken te zijn bij de wederopbouw en ontwikkeling van ons land.

Ik dank u, dr. Doring, voor uw ruimhartige financiële bijdrage aan de verbetering van de levensomstandigheden in deze gemeenschap. Wij kijken uit naar een intensievere samenwerking tussen Zuid-Afrika en Duitsland, waarbij Siemens een vitale schakel in het geheel vormt. Met haar toonaangevende ontwikkelingen op het gebied van de medische technologie is Siemens een uitstekende partner voor de regering en de gemeenschap zelf. Ik feliciteer u met de oplevering van de nieuwe kliniek in Sangoni.

Een beter bestaan voor iedereen in Zuid-Afrika wordt juist mogelijk gemaakt door dit soort samenwerkingsverbanden tussen alle geledingen van de samenleving. Dit is nog maar het begin, dat weet ik; velen zijn nog in afwachting van basisvoorzieningen. De regering is de bevolking dankbaar voor haar geduld en onderkent dat nog veel werk moet worden verzet. Het zal nog jaren duren voor we ons doel hebben bereikt en als we willen slagen, moeten we samenwerken. De bevolkingsgroepen zelf moeten actief bijdragen aan de verbetering van hun levensomstandigheden, de private sector moet zich erbij betrokken gaan voelen en de regering moet de ontwikkeling materieel en immaterieel ondersteunen.

Siemens heeft samen met andere bedrijven die met de overheid en de bevolkingsgroepen zijn gaan samenwerken, het woord verzoening werkelijk betekenis gegeven. Het verdient daarvoor bredere erkenning en we moedigen andere partijen aan zijn voorbeeld te volgen.

Met de oplevering van deze kliniek is het nu aan de gemeenschap om er haar voordeel mee te doen en er de gezondheid van iedereen in de streek van te laten profiteren.

Aids: voor wie de bel luidt

Toespraak voor de Nationale Aidsconferentie, NASREC,
23 oktober 1992

Toen mij een paar maanden geleden werd gevraagd deze conferentie te ope-
nen, voelde ik mij zeer vereerd door de uitnodiging, maar ook machteloos
in het licht van de aidsproblematiek waar ons land en andere landen mee
worden geconfronteerd. Ik moest denken aan de woorden uit Hemingways
roman *Voor wie de bel luidt*:

> Geen mens is een eiland,
> hij bestaat niet slechts voor zichzelf [–]
> dus vraag niet voor wie de bel luidt:
> hij luidt voor u.

De realiteit van de wereldwijde aidsepidemie is dat die niet alleen een me-
disch karakter heeft, maar ook een ziekte met sociaal-medische implicaties
is.

In Zuid-Afrika beïnvloedt het ons totale sociaal-economische bestel en
vormt het een bedreiging voor toekomstige generaties. De statistieken laten
zien dat zij die met sociaal-economische achterstanden te maken hebben,
ook het meest kwetsbaar zijn voor aids.

Op 30 juni van dit jaar was het aantal geregistreerde aidspatiënten 1316
en de meerderheid daarvan bevond zich in Natal; landelijk werden de meeste gevallen in stedelijke gebieden geregistreerd. De erfenis van de apartheid
heeft hier een belangrijke rol in gespeeld, met name in de zwarte woonoorden waar te veel mensen in te kleine huizen wonen zonder ruimte voor pri-
vacy, waar onvoldoende huisvesting, sloppenvorming en het gebrek aan re-
creatiefaciliteiten de zwarte gemeenschap extra gevoelig maken voor deze

soa. Door sekse-gescheiden onderkomens vallen in plattelandsgebieden ge-zinnen uiteen, waardoor de bewoners worden gedwongen wisselende con-tacten te hebben.

Schrijnend is ook het aantal kinderen dat met aids is besmet. De mees-te van hen sterven voor ze twee jaar oud zijn. En ook moeten we aandacht schenken aan het feit dat juist het werkende deel van de bevolking het slacht-offer is van het virus.

Deze conferentie moet zich buigen over de gevolgen van het ontoerei-kende nationale zorgstelsel en over het feit dat gezondheidsinstellingen die soa's behandelen voor slechts zo weinigen toegankelijk zijn.

Vrouwen worden door het aidsvirus het zwaarst getroffen. Door gebrek aan scholing en werk vormen zij de armste groep in het land. Hun positie maakt het hen onmogelijk zichzelf of hun ongeboren kind afdoende tegen het virus te beschermen. Vanwege allerlei sociale codes op het gebied van seks vinden veel vrouwen het erg moeilijk om van hun partners te eisen dat ze een condoom gebruiken.

Het beste wapen tegen het virus is voorlichting. We hebben onszelf lan-ge tijd voorgehouden dat aids, net als andere epidemieën, vanzelf wel weer zou verdwijnen en dat de enorme technologische en wetenschappelijk voor-uitgang wel snel met een oplossing zou komen.

De sleutel tot succes zal onze gezamenlijke inspanning moeten zijn. De tijd van praten en met een beschuldigende vinger naar de slachtoffers wij-zen, is voorbij. Het is tijd voor actie. Onze huidige kennis van de ziekte kan al veel bijdragen aan een grootschalig, adequaat ingrijpen. Vooralsnog is er ondanks intensief onderzoek geen geneesmiddel voor of vaccin tegen aids. Preventie vormt derhalve nog steeds de beste strategie.

Ik heb bezwaren tegen de preventieve maatregelen die de regering nu wil invoeren, aangezien die maatregelen door de bevolking met argwaan wor-den bekeken en worden beschouwd als een instrument om hen onder de duim te houden. Deze regering bezit niet de geloofwaardigheid om de meer-derheid van de zwarte Zuid-Afrikanen ervan te overtuigen hun seksuele ge-drag te veranderen.

Onze eerste zorg moet de bescherming van ons volk tegen deze ziekte zijn en daarvoor moeten we het probleem over een zo breed mogelijk front benaderen. Alle geledingen van de samenleving moeten zich in de strijd mengen en de regering moet lokaal fondsen ter beschikking stellen. Deze problematiek laat geen ruimte om zich achter politieke vooroordelen te verschuilen of om populaire maatregelen te nemen. Op nationaal, regionaal en lokaal niveau moet gewerkt worden aan een organisatie die meer partijen vertegenwoordigt dan alleen de gezondheidszorg en de overheid.

Aids roert een onderwerp aan waar we het in het openbaar eigenlijk het liefst niet over hebben, maar het raakt ook aan religieuze en culturele gevoeligheden. Daar moeten we alert op zijn, maar tevens moeten we niet aarzelen alles op alles te zetten om te zorgen dat onze boodschap niet alleen wordt aangehoord, maar dat ze ook aankomt. Dat kan alleen als we allemaal, thuis, binnen onze organisaties, in onze kerken en op ons werk, de handen ineenslaan.

De kern van ons ingrijpen moet volgens mij zijn, de bevolking van Zuid-Afrika individueel en collectief beter in staat te stellen deze plaag te onderkennen, te begrijpen en er op vastberaden wijze tegen op te treden.

We moeten ervoor zorgen dat iedereen begrijpt dat wanneer we aids met succes bestrijden, niet alleen individuen daarvan zullen profiteren, maar hele gezinnen, gemeenschappen, ons hele land.

Ik roep daarom de regering, alsmede de zakenwereld en andere sectoren met klem op fondsen beschikbaar te stellen waarmee de aanbevelingen die door dit congres zullen worden gedaan, zo spoedig mogelijk kunnen worden uitgevoerd. Ik heb al gezegd dat voorlichting het krachtigste medicijn tegen dit virus vormt – we moeten ouders, kerkelijke leiders, politieke organisaties en alle andere maatschappelijke partijen ervan overtuigen dat het stigmatiseren van aidsslachtoffers de oplossing van het probleem niet dichterbij brengt. Aidsslachtoffers zijn slachtoffers van onze verziekte maatschappij en we moeten hen daartegen in bescherming nemen.

Het is voor velen van ons moeilijk om met onze kinderen over seks te praten, maar de simpele waarheid is dat wanneer we onze jeugd niet voorlichten over veilige seks, deze dodelijke ziekte uiteindelijk zal overwinnen. Ik stel voor een handvest op te stellen dat de bevolking zal voorlichten en tot actie zal bewegen en waarin de rechten van aidsslachtoffers zijn vastgelegd. We moeten met grote vastberadenheid de obstakels die ons hinderen deze plaag effectief aan te pakken, uit de weg ruimen. Is er enige rechtvaardiging voor het in stand houden van een economie die door rondtrekkende arbeiders draaiende wordt gehouden, voor gescheiden onderkomens – zaken die niet alleen het gezinsleven verwoesten, maar ons ook verhinderen om stabiele, zelfvoorzienende gemeenschappen te laten ontstaan die het hart kunnen vormen van een dynamische samenleving die deze en ook andere problemen aankan? Wordt het geen tijd dat we het analfabetisme en de armoede aanpakken en vrouwen meer rechten geven – allemaal cruciale factoren in het welslagen van ons ingrijpen?

Weinig andere ziekten illustreren beter het gezegde: voorkomen is beter dan genezen.

Aids, ten slotte, heeft beslist ook zijn weerslag op de economie, op zowel micro- als macroniveau. Onze economie zal de komende jaren, als wij de wederopbouw van het land ter hand nemen, optimaal moeten draaien. Daarom moet wij nú handelen, om ervoor te zorgen dat onze inspanningen om het land te herbouwen en de democratie in te voeren, niet voor niets zijn geweest.

Aids gaat ons allemaal aan

Boodschap ter gelegenheid van Wereld Aidsdag, 1 december 1994

Op 1 december is het in Zuid-Afrika en in de rest van de wereld Wereld Aidsdag. Nu wij een democratie zijn geworden, kunnen we ons voor het eerst als land als geheel aan deze dag, en aan deze klemmende problematiek wijden. Volgens schattingen is in sommige delen van het land reeds een op de tien mensen met het aidsvirus besmet. De epidemie is zich verder razendsnel aan het verspreiden. Jongeren vormen de belangrijkste risicogroep.

Het is toepasselijk dat dit jaar Wereld Aidsdag in het teken staat van 'Aids en het gezin'. Want in de schoot van het gezin moeten de waarden die nodig zijn om deze plaag het hoofd te bieden, worden meegegeven. Vertrouwen en ondersteuning, met name tussen ouders en kinderen, is cruciaal voor de bewustwording rondom aids en de preventie ervan. Het allerbelangrijkst is dat we gezamenlijk de erfenis van de apartheid – dakloosheid, analfabetisme, gebrekkige gezondheidszorg, rondtrekkende arbeiders en ondermaatse levensomstandigheden – uit de weg ruimen: die zaken vormen allemaal een vruchtbare grond voor de verspreiding van aids.

Niet morgen moeten we beginnen met de bewustwording bij de bevolking van de ernst van de situatie, maar vandaag. Vandaag moeten jongeren en volwassen voor een levensstijl kiezen die bijdraagt aan de bestrijding van de epidemie.

Ook staat deze Wereld Aidsdag in het teken van verdraagzaamheid en hulp. Als individu en als land moeten we onze besmette familieleden, vrienden en landgenoten met mededogen behandelen. Nog sterker geldt dit voor wezen en geïnfecteerde kinderen.

De aidscampagne gaat ons allemaal aan – jong en oud, de landelijke en lokale overheid, religieuze en traditionele instellingen, organisaties op het gebied van cultuur en sport. Aids trekt zich niets aan van tradities of huids-kleur. Het kent geen grenzen. Als we als land, als continent, als mensheid als geheel willen overleven, moeten we samenwerken.

De regering zal actief blijven in de bewustwordingscampagnes. We zullen zo veel mogelijk fondsen ter beschikking blijven stellen om deze epidemie te bestrijden. Maar het succes van de campagne staat of valt bij de inzet van alle geledingen van de samenleving.

De tijd is aangebroken om gezamenlijk de strijd tegen aids aan te gaan.

Aids: verbreek de stilte

Inleiding bij een bijeenkomst op Wereld Aidsdag, Mtubatuba,
1 december 1998

Deze Wereld Aidsdag zijn we in Mtubatuba bijeengekomen, omdat deze provincie zwaar is getroffen door deze dodelijke ziekte. Als Partners Against Aids betuigen wij hier onze solidariteit en onze steun en we aanvaarden dankbaar de hulp van de regering en de bevolking van Kwazulu-Natal bij onze taak het land te leren inzien wat deze ziekte werkelijk betekent.

Het aidsprobleem kan niet door een gemeenschap of een provincie op zichzelf, of zelfs door een land op zichzelf, worden opgelost. Wij moeten gezamenlijk optreden tegen aids en ook internationale samenwerking zoeken. We hebben de hulp van organisaties als de vn nodig en het is dan ook met veel genoegen dat ik dr. Piot, directeur van unaids, op deze bijzondere dag hier welkom heet.

Al zijn we reeds zo'n vijftien jaar met aids bekend, we hebben gezwegen over hoe het zich werkelijk manifesteert. Al te vaak hebben we gedaan alsof het een probleem van iemand anders was.

We hadden vandaag graag, voorafgaand aan deze bijeenkomst, een gemeenschap willen bezoeken die zwaar is getroffen door aids, om eer te betonen aan hen die aan de ziekte zijn overleden. Onze gemeenschappen moeten tegen de rest van het land kunnen zeggen: kom maar kijken hoe aids er in de werkelijkheid uitziet, kom maar kijken hoe we eraan toe zijn, kom maar kijken naar de verse graven, kom maar kijken hoe moedig degenen zijn die de ziekte hebben en hoe moedig de kinderen zijn die hun ouders hebben verloren.

We moeten de stilte verbreken die bedrijven ertoe brengt niet op eenzelfde pagina te willen adverteren waarop een bericht over aids staat. We moeten de stilte verbreken wanneer alles erop wijst dat iemand de ziekte heeft en gewoon vragen: 'Heb je aids? Kunnen we je helpen?' We moeten de stilte verbreken die op de begraafplaatsen heerst wanneer we onze dierbaren begraven in de wetenschap dat ze aan aids zijn gestorven. We moeten de stilte verbreken die ervoor zorgt dat de ziekte door het land raast en iedere dag boven op de drie miljoen reeds geïnfecteerden opnieuw vijftienhonderd mensen infecteert. Door die stilte komen zij die onze ondersteuning en onze hulp nodig hebben, in het verdomhoekje terecht. Door die stilte lopen onze pogingen spaak om de economie te laten groeien en zo een beter bestaan voor iedereen te realiseren.

Het is tijd om de stilte te verbeken. Daarom zijn wij hier vandaag op initiatief van vice-president Thabo Mbeki bijeengekomen.

We zijn deze provincie, die zo dapper is uit te komen voor haar hoge aantal geïnfecteerden, dankbaar. Bewonderenswaardig zijn de mannen, vrouwen en kinderen die hier vandaag zeggen: wij zijn het gezicht van aids – wij verbreken de stilte! Als wij willen slagen, dan moeten we in hun voetsporen treden en de verantwoordelijkheid voor het aanpakken van het probleem op ons nemen.

Hoewel er alles aan wordt gedaan om een geneesmiddel tegen aids te ontwikkelen, is dat tot op heden niet gelukt en is vooralsnog preventie de sleutel tot het keren van het tij. Omdat deze ziekte nog van zo recente datum is en omdat zij zich met name door seksuele contacten verspreidt, zijn onze culturen en religies slecht uitgerust om die preventieboodschap over te brengen.

We moeten onze oproep blijven herhalen dat jongeren zich zo lang mogelijk van seks onthouden. Dat ze een condoom gebruiken als ze seks hebben. We moeten onze oproep blijven herhalen dat mannen en vrouwen elkaar trouw zijn. En dat ze een condoom gebruiken als ze dat niet zijn.

Je kunt al acht jaar besmet zijn zonder het te weten, en dus zonder het te weten anderen besmetten. We roepen iedereen die seksueel actief is op zich te laten testen als hij of zij dat nog niet gedaan heeft en openlijk hulp te zoeken in je gemeenschap als je besmet bent. Maar we realiseren ons dat deze oproep alleen zin heeft als de gemeenschap de verantwoordelijkheid op zich neemt mensen met hiv/aids ook daadwerkelijk te ondersteunen. Overal, in onze gemeenschappen, op scholen, op het werk, in de media, in onze financiële instellingen, kerken of sportclubs, moeten we ervoor zorgen dat de discriminatie verdwijnt die mensen uitsluit van de hulp en de waardigheid die ze nodig hebben. Als traditionele leiders en invloedrijke burgers in onze gemeenschappen, provincies en in het land, moeten wij het goede voorbeeld geven.

Wij hebben in Zuid-Afrika schijnbaar onoverkomelijke obstakels geslecht omdat we de handen ineen hebben geslagen en het algemeen belang lieten prevaleren boven verdeeldheid om minder belangrijke dingen. En net zoals we het ongelijk hebben bewezen van de onheilsprofeten die in ons land een eindeloze strijd voorzagen, kunnen wij deze verschrikkelijke ziekte verslaan door collectief de verantwoordelijkheid te nemen om de preventie te bevorderen en te zorgen voor hen die besmet zijn.

In oktober hebben we het Partnership Against Aids gelanceerd en onze gezamenlijke intentie uitgesproken het land te redden. Er is sinds die tijd veel gebeurd, maar we moeten onszelf blijven afvragen: dragen we genoeg bij aan het samenwerkingsverband waar onze toekomst van afhangt? Doen wij, leraren, doen wij, ouders, genoeg? Doen wij zakenlieden van grote en kleine bedrijven genoeg? Wij werkgevers en werknemers?

Jongeren hebben de toekomst en juist zij lopen het grootste risico. Hun idealen en de moed van degenen die met hiv/aids moeten leven, moeten ons stimuleren de uitdaging aan te gaan.

Samen staan we sterk. Laten we op deze Wereld Aidsdag beloven al het mogelijke te doen om onszelf en onze partners voor besmetting te behoeden. Laten we verder bouwen aan het Partnership Against Aids opdat iedere gemeenschap, iedere laag van de bevolking zich verenigt om het tij te keren. Laten we de stilte verbreken door vrijuit en in het openbaar over aids te praten en hen die aids hebben niet langer marginaliseren. Laten we de zorg voor hen met hiv/aids op ons nemen en hen liefdevol en met mededogen bijstaan.

En laten we verklaren dat we vanaf vandaag ons rode lintje zullen dragen ter nagedachtenis aan hen die zijn gestorven en in solidariteit met hen die zijn besmet. Laten we het dragen om te laten zien dat we onze belofte menen.

Aids: het aanpakken van de crisis

Toespraak tot het dagelijks bestuur van Cosatu[1], 25 juli 2001

Wanneer we het over hiv/aids hebben, denken we al gauw in termen van 'crisis'. En dat heeft er op vele manieren voor gezorgd dat we niet verder ingaan op de werkelijke omvang ervan. Het is net als met die mededelingen op pakjes sigaretten: roken is dodelijk, maar toch roken we door.

Misschien moeten we onszelf er eens aan herinneren hoe groot de crisis werkelijk is:

– 4,7 miljoen oftewel 13 procent van de met hiv besmette mensen woont in Zuid-Afrika.
– Per jaar overlijden in Zuid-Afrika 250 000 mensen als gevolg van aids.
– Er zijn ten minste 250 000 aidswezen in Zuid-Afrika.
– Tussen de 50 000 en 100 000 kinderen onder de zestien jaar zijn het hoofd van het gezin.
– De besmettingspercentages zijn nog steeds onaanvaardbaar hoog, ze liggen tussen de 13 en de 25 procent.

We moeten onszelf bovendien ook eens afvragen hoe het komt dat het percentage hiv-besmettingen blijft stijgen, ondanks al onze hulpprogramma's en ondanks het feit dat we miljoenen spenderen aan voorlichting. Die hulpprogramma's zijn van hoge kwaliteit en de uitvoerders ervan zijn uiterst integer.

Een recente studie door de Nelson Mandela Foundation en het Children Fund concludeerde dat

– Voorlichtingsprogramma's over hiv/aids niet alle Zuid-Afrikanen bereiken. Ze stuiten op culturele, taalkundige en geografische obstakels.
– Voorlichting niet altijd betekent dat men ook zijn gedrag verandert.
– Boodschap en boodschapper nog steeds ernstig worden gewantrouwd.
Slechts 1 procent van de Zuid-Afrikanen 'luistert' naar de media, of die nu
een boodschap van de regering of van non-gouvernementele organisaties uitdragen.
– 46 procent van de Zuid-Afrikanen heeft verklaard het afgelopen jaar niets
over hiv/aids te hebben gehoord.

Wanneer we de verschillende programma's evalueren zullen allerlei technische oorzaken naar boven komen die verklaren waarom ze, als geheel, niet
voldoende voor elkaar krijgen dat mensen anders met hiv/aids omgaan. De
huidige programma's kunnen inderdaad verbeterd worden en de Nelson
Mandela Foundation zal proberen veel van de organisaties te helpen die zich
inzetten om de verspreiding van de ziekte tegen te gaan.

Naar mijn mening is er één wezenlijke factor die ervoor zorgt dat de an-
ti-aidsboodschap niet overkomt: stigmatisering. Er hangt nog een enorm
aura van schaamte om de ziekte. Mensen die met hiv besmet raken, worden veelal eenvoudigweg als promiscue gezien, terwijl de werkelijke oorzaak
veel complexer is. Hoeveel mensen hebben hun partners niet besmet omdat ze bang zijn zélf te erkennen dat ze seropositief zijn; of die niet over hun
besmetting durven praten omdat ze bang zijn dat ze door hun dierbaren in
de steek zullen worden gelaten?

Ook bestaan er veel mythen over hoe hiv zich verspreidt. Sommige mensen geloven dat je het al kunt krijgen als je je in dezelfde ruimte als een besmet persoon bevindt. Het leidt allemaal tot een sfeer van geheimzinnig-
heid en ontkenning; het leidt er in het hele land toe dat mensen zich niet
vrijwillig laten testen. Terwijl dat de enige manier is waarop we de werkelijke omvang van de ziekte kunnen bepalen, alsmede de verspreiding over
regio's, seksen en leeftijden.

Vooral in plattelandsgebieden en onder traditionele bevolkingsgroepen
en traditionele gelovigen, wordt de effectiviteit van de voorlichting gehinderd door de onwil en de onmacht om openlijk over de ziekte te praten.

Het is tijd om als Zuid-Afrikanen gezamenlijk de stigmatisering van hiv-
geïnfecteerden en aidsslachtoffers ongedaan te maken. En het is tijd om als
Zuid-Afrikanen op te houden te beweren dat een ander maar de verant-

woordelijkheid moet nemen om de ziekte te bestrijden. Iedere Zuid-Afrikaan gaat deze ziekte aan. Zo'n campagne heeft natuurlijk voorvechters nodig, mensen die de mening van anderen kunnen beïnvloeden.

Laten we ermee beginnen dat ieder lid van de *amakhosi*[2] zonder terughoudendheid zijn volk toespreekt, laten vervolgens de parlementsleden de eerste 10 procent van iedere speech aan het onderwerp wijden, laten doktoren ieder spreekuur hun patiënten erover aanspreken. Iedere vakbondsleider, iedere voorman, iedere werkgever, iedere advocaat moet zich iedere dag weer de vraag stellen: wat kunnen we doen om de verspreiding van hiv te stoppen?

Er moet een leger van anti-aidsvoorvechters opstaan; aids moet worden beschouwd als de vijand waar ons land tegen ten strijde trekt. Iedere dag weer, op de werkvloer, in de kantoortuin, op het sportveld en in het klaslokaal moet die strijd worden gestreden.

Vandaag is misschien een goed moment om te beginnen: hoeveel strijders in dit anti-aidsleger levert het kader van de vakbond? Er is moed voor nodig en er moet een hoop tamtam worden gemaakt. We moeten het niet alleen aan politici en advertenties overlaten om de boodschap te verspreiden. Mond-tot-mondreclame, van kameraad tot kameraad, van arbeider tot arbeider, zal uiteindelijk deze verschrikkelijke vijand genaamd aids verslaan.

Zeg tegen de mensen: aids is geen vloek waarvoor we onze kop in het zand moeten steken, het is een ziekte die we kunnen overwinnen. Het is niet alleen een kwestie van mededogen als we hiv-geïnfecteerden niet langer stigmatiseren: het is een kwestie van praktisch en pragmatisch handelen.

Noten van de vertaler
1 Congress of South African Trade Unions: de Zuid-Afrikaanse vakbondsfederatie.
2 Vergadering van stamhoofden.

10

Kinderen

Een netwerk van zorg

Toespraak op zijn tachtigste verjaardag, Kruger National Park,
16 juli 1998

Op verjaardagen vieren we ons leven en eren we onze familie, en dat is precies wat ik wil dat we vandaag doen. We moeten vieren dat we de kracht en de moed hebben die ons tegenslagen doen overwinnen; we moeten vieren dat we steun, zorg en liefde van onze vrienden, familie en gemeenschap mogen blijven ontvangen.

Onze gemeenschappen en gezinnen hebben nog steeds te lijden onder de schade die de apartheid aan het sociale netwerk heeft toegebracht. Tussen de vijftig- en tachtigduizend jongeren zijn in Zuid-Afrika op een of andere manier in de pleegzorg ondergebracht, meestal buiten het officiële circuit, bij grootouders of andere familieleden. Maar gezien de omvang van het probleem, is veel meer opvang nodig.

Het welzijn van onze kinderen is een van de belangrijkste prioriteiten van de eerste democratisch gekozen regering van het land.

Op mijn zevenenzeventigste verjaardag hebben we de interministeriële commissie geïnstalleerd die de jeugdzorg moest hervormen. Die hervormingen zijn inmiddels een eind op streek en hebben in de pleegzorg reeds belangrijke veranderingen teweeggebracht. Proefprojecten waarbij non-gouvernementele organisaties op het gebied de van gezinszorg zijn betrokken en nieuwe vormen van pleegzorg worden getest, zijn een groot succes gebleken en zullen in het komende jaar overal in het land worden uitgebreid.

De gemeenschappen, families, pleeggezinnen en de jongeren zelf die bij deze projecten betrokken zijn hebben zich van hun beste kant laten zien en aangetoond dat Zuid-Afrikaanse gemeenschappen wel degelijk begrijpen dat we de verantwoordelijkheid voor elkaar moeten nemen. Ook andere projecten, zoals het Children in Distress-project in Pietermaritzburg, en pleegzorgprojecten die door organisaties voor jeugd en welzijn worden gecoördineerd, blijken zeer succesvol te zijn.

Voor het eind van het jaar moeten minimumeisen en uitgangspunten aan de pleegzorg worden geformuleerd door een samenwerkingsverband van pleegouders, pleegkinderen, het ministerie van Welzijn, de non-gouvernementele organisaties en een overlegorgaan voor pleegzorg.

Geen enkele organisatie, ook de overheid niet, kan in haar eentje aan de enorme behoeften van deze kinderen tegemoet komen. Zonder voldoende zorg zullen zij zich nooit optimaal kunnen ontwikkelen en zullen zij hun zo noodzakelijke bijdrage aan de sociale ontwikkeling van Zuid-Afrika nooit kunnen leveren. Om kinderen zonder onderdak, zonder liefde en zorg, íéts van een toekomst te bieden, moeten wij nú gezamenlijk het probleem aanpakken. Regering, non-gouvernementele organisaties, de private sector, de gemeenschappen en de mensen zelf moeten zich gezamenlijk inspannen om binnen de gemeenschap vormen van pleegzorg te organiseren die rekening houden met het kind en zijn achtergrond.

Op deze dag dat we het gezin vieren, moeten we beloven ons te zullen inzetten om jongeren iedere dag het gevoel te geven dat ze deel uitmaken van een gezin. Vandaag staat ook in het teken van onze inspanningen om kinderen binnen het gezin te houden of ze zo spoedig mogelijk te herenigen met hun gezin en hun gemeenschap.

Het welzijn van ons land staat of valt met het welzijn van onze gemeenschappen en kinderen. Ons land kan niet worden opgebouwd zonder dat onze gemeenschappen zich kunnen ontwikkelen of onze kinderen zich kunnen ontplooien.

Vandaag eren we dus al die pleeggezinnen die de moed en de kracht hebben gehad hun hart en hun huis open te stellen voor kinderen die nergens anders naartoe kunnen.

Omdat ik vandaag mijn tachtigste verjaardag vier, wil ik in het bijzonder ook eer bewijzen aan de ouderen in Zuid-Afrika, velen veel ouder dan ik, die de zorg voor jongeren op zich hebben genomen. Het welzijn van het land en de ontwikkeling van de jeugd kunnen het niet zonder uw wijsheid en liefde stellen. Het ministerie van Welzijn onderzoekt manieren waarop u verder kunt worden ondersteund.

Tot u die in Zuid-Afrika de zorg voor een pleegkind heeft, als familielid of via het jeugdzorgstelsel, wil ik zeggen: u heeft een belangrijk verschil gemaakt. U heeft werkelijk de geest van *Ubuntu* tot leven gebracht, die diepgewortelde Afrikaanse notie dat ieder van ons menselijk is door de mede-menselijkheid van andere mensen. In het licht van de strijd tegen hiv/aids en andere levensbedreigende ziekten in Zuid-Afrika, zullen wij nog veel meer mensen zoals u nodig hebben.

Mijn dank aan iedereen – pleeggezinnen, pleegkinderen, sponsors en organisatie – die deze dag mogelijk heeft gemaakt. Ik ben er trots op mensen met zo een groot hart te hebben ontmoet. U heeft me een prachtig cadeau gegeven. Allen die hier vandaag verzameld zijn, dragen bij aan de verdere ontwikkeling van Zuid-Afrika. Deze festiviteiten zijn het product van onze broodnodige samenwerking en laten zien wat er allemaal bereikt kan worden.

Laten we ons er gezamenlijk voor inspannen gemeenschappen en gezinnen op te bouwen waar onze kinderen en jongeren, vooral degenen die het meest te lijden hebben, zich thuis voelen. Laten we een land opbouwen waar onze kinderen een vak kunnen leren, waar zij voor anderen leren zorgen en anderen leren respecteren opdat zij op een dag ook een gezin, een gemeenschap, een land zullen opbouwen dat gezond is en sterk.

Aan alle kinderen in Zuid-Afrika die verdriet hebben en aan iedereen die iedere dag weer voor hen klaarstaat, aan hun gezinnen en hun gemeenschappen zeg ik: samen zullen we de obstakels op ons pad uit de weg ruimen, samen zullen wij overwinnen.

Op weg naar een betere toekomst

Verklaring tijdens de persconferentie ter gelegenheid van de lancering van het Nelson Mandela Children's Fund, Pretoria, 8 mei 1995

Vorig jaar heb ik bij de herdenking van 16 juni, Nationale Jeugddag, beloofd per jaar 150 000 rand van mijn salaris in een kinderfonds te storten dat naar de president is genoemd. Ik stelde nadrukkelijk dat dat een jaarlijks bedrag zou zijn, zelfs als er op het salaris van de president zou worden gekort.

Diezelfde middag heb ik een cheque aan senator Sam Motsuenyane, president van de African Bank, overhandigd. Vandaag doe ik dat bij deze gelegenheid opnieuw.

Ik zal u niet vermoeien met de totstandkoming van het Fonds in de afgelopen elf maanden. U ziet dat ik omringd ben door respectabele mannen en vrouwen die veel ervaring op dit gebied hebben. Aan hen laat ik dan ook de uitwijding over de relevante details; ikzelf zal hier enkel een paar belangrijke principekwesties aansnijden.

Het Nelson Mandela Children's Fund is bedoeld om nieuwe projecten te initiëren en bestaande projecten te ondersteunen die de levensomstandigheden van de achtergestelde Zuid-Afrikaanse jeugd kunnen verbeteren. Het fonds richt zich met name op jongeren onder de dertig die dakloos zijn, geen opleiding hebben of gevangenzitten.

Persoonlijk beschouw ik het als een van de grootste drama's in de geschiedenis van ons land dat jongeren die zich anders optimaal hadden kunnen ontwikkelen en hun bijdrage aan de maatschappij hadden kunnen leveren, voornamelijk als gevolg van de apartheid, zijn veroordeeld tot een leven aan de onderkant.

Net als iedereen hebben ze recht op betere sociale omstandigheden en op een hechtere gezinsstructuur, ten einde hun dromen te kunnen verwezenlijken. Ze hebben recht op, en zij wénsen, een normaal bestaan als rechtschapen burgers. Terecht verwachten zij van het nieuwe, democratische bestel dat hun de hand wordt gereikt op weg naar een betere toekomst.

Hoewel deze tragische situatie zich in verschillende mate in alle gemeenschappen voordoet, zijn zwarte kinderen – Afrikaanse, kleurlingen en Indiase – het zwaarst getroffen. We zijn met zijn allen verplicht de levensomstandigheden van wat in feite een wezenlijk onderdeel van de toekomst van ons land vormt, te helpen verbeteren.

Onze eerste stappen in de richting van dit Fonds betekenden niet meer dan een schamele bijdrage aan een opdracht die het hele land aangaat – de regering, de private sector, en zeker ook de lokale gemeenschappen en de individuele burgers.

Dit Fonds is daarom geen op zichzelf staand initiatief, maar een dat in een groter geheel van initiatieven past die een praktische bijdrage aan de toekomst van de achtergestelde jeugd willen leveren. Evenmin is het een liefdadigheidsinstelling of een gebaar van met zichzelf ingenomen filantropen. Kern van de benadering van het Fonds is dat de jeugd wordt geholpen zichzelf te helpen.

De reacties hebben de afgelopen maanden onze meest optimistische voorspellingen vér overtroffen. Zowel binnen als buiten Zuid-Afrika hebben bedrijven, individuele zakenlieden en burgers en overheden meer dan 1,9 miljoen rand gestort. Met name willen we degenen noemen die voor vijf jaar een jaarlijkse donatie van 150.000 rand hebben toegezegd. Anderen hebben kantoorruimte en andere hulp aangeboden. Vandaag is een unieke gelegenheid om alle donoren uit de grond van ons hart te bedanken. Wij zijn u erkentelijk voor het materiële offer dat u voor het goede doel heeft gebracht.

Deze formele lancering van het Nelson Mandela Children's Fund vanavond is tevens het startschot voor een systematisch fondsenwervingsoffensief. Ik herhaal: alle donaties – grote en kleine – zijn welkom.

Ook zullen we beginnen de aanvragen te verwerken op de wijze die in de richtlijnen in de brochure staat vermeld. Toewijzingen zullen in principe worden gedaan uit het jaarlijkse investeringsrendement van het fonds, zodat ze een stabiele basis hebben. Vanzelfsprekend zullen toezichthouders en directie in het beheer van het fonds eerbaar en professioneel te werk gaan, niemand uitsluiten en onpartijdig en niet seksistisch of racistisch opereren.

Vandaag is voor toezichthouders en directie van het fonds, en voor mij persoonlijk, een heuglijke dag; een droom wordt werkelijkheid. Maar we

staan nog maar aan het begin van een moeizame maar uitdagende en be-
vredigende inspanning. Misschien zijn de enige juiste woorden bij dit soort
gelegenheden: aan de slag!

Actieprogramma voor kinderen

Toespraak bij de presentatie van het National Programme of Action for Children en het Report on Child Poverty, Pretoria, 31 mei 1996

Vandaag is een mijlpaal voor ons land en de kinderen van ons land. Voortbouwend op reeds ondernomen initiatieven zal het National Programme of Action for Children concrete invulling geven aan de oproep die in 1990 door de World Summit for Children is gedaan om de eerste levensbehoeften van kinderen voorrang te geven bij de verdeling van de natuurlijke hulpbronnen van een samenleving.

Het programma zal praktische uitvoering geven aan de verplichtingen die Zuid-Afrika bij de ratificatie van de vn Convention on the Rights of the Child op zich heeft genomen. De verplichting in onze nieuwe grondwet om de belangen van het kind op de voorgrond te plaatsen, zal zo worden nagekomen.

Vele ministeries, afdelingen en organisaties hebben samengewerkt om dit punt te bereiken. Nauw overleg heeft daarnaast plaatsgevonden met onze internationale partners, met name Unicef en de Scandinavische landen, voor wier steun we zeer dankbaar zijn.

Ik wil bij dezen ook allen die het toekomt eer betonen voor hun toewijding aan onze kinderen en voor de eensgezindheid waarmee ze hun taak hebben uitgevoerd. Mijn gelukwensen! U heeft een gezonde basis gelegd aan de hand waarvan wij een van de belangrijkste uitdagingen waar ons land voor staat kunnen aangaan.

Onze kinderen zijn de toekomst van ons land. Het schrijnende gebrek waartoe veel kinderen in Zuid-Afrika zijn veroordeeld vormt een ernstige belemmering voor de ontwikkelingskansen. Door te investeren in hun gezondheid, hun voeding, hun scholing, wordt de kwaliteit van het leven van onze kinderen verbeterd – en investeren we tevens in toekomstige generaties.

Daarom is een specifiek geïntegreerd programma waarbij overleving, bescherming en ontwikkeling van het Zuid-Afrikaanse kind voorop staan, essentieel in de opbouw van een economisch flexibel en gezond land. Kinderen vormen de speerpunt van onze aanval op de armoede, in het bewaken van onze mensenrechten en in het verhogen van het tempo van onze economische groei.

Een dergelijk programma zal ons ook helpen het lot van de kinderen van vandaag te verlichten; zij zijn het voornaamste slachtoffer van de recente veronachtzaming van de meerderheid van het Zuid-Afrikaanse volk. De rapportage van het uitvoeringsorgaan van het Programma voor Wederopbouw en Ontwikkeling beschrijft in huiveringwekkende details de erfenis van die veronachtzaming. Die grimmige statistieken moeten ons aansporen met hernieuwde energie aan de slag te gaan.

Wij hebben de middelen, als we er verstandig mee omgaan, om verandering in de situatie te brengen. We mogen niet langer toestaan dat een op de acht kinderen voor zijn vijfde verjaardag overlijdt en dat een kwart van de kinderen die wel overleven, lichamelijk gehandicapt zijn. Niet langer mag het zo zijn dat meer dan de helft van de op het platteland wonende Zuid-Afrikanen op meer dan vijf kilometer afstand van een medische voorziening wonen. Analfabetisme onder volwassenen en psychische problemen onder kinderen mogen in de toekomst niet meer zo wijdverbreid zijn.

Veel van de belangrijkste programma's van de regering, waaronder de presidentiële 'topprojecten', waren, in reactie op deze erfenis, sterk op kinderen gericht. Het National Programme of Action for Children stemt overeen met deze eerdere programma's, maar dan onder de paraplu van één enkel, breed programma dat aan de basis van de nationale ontwikkeling staat. Het is een nationaal plan waarbinnen ministeries en provinciale autoriteiten, in samenwerking met burgerinitiatieven, lokale autoriteiten, gemeenschappen en personen die zich met kinderen bezighouden, hun eigen prioriteiten en specifieke doelstellingen kunnen formuleren.

Het programma is bedoeld om praktische, haalbare actie te stimuleren. Zuid-Afrika kan met al zijn kennis, technologie en communicatiemiddelen een normale fysieke en cognitieve ontwikkeling van bijna al haar kinderen voor een relatief laag bedrag organiseren. Het terugbrengen van ondervoeding, ziekten en analfabetisme behoort daarom tot de meest haalbare en meest fundamentele uitdagingen waar het land voor staat.

Brede langetermijnprogramma's ontnemen ons vaak het zicht op meer acute noden en specifieke problemen. De lancering van dit programma mag niet ten koste gaan van welke kinderen waar dan ook, of van de organisaties die zo belangrijk waren toen de regering zich niet om onze kinderen bekommerde. Integendeel, een dergelijk programma moet zich ook met bestaande problemen bezighouden en organisaties ondersteunen bij het aanpassen van hun rol aan de huidige behoeften.

Om de behoeften van kinderen aan te pakken is een brede benadering nodig die alle terreinen van beleid, wetgeving en uitvoering bestrijkt. Dat wil zeggen dat departementen en uitvoeringsorganen op alle niveaus elkaar moeten opzoeken en moeten samenwerken met non-gouvernementele organisaties in alle geledingen van de samenleving.

Een kind leert bijvoorbeeld in optimale omstandigheden het best: als er warmte en licht is, thuis en op school, als het gezond is, als er betrouwbaar schoolvervoer is, het gezinsleven stabiel is en veilig, en de ouders betrokken zijn bij het leren.

Het nationale actieprogramma stelt de prioriteiten en formuleert de voorwaarden waarmee wij de doelstellingen die we voor onze kinderen hebben, kunnen realiseren. De uitdaging is nu het programma te gaan uitvoeren. Dat brengt ten minste drie grote taken met zich mee.

Ten eerste moeten we op alle mogelijke manieren de kracht en de wijsheid van alle Zuid-Afrikanen in het programma te gelde maken. Alleen wanneer het op provinciaal niveau, districtsniveau en lokaal niveau wordt geïntegreerd in bestaande programma's, kan het nationale programma werkelijk voor verandering zorgen. Ik ben dan ook verheugd dat op het moment dat wij dit nationale programma lanceren, de provincies in dit kader hun eigen programma's lanceren.

Ten tweede moeten we de geschatte kosten van het programma nauwkeuriger vaststellen en bij de regering, bij de maatschappij zelf en bij de internationale hulporganisaties de benodigde fondsen werven.

Ten slotte is er voor de effectieve implementatie van het programma een betrouwbaar systeem van toezicht en informatievoorziening nodig, om de voortgang te meten en verdere behoeften te herkennen. De rapportage die vandaag voor ons ligt is een goed startpunt van waaruit we verder kunnen kijken. Behoeften, doelstellingen en voortgang moeten niet alleen aan de beleidsmakers, maar aan alle Zuid-Afrikanen kenbaar worden gemaakt. Zo kunnen ook zij helpen de middelen te mobiliseren, delen in de voortgang en in de successen, en zo nodig om meer actie vragen. Het verbeteren van het welzijn van onze kinderen zou net zo'n belangrijk onderdeel van het nieuwe patriottisme moeten worden als het behalen van sportieve successen en het ongedaan maken van de scheidslijnen van vroeger.

Uit alle drie de stappen blijkt dat de regering niet zonder hulp de doelstellingen van de World Summit kan bereiken, de verplichtingen die uit de Convention on the Rights of the Child voortvloeien kan uitvoeren, of de visie op de toekomst voor onze kinderen zoals vastgelegd in de nieuwe grondwet kan waarmaken. Iedere Zuid-Afrikaan moet hier een rol in spelen en heeft een specifieke verantwoordelijkheid om zich te scharen achter de revolutie voor onze kinderen.

Morgen is het de internationale dag van het kind en er is geen beter moment om nogmaals onze inzet – als persoon en als groep – voor het bouwen aan een betere toekomst voor onze kinderen, te bevestigen.

11

Helden

Steve Biko

Toespraak bij de twintigste herdenking van de dood van Steve Biko,
Oost-Londen, 12 september 1997

Vandaag zijn wij hier bijeen om eer te bewijzen aan een van de grootste zonen van onze natie, Stephen Bantu Biko. De hoop in zijn leven en zijn leven van hoop kunnen worden samengevat in zijn eigen welluidende woorden: 'Uiteindelijk zullen we Zuid-Afrika het belangrijkste kunnen geven wat er is – een menselijker gezicht.'

En zo zijn wij samengekomen om ons achter dat ideaal van een groot man te scharen, een man uit een deel van het land dat al eeuwenlang geweldige mannen en vrouwen voortbrengt, leiders die zichzelf onder de zwaarste omstandigheden hebben bewezen; dat sinds de tijd van Hintsa de voedingsbodem is geweest voor een ononderbroken traditie van compromisloos verzet. Denk aan Enoch Sontonga, Vuyisile Mini, Matthew Goniwe, Fort Calata, Sparrow Mkhonto, en Griffiths en Victoria Mxenge, om er maar een paar te noemen. Velen van hen werden in koelen bloede vermoord door vertegenwoordigers van een ten dode opgeschreven regime.

Dat wij vandaag bijeen zijn, zegt genoeg over ons voornemen de herinnering aan onze helden en heldinnen levend te houden; om de vlam van het patriottisme in het hart van Steve Biko en zijn geestverwanten brandende te houden; om opnieuw de belofte te doen een menselijker gezicht te geven aan een samenleving die eeuwenlang onder een onmenselijke laars is vertrapt.

In herdenkingsredes willen overlevenden de waarheid nog wel eens geweld aandoen. Maar wat over Steve Biko is gezegd, wat over hem op Robbeneiland en in andere gevangenissen werd gefluisterd, heeft standgehouden. Dat hij inderdaad een groot man was die met kop en schouders uitstak boven zijn gelijken, wordt niet alleen bevestigd door degenen die hem kenden en met hem hebben samengewerkt, maar ook door wat hij heeft weten te realiseren.

De geschiedenis heeft een beroep op Steve Biko gedaan toen de politieke daadkracht van ons volk was aangetast door spreek- en publicatieverboden, gevangenschap, moord en verbanningen. De repressie maakte iedere vorm van openlijke mobilisatie van het volk onmogelijk. Maar steeds opnieuw blies de apartheid zelf het verzet nieuw leven in; het systeem was gedoemd zijn eigen graf te gaven.

In de geschiedenis staan nu eenmaal altijd op het juiste moment de leiders op die de wensen en verlangens van de onderworpenen begrijpen. Steve Biko was zo'n leider, een kind van zijn tijd, een trotse woordvoerder van de wederopstanding van zijn volk. Het was de tijd dat, doordat overal in Afrika de contouren van een zwaarbevochten vrijheid zichtbaar werden, elders in de wereld de zwarte gemeenschap haar trots hervond en onderworpenen werden aangespoord hun lot weer in eigen handen te nemen.

Het is het noodlot van leiderschap verkeerd te worden begrepen; geschiedschrijvers, academici, schrijvers en journalisten bekijken het tenslotte door een gekleurde bril. Dit geldt eens te meer in een land waar via vele, zeer uiteenlopende media de zoektocht naar waardigheid en nationaal bewustzijn over het voetlicht kan worden gebracht.

Vanaf het allereerste begin heeft de Black Consciousness[1] zich gepresenteerd als 'een zienswijze, een levenshouding'. Op verschillende manieren en vanuit verschillende invalshoeken hebben die zienswijze en levenshouding een rol gespeeld in de strijd; ze zijn bepalend geweest voor de vastberadenheid van zowel de leiders als de massa's.

De Black Consciousness heeft zich altijd ingezet om de trots en de saamhorigheid van de onderworpenen te stimuleren, om de verdeel-en-heersstrategie te saboteren, om de massa het vertrouwen te geven dat zij in staat zou zijn een einde aan de onderdrukking te maken.

Het ANC heeft op zijn beurt vanaf begin jaren zeventig de Black Consciousness omarmd als wezenlijk onderdeel van de revolutie. Het ANC zag in dat de bewegingen de volksopstand van de onderdrukte groepen konden organiseren. Het ANC zag bovendien in dat het volk door middel van strijd – door middel van massa-acties, ondergrondse operaties, gewapende acties en internationale mobilisatie – zich het snelst bewust zou worden van zijn eigenwaarde, van zijn gelijkwaardigheid aan ieder ander, van zijn vermogen geschiedenis te schrijven.

Al is het vanzelfsprekend, we mogen er ook trots op zijn dat het overgrote deel van de jonge strijders die in de Black Consciousness-beweging ervaring opdeden en een politiek bewustzijn ontwikkelden, vandaag de dag zelf hoge functies bekleden binnen nationale en provinciale overheden, binnen de ambtenarij, binnen de rechterlijke macht en de inlichtingen- en veiligheidsdiensten van de democratische regering. Zij hebben een plaats gevonden in de universitaire wereld, de zakenwereld, in de vakbeweging en binnen andere maatschappelijke instellingen – op strategische plekken, zodat zij hun stempel kunnen drukken op de nieuwe orde die langzaam maar zeker ontstaat.

De zienswijze en levenshouding die Biko en de zijnen propageerden zijn ook vandaag nog hard nodig. Ze zijn van belang bij het vinden van onze plaats als Afrikaanse natie op het Afrikaanse continent. Ze zijn van belang bij het weerstaan van de verleiding om op anderen te gaan lijken.

Een nieuwe geestesgesteldheid en een nieuwe levenshouding zijn nodig als we de levensomstandigheden van mensen willen veranderen. Maar tegelijkertijd zullen die alleen tot bloei kunnen komen wanneer we erin slagen gezamenlijk een beter bestaan op te bouwen. Ze zijn nodig bij onze inspanningen het volk de macht in handen te geven; bij het creëren van nieuwe media die de uitgangspunten en doelstellingen van de meerderheid respecteren; bij het structureel herverdelen van onze welvaart; bij het herformuleren van onze idealen.

Steve Biko omhelsde, inspireerde en propageerde de zwarte trots, maar deze werd voor hem nooit een obsessie. Uiteindelijk gaat het erom, zei hij zelf, dat je je eigen zwart-zijn als een belangrijk uitgangspunt voor de strijd ziet. Vandaag de dag moet het een uitgangspunt zijn voor de wederopbouw en ontwikkeling, voor onze gezamenlijke inspanning om een einde te maken aan oorlog, armoede en ziekte.

Een van Biko's belangrijkste wapenfeiten – het wapenfeit waarvoor hij zelf zijn leven zou geven – was dat de slachtoffers van de apartheid weer trots op zichzelf durfden te zijn. De waarde die de Black Consciousness aan de eigen cultuur hechtte, vond weerklank in het hele land, alsmede in de gevangenissen en bij de groepen die in ballingschap verbleven. Ons volk, dat eerder voor inspiratie naar Europa en Amerika had gekeken, kon de blik nu op Afrika zelf richten.

Cultuur en creativiteit zijn, net als de waarheid, eeuwig. Het is dan ook een mooie samenloop van omstandigheden dat Steve Biko wordt geëerd met een bronzen standbeeld van de hand van Naomi Jacobson, in zekere zin een streekgenote van Biko. Het is ook bepaald bijzonder dat het beeld werd gefinancierd door creatieve mensen als Denzel Washington, Kevin Kline en Richard Attenborough, die de film *Cry Freedom* over Biko maakte. Een andere sponsor is Peter Gabriel, wiens nummer 'Biko' de vlam van de antiapartheidsstrijd brandende hield. Deze Brits-Amerikaanse vorm van samenwerking zegt veel over Steve Biko's internationale aanzien.

Toen Steve Biko het had over 'een menselijker gezicht' was dat gericht tegen de wreedheid van hen die zich beestachtig gedroegen bij het verdedigen van de onrechtvaardigheid. Onversaagd weerstond hij hun wreedheid, en pas nu beginnen we langzaam te begrijpen wat zich in zijn laatste momenten heeft afgespeeld.

Nu de Waarheids- en Verzoeningscommissie de waarheid langzaam maar zeker in kaart brengt, zullen we onszelf ongetwijfeld kwellen met de vraag welke prijs in termen van gerechtigheid de slachtoffers moeten betalen. Maar laten we ons troosten met het besef dat de halve waarheden van een eenvoudige ondervrager de schuld van de bevelhebbers en de politieke leiders die de opdrachten gaven niet uitwist. We weten dat zij wanhopig uit hem probeerden te trekken wie zijn contactpersoon bij de leiding van de bevrijdingsbeweging was. Uiteindelijk zal de waarheid aan het licht komen!

In die moeilijke uren twintig jaar geleden ontviel het land door de slingerstenen en pijlen van een kwaadaardig lot een getalenteerde jongeman die, was hij blijven leven, nog veel meer voor onze beweging had zullen betekenen. Desalniettemin zal onze verbondenheid met de solidariteit waar Steve Biko voor stond, ons blijven leiden in onze gezamenlijke, praktische inspanningen om de erfenis van de onderdrukking ongedaan te maken.

Dat betekent dat wij als overheid, op elk niveau en binnen alle geledingen van de maatschappij, moeten samenwerken om welvaart te brengen aan de provincie, aan het land, aan het continent dat hem voortbracht. Het betekent dat wij allen Zuid-Afrika over de drempel van de grootsheid waar het land voor staat moeten helpen tillen. Wij zullen daarin slagen als we maar vooral respect voor onszelf hebben, en voor de mensheid in ieder van ons. Het betekent dat wij ons een zienswijze en een levenshouding aanmeten die vreugde schept in het eerlijke werk een nieuwe samenleving op te bouwen.

Uiteindelijk moeten wij Zuid-Afrika het belangrijkste geven wat er is – een menselijkere samenleving.

We vertrouwen erop dat wij, met het scheppen van een nieuw, welvarend land, de strijd waarin Steve Biko het hoogste offer bracht, voortzetten.

Wij hopen dat wij met de onthulling van dit standbeeld, het herdopen van de brug en het tot nationaal monument verklaren van zijn huis in Ginsberg, onze eigen bescheiden bijdrage aan zijn onsterfelijkheid leveren.

NOOT VAN DE VERTALER

1 De Black Consciousness Movement werd eind jaren zestig door Steve Biko opgericht. De beweging wilde de zwarten in Zuid-Afrika naar het Amerikaanse voorbeeld van Black Power vooral leren trots op zichzelf te zijn.

Ruth First

Toespraak bij de herdenking van Ruth First, tien jaar na haar dood, tot de Commemoration Trust, Kaapstad, 17 augustus 1992

Toen ik vandaag tien jaar geleden – ik zat gevangen in Pollsmoor Prison – hoorde dat Ruth First was vermoord, voelde ik me ontredderd en verschrikkelijk alleen. De klap kwam des te harder aan doordat ik de twee mannen kende die bij de aanslag gewond waren geraakt. Ik herinnerde me Pallo Jordan zoals ik hem de laatste keer had gezien, in 1948, toen ik een paar dagen bij hem logeerde. En kameraad Braganza zag ik weer voor me tijdens onze ontmoeting in 1962 in Marokko, terwijl hij gedreven tegen me aan zat te praten.

Maar Ruth First zag ik het scherpst voor me: Ruth in een vurig debat verwikkeld tijdens onze studietijd aan de Universiteit van Witwatersrand; Ruth die onvoorwaardelijk brak met de voordelen die haar gegoede afkomst haar bood; die onmiddellijk bereid was de rassengrens over te steken die maar zo weinig blanken bereid waren, en zijn, over te steken; een vrouw die de passie en de compassie had anderen, ook mensen met meer liberale of conservatieve opvattingen, te stimuleren om hun verantwoordelijkheid te nemen.

Het is een schrale troost dat de herinnering aan haar levend blijft, dat haar vrijheidsdrang velen die zich inzetten voor een open samenleving, die er strikte opvattingen op na houden en moed en principiële daadkracht aan de dag leggen, nog steeds inspireert.

Ruth heeft haar leven in dienst gesteld van het volk van zuidelijk Afrika. Ze werd vanwege haar overtuigingen gevangengezet. Ze werd vermoord vanwege haar scherpe politieke inzicht in combinatie met de weigering haar principes af te zweren. Haar leven, haar dood, blijft een baken voor iedereen die de vrijheid liefheeft.

Velen van u die hier vandaag aanwezig zijn, hebben Ruth persoonlijk gekend en zullen haar op een gepaste manier herdenken. Maar voor ons betekende de moord op Ruth First niet alleen een enorme persoonlijke tragedie. Die moord was onderdeel van een systematisch patroon van uitroeiing
van de leidende figuren in de strijd tegen de apartheid. Het is toepasselijk
dat wij nu, tien jaar later, deze herdenkingsbijeenkomst hebben, aangezien
nu pas de informatie boven water begint te komen over de doodseskaders
en de misdaden die ter verdediging van de apartheid werden begaan.

Ons land roept om vrede. Maar die zal pas bereikt kunnen worden als
we de werkelijke oorzaken van het geweld onder ogen zien en de krachten
hebben ontmanteld die aan de basis staan van wat in feite een stille oorlog
tegen het volk is.

Het geweld dat onze samenleving verscheurt, vertoont een duidelijke sys-
tematiek.

Ten eerste is er het willekeurige geweld waarvan iedereen, met welke politieke voorkeur of van welke etnische afkomst ook, het slachtoffer kan worden. Dit is het geweld in de vorm van de aanvallen op treinen, taxi's, uit-
gaansgelegenheden, et cetera.

Ten tweede geven deze uitbarstingen van willekeurig geweld een patroon
te zien van moordaanslagen op het lagere en middenkader van de Mass Democratic Movement[1]. Hiertoe behoren ook leden van gemeenschappen die
door deel te nemen aan het vredesproces, een eind aan het geweld proberen te maken. Dergelijke moordaanslagen zijn bedoeld om de spanningen
op te voeren en wraakacties uit te lokken.

Ten derde zijn er de systematische moordaanslagen op leidende politieke figuren als Ruth First, Joe Gqabi, Matthew Goniwe, David Webster en
Griffiths en Victoria Mxenge, om er maar enkelen te noemen.

En binnen dit alles is één constante factor zichtbaar: de Zuid-Afrikaanse veiligheidstroepen, die zich tot nog toe niets van de wet hebben hoeven
aantrekken. Op deze en soortgelijke bijeenkomsten moeten we niet alleen
degenen die ons zijn ontvallen eren, maar ons ook afvragen hoe we openbaar kunnen maken wat er is gebeurd en welke patronen nog steeds bestaan,
opdat er een einde aan het geweld kan worden gemaakt.

De algemeen heersende wetteloosheid blijkt uit de systematische marte-
lingen – door middel van slaan, elektrische schokken en hoofdkappen waarmee men gevangen laat stikken – en de voortdurende sterfgevallen van ge-
detineerden.

We zouden moeten geloven dat de geluidsopnamen uit Boipatong per ongeluk zijn gewist. Als dat waar is, is de incompetentie van de politie werkelijk ongelooflijk. Als we geloven dat er over de oorspronkelijke opnamen heen nieuwe opnamen zijn gemaakt, moeten we ook aannemen dat de politie niet wist hoe ze de apparatuur moest gebruiken, dat ze niet wist dat ze dat niet wist, en dat ze er geen idee van had dat er geen opnamen waren gemaakt van de dagelijkse telefoongesprekken. Als we geloven dat de banden op die manier zijn gewist, moeten we ook aannemen dat er geen enkele vorm van interne aansprakelijkheid, communicatie, of zelfs maar enig systeem in wat dan ook binnen de politie bestaat.

Ook moeten we aandacht besteden aan het nieuws dat minister Adrian Vlok van Wet en Orde een vergadering van de nationale veiligheidsraad heeft voorgezeten die de mogelijkheid 'Goniwe uit de weg te ruimen' heeft overwogen. We moeten ons blijven inzetten informatie te verkrijgen over de rol van generaal Van der Westhuizen, niet alleen met betrekking tot de moord op Goniwe, maar ook meer in het algemeen over zijn betrokkenheid bij de poging om onlangs in Londen Dirk Coetzee te vermoorden.

We hebben het hier over het topje van de ijsberg en nu al wordt er door ministers geroepen om een algemene amnestie. Daar zijn we niet uit principe op tegen, maar zo'n beslissing moet door een interimregering worden genomen. Het is niet aan deze minderheidsregering om zichzelf vrij te pleiten. Verder moet amnestie samengaan met de volledige openbaarmaking van de misdaden uit het verleden en met de bekendmaking van wie deze hebben gepleegd. Dit is niet bedoeld om wraak te kunnen nemen, maar om ervoor te zorgen dat we dat soort etterende wonden niet naar de toekomst meenemen.

Een zuiveringsproces betekent niet simpelweg een proces van vrijpleiting. Bovendien werkt het averechts als de misdaden die zijn begaan ter verdediging van de apartheid gelijk worden gesteld aan de acties waarmee diezelfde apartheid werd bestreden. De acties van het Franse verzet waren onvergelijkbaar met die van de Duitse bezetter.

Om de toekomst met vertrouwen tegemoet te zien, moeten we het hoofd koel houden en een ijzeren discipline aan den dag leggen. We verwelkomen de suggestie van de secretaris-generaal van de VN, de heer Boutros Boutros-Ghali, om een onderzoek in te stellen naar de Zuid-Afrikaanse veiligheidstroepen, de Zuid-Afrikaanse politie, de politie van Kwazulu, Umkhonto we Sizwe[2], Apla[3] en andere instituten. Rechter Goldstone zal een eindoordeel over dat onderzoek moeten uitspreken en we zullen zijn commissie met alle mogelijke middelen ondersteunen.

In het verlengde van het bezoek van Cyrus Vance komt de VN Veiligheidsraad vandaag bijeen om verdere stappen te bespreken. Ons verzoek om internationale waarnemers permanent in Zuid-Afrika te stationeren is welwillend ontvangen en we wachten een definitieve beslissing hieromtrent af.

De meest dringende taak is echter de veiligheidstroepen onder één centrale commandostructuur te brengen die door een commissie bestaande uit meerdere partijen wordt gecontroleerd.

Dit alles is noodzakelijk om een einde te maken aan het bloedvergieten en de vrede en de democratie in Zuid-Afrika dichterbij te brengen. Laat ieder van ons hier zijn rol in spelen.

Ruth First en de talloze anderen die hun leven hebben gegeven, leven voort in ons hart. Wij zullen hen nooit vergeten.

Noten van de vertaler
1 Informeel samenwerkingsverband tussen anti-apartheidsgroeperingen, opgericht in de vroege jaren zeventig.
2 Samenwerkingsverband tussen kerkelijke en maatschappelijke organisaties ter bestrijding van de apartheid, opgericht door dominee Alan Boesak in 1983.
3 Gewapende vleugel van het Pan-Africanist Congress (PAC), een militant-zwarte afscheiding van het ANC (1959).

Bram Fischer

Toespraak ter gelegenheid van de eerste Bram Fischer Memorial Lecture, Market Theatre, Johannesburg, 9 juni 1995

Vele duizenden mensen zijn het Legal Resources Centre dankbaar voor het initiatief voor de Bram Fischer Memorial Lecture. Ik dank u voor de uitnodiging de eerste te geven. Ik weet zeker dat zolang er Zuid-Afrikanen zijn die naar vrijheid hunkeren in een niet-racistisch, democratisch Zuid-Afrika, er Bram Fischer Memorial Lectures gehouden zullen worden.

Bram Fischer was een groot advocaat en een groot patriot. In de colleges die volgen zullen juristen en anderen aandacht besteden aan fundamentele juridische en maatschappelijke zaken waar Bram Fischer zich diep mee verbonden voelde en waar ook het Legal Resources Centre zich mee bezighoudt. Maar aangezien dit de eerste Bram Fischer Lecture is, heb ik ervoor gekozen het over de man, in plaats van over de wet te hebben.

De laatste keer dat ik Bram Fischer zag was op Robbeneiland, ongeveer twee weken nadat we levenslang hadden gekregen, in juni 1964. Hij was met onze advocaat Joel Joffe meegekomen om te horen hoe we eraan toe waren en of we bij onze beslissing bleven niet in beroep te gaan. Ik mocht hem van de majoor niet omhelzen. Hoewel hij vond dat we absoluut wel in beroep moesten gaan, legde hij zich bij onze beslissing neer. Hij en Joel wilden weten hoe we werden behandeld en dat vertelde ik. Toen vroeg ik Bram naar Molly, zijn vrouw. Op dat moment stond Bram abrupt op, excuseerde zich en verliet de kamer. Een paar minuten later kwam hij terug en leek hij weer de oude, en hervatte hij het gesprek, echter zonder op mijn vraag antwoord te geven. Op weg terug naar onze cellen vroeg de majoor me of ik me niet had verbaasd over Bram Fischers gedrag. Ik zei dat ik dat inderdaad had gedaan en hij vertelde me dat Molly de week ervoor bij een auto-ongeluk was omgekomen.

We waren kapot van dat nieuws. Molly was een geweldige vrouw, groot-moedig, onzelfzuchtig, volkomen onbevooroordeeld. Ze was Bram op tal-loze manieren tot steun geweest, als vrouw, collega en kameraad.

Het was typisch voor Bram om te weigeren over Molly en wat er gebeurd was te praten. Hij was een stoïcijn, iemand die zijn vrienden nooit met zijn eigen leed of zorgen zou opzadelen. Hij was op bezoek gekomen om ons te adviseren en zijn zorg over onze situatie uit te spreken; hij wilde niet dat hij het onderwerp van onze zorg zou worden.

Bram was een moedig mens, die de moeilijkste weg koos die een mens maar kan kiezen. Hij bekritiseerde zijn eigen mensen, omdat hij vond dat wat zij deden onethisch was. Als een Afrikaner wiens geweten hem dwong zijn eigen erfgoed af te zweren en die door zijn eigen mensen dood werd verklaard, toonde hij uitzonderlijke moed. Ik bestreed slechts de onrecht-vaardigheid, niet mijn eigen volk.

Kort voor hij werd gearresteerd en tot levenslang veroordeeld, werd Bram Fischer gevraagd of de opoffering van zijn gezin en zijn advocatenpraktijk, de wijze waarop hij als een vogelvrijverklaarde was opgejaagd en de onver-mijdelijke zware straf die volgde, hadden opgewogen tegen het voor min-der dan een jaar leiding geven aan de ondergrondse beweging. Hij vond de vraag beledigend. Zijn kritische wedervraag luidde: 'Heeft u dat ook aan Nelson Mandela, Walter Sisulu, Govan Mbeki, Kathy Kathrada of iemand anders gevraagd die al tot deze straf is veroordeeld? En zo niet, waarom stelt u mij dan die vraag?'

Meer dan zeventig jaar heb ik moeten wachten tot ik voor het eerst mocht stemmen. Ik koos ervoor het te doen vlak bij het graf van John Dube, de eerste voorzitter van het ANC, de Afrikaanse patriot die in 1912 medeoprich-ter was van de organisatie. Ik stemde niet alleen voor mijzelf, maar voor de velen die deel hadden genomen aan de strijd. Ik voelde dat ik in het gezel-schap was van Oliver Tambo, Chris Hani, chief Albert Luthuli en Bram Fi-scher. Ik voelde dat Josiah Gumede, G.M. Naicker, dr. Abdullah Abdurah-man, Lilian Ngoyi, Helen Joseph, Yusuf Dadoo, Moses Kotane en Steve Biko aan mijn zijde stonden. Ieder van hen hield mijn hand vast toen ik het hok-je rood maakte, hielp het formulier dichtvouwen en het in de stembus doen.

Zelfs zijn politieke tegenstanders zouden het met ons, zijn kameraden, eens zijn dat Bram Fischer premier of president van het Hooggerechtshof in Zuid-Afrika had kunnen worden als hij het smalle pad van het Afrikaans nationalisme had gevolgd. In plaats daarvan koos hij voor de lange en moeizame weg naar de vrijheid. Niet alleen voor hemzelf maar voor ons allemaal. Hij koos voor de weg die door de gevangenis liep. Hij legde die weg met moed en waardigheid af. Hij was een lichtend voorbeeld voor velen die hem volgden.

Veel mensen hebben zich afgevraagd wat hem er zo vroeg al toe bracht te kiezen tussen de privileges die het systeem hem bood en de gevangenschap en brute veroordeling waarvan hij wist dat hij ze zou moeten ondergaan.

Abraham Fischer, zijn grootvader, was rond de eeuwwisseling en met name gedurende de Boerenoorlog een vertrouweling van president Steyn van Oranje Vrijstaat geweest. Hij werd premier van de Orange River Colony toen de bittere pil van de nederlaag moest worden geslikt. Er was leiderschap nodig om het land opnieuw op te bouwen en de wonden die de oorlog had geslagen te laten helen. Zijn grootvader werd dat leiderschap aangeboden. Zijn vader, Percy Uhlrig Fischer, was in zijn jeugd nog militanter dan zijn grootvader. Hij identificeerde zich sterk met het Afrikaans nationalisme van Hertzog en organiseerde in 1914 zelfs een ambulancedienst ter ondersteuning van de opstandelingen tegen de regering van Louis Botha's South African Party.

Er waren burgers in Oranje Vrijstaat die niet met de Britten tegen de Duitsers wilden meevechten maar voor de andere partij kozen, in de hoop dat de Afrikaners zo hun vrijheid zouden verkrijgen. Brams vader was advocaat, verdedigde veel Boeren-opstandelingen en liet niet na regelmatig zijn walging uit te spreken over de Zuid-Afrikaanse rechters die, zo zei hij, hun ziel aan de *rooinekke* hadden verkocht en burgers gevangenisstraffen oplegden.

Toen Zuid-Afrikaanse rechters onze kameraden tot vijf, tien en soms vijftien jaar gevangenisstraf veroordeelden, placht Bram het vertaal te vertellen over zijn vader die had gedreigd zijn toga te verbranden toen een burger tot drie jaar gevangenisstraf werd veroordeeld.

Bram vertelde ook dat leden van zijn gezin generaal De Wet en andere rebellen in de gevangenis hadden opgezocht. Al was hij nog geen acht jaar oud, toch hadden zijn ouders hem bij die bezoeken meegenomen. Zijn vader en diens gezin hadden een hoge prijs moeten betalen voor wat ze hadden gedaan. Zijn advocatenpraktijk leed eronder, aangezien zijn steun voor de rebellen tegen de heersende waarden van de tijd in ging. Door financiële omstandigheden gedwongen, verhuisde het gezin naar een boerderij in

Bloemfontein. Zijn moeder werd bloemenverkoopster op het station, om het inkomen aan te vullen. Net als veel mensen tegenwoordig, moest zij om vier uur 's morgens opstaan om haar huishoudelijke en andere taken uit te voeren.

Door die achtergrond ontkwam hij er niet aan een Afrikaner nationalist te worden, net zoals ik dertig jaar later vanwege de blanke onderdrukking een Afrikaans nationalist werd. Beiden veranderden we. Beiden stonden we afwijzend tegenover het idee dat onze politieke rechten bepaald werden door onze huidskleur. Als kameraden, als broeders omhelsden wij elkaar en gingen de strijd om de vrijheid voor alle mensen in Zuid-Afrika aan, om een eind aan het racisme en de uitbuiting te maken.

Bram werd in november 1965 gearresteerd. In maart 1966 vertelde hij vanuit de beklaagdenbank over de verandering die hij had ondergaan. Hij vertelde hoe hij was opgegroeid op een boerderij waar hij zich niet anders voelde dan de twee Afrikaanse jongetjes met wie hij de hele dag optrok en speelde. Later, op school in de stad en aan de universiteit, bestonden er alleen meesters en bedienden, geen vrienden aan weerszijden van de kleurgrens. Zo begon hij in segregatie te geloven. Hij kwam in aanraking met het Bloemfontein Joint Council van Europeanen en Afrikanen, die zich vooral bezighielden met het uitoefenen van druk op de autoriteiten om behoorlijke, maar gescheiden, voorzieningen voor Afrikanen te realiseren. Hij geloofde nog steeds in segregatie. Hij vond het moeilijk een zwarte man vriendschappelijk de hand te schudden.

Leo Marquard, zijn geschiedenisdocent aan Grey College, had een belangrijke invloed op Brams leven en zorgde ervoor dat hij zijn blik verruimde. Na zijn kandidaats studeerde hij twee jaar aan de Universiteit van Kaapstad, maar hij keerde terug naar Bloemfontein om een betere kans op een Rhodes-beurs voor Oxford te hebben. Zijn anti-imperialisme en het accepteren van een beurs genoemd naar deze aartsimperialist kon hij best met elkaar verenigen. Het Afrikaner nationalisme van zijn vader was tenslotte ondanks zijn studie aan de Universiteit van Cambridge ook overeind gebleven.

In 1929 werd de National Union of South African Students – de Nusas – gevormd. Er werd een schijnparlement opgericht. Er werden politieke partijen opgericht die een afspiegeling waren van de partijen die deel uitmaakten van het geheel blanke Zuid-Afrikaanse parlement. Bram Fischer propageerde het Afrikaner nationalisme. Hij werd de eerste premier van die studentenorganisatie. Het pad naar een topfunctie in de politiek werd geëffend. Maar hij begon zich langzamerhand een nieuw beeld van Zuid-Afrika te vormen.

Rond deze tijd reed hij eens een oude ANC-leider naar huis in het westen van Johannesburg. Bram probeerde hem ervan te overtuigen dat de enige manier waarop de rassen níet zouden botsen was, hen gescheiden te houden. Volgens Bram zag die oude ANC-leider het anders. Hij vertelde over de gebeurtenis tijdens zijn eigen rechtszaak. Dit was wat de oude man tot hem zei:

> Wanneer je de rassen die in één land leven in twee kampen gescheiden houdt en alle contact tussen hen verbreekt, zal op den duur iedereen in het ene kamp vergeten dat degenen in het andere kamp gewone mensen zijn, dat iedereen op dezelfde manier leeft en lacht, dat iedereen vreugde en verdriet ervaart, en om dezelfde redenen trots is of zich vernederd voelt. En op den duur zal dus iedereen degenen in het andere kamp gaan wantrouwen en bang voor hen worden, en dat is de basis van alle racisme.

Bram zelf ging hier uiteindelijk ook in geloven en verbond zichzelf derhalve zonder enige terughoudendheid met de strijd voor een samenleving waarin dit onderkend werd. Er is nog steeds een minderheid in ons land voorstander van aparte zelfstandige thuislanden, maar de overgrote meerderheid heeft inmiddels de waarde van de woorden van die oude ANC-leider ingezien. Ik roep de rest op hun voorbeeld te volgen. Hun eigen cultuur en erfgoed zullen op geen enkele manier worden aangetast als ze maar zonder enige terughoudendheid accepteren dat wij één land zijn en er allen permanent naar moeten streven één staat te worden.

Door Brams studie in Oxford en zijn reizen door Europa en met name door Duitsland en de Sovjet-Unie, zag hij met eigen ogen de ideologische verschillen tussen het nazisme en het socialisme. De ideologie van het superras van Nazi-Duitsland leek hem in niets te verschillen van het blanke racisme in Zuid-Afrika. Desalniettemin bracht het hem er niet toe in Zuid-Afrika lid te worden van de Communistische Partij. Hij keerde terug, begon een advocatenpraktijk en pas jaren later werd hij lid van de Communistische Partij. Hij werd beïnvloed door mensen als J.B. Marks, Moses Kotane en Yusuf Dadoo en door het feit dat met uitzondering van een enkele religieuze leider, communisten de enige blanken waren die zwarten zonder meer als gelijken zagen.

In 1935 werd Bram lid van de balie in Johannesburg. In 1937 trouwde hij met Molly Krige, een nichtje van 'Ouma' Smuts. Hij raakte vertrouwd met het leven van de onderwerpen in Zuid-Afrika door zijn betrokkenheid bij de South African Institute of Race Relations, de Joint Council of Europeans and Africans en in het bijzonder het Alexandra Health Committee. Bram en Molly waren lid van het lokale bestuur van de Communistische Partij. Molly werd op een haar na gekozen in de gemeenteraad van Johannesburg voor de Communistische Partij, iets waar later Hilda Watts, de vrouw van Rusty Bernstein, onze medebeklaagde in het Rivonia-proces, wel in zou slagen. Bram haalde de successen van de sovjettroepen tegen de nazi's aan en hoe destijds de houding van de meeste mensen tegenover de Communistische Partij verschilde van die van nu, en hoe de partij de blanke stemgerechtigden in Zuid-Afrika voor zich zou kunnen winnen. Pas later, in de tijd van de koude-oorlogspropaganda en het roeren van de tribale trom door de Nationalisten, ontstond de haat van de meeste blanken tegen de Communistische Partij. Daarnaast geloofden ze dat ze de beweging in diskrediet konden brengen door iedereen die deelnam aan de vrijheidsstrijd tot communist te bestempelen.

In 1946 verklaarde het lokale bestuur van de Communistische Partij zich solidair met het lot van de zwarte mijnwerkers die een zogenaamde 'illegale' staking waren begonnen tegen de mijncorporatie. Ofschoon Bram op het moment dat die beslissing werd genomen afwezig was, tekent het hem dat hij in alle solidariteit de juridische verantwoordelijkheid nam, waarvoor hij tot een gevangenisstraf werd veroordeeld.

Door Brams betrokkenheid bij de strijd veranderden velen van ons binnen het ANC van afrikanisten in mensen die geloofden in niet-racistische democratie. De verklaring in het Freedom Charter [Handvest van de Vrijheid; vert.] uit 1955 dat Zuid-Afrika van iedereen is, blank en zwart, werd geïnspireerd door vele mensen, afkomstig uit allerlei rassen, die zich bij onze strijd betrokken voelden. Geen van hen stonden in hoger aanzien dan Bram en Molly Fischer.

Bram trad vaak op als onze juridisch adviseur en verdedigde ons voor de rechtbank. Wanneer hijzelf niet kon verschijnen of het verstandiger achtte dit niet te doen, vroeg hij anderen die hoge functies bij de balie hadden het over te nemen. Velen, onder wie Harold Hanson, Isie Maisels, Walter Pollak, Rex Welsh, H.C. Nicholas, Vernon Berrangé, John Coaker, Sydney Kentridge, Tony O'Dowd, Chris Plewman en vele anderen, deden dat. Allen hadden het grootste respect voor Bram en zagen daarom vaak ook af van hun honorarium.

Zij traden voor ons op toen we werden aangeklaagd voor onze rol in de campagne voor burgerlijke ongehoorzaamheid, toen werd getracht ons te schrappen van de ledenlijsten van beroepsorganisaties, en toen we van eind 1956 tot begin 1961 terechtstonden wegens hoogverraad. Brams nauwkeurige juridische werk en zijn inzicht in de belangrijke politieke kwesties van die tijd speelden een cruciale rol in onze verdediging, die ertoe leidde dat we werden vrijgesproken.

De magistratuur en de rechters vonden zijn integriteit en zijn reputatie als Zuid-Afrikaan met een Afrikaner afkomst hoogst relevant. De rechter in de zaak van Ismail Meer, J.N. Singh en mijzelf, die ging om het feit dat ik in de tram op de foute plaats was gaan zitten en de conducteur me voor hun 'kaffervriend' had uitgemaakt, was zo onder de indruk van Brams aanwezigheid dat we haastig werden vrijgesproken.

Maar donkere wolken begonnen zich samen te pakken. Onze vrijspraak in de hoogverraadzaak was een Pyrrusoverwinning. Een jaar daarvoor was onze organisatie onwettig verklaard. Op grond van een noodverordening was de hele top, alsmede degenen van ons die terechtstonden, gevangengezet. Onze pogingen de strijd geweldloos voort te zetten werden steeds ernstiger ondermijnd.

Bram kwam net als velen van ons zeer tegen zijn zin tot de conclusie dat er door het geïnstitutionaliseerde geweld dat de staat tegen de meerderheid van de bevolking van Zuid-Afrika en in het bijzonder tegen de bevrijdingsbeweging uitoefende, geen alternatief overbleef dan een gewapende strijd te beginnen. Zijn medemenselijkheid bracht hem ertoe zich achter het besluit te scharen dat het geweld zich zou beperken tot aanvallen op symbolen van de apartheid en dat tot het uiterste moest worden getracht geen slachtoffers te laten vallen.

In die tijd bleef hij in nauw contact staan met de ondergrondse leiding van het ANC en zijn militaire vleugel, Umkhonto we Sizwe, die voorstander was van politiek geweld dat de bevrijding ten doel had.

Toen de top van het ANC in Rivonia werd gearresteerd, waren onze vrienden en familie bang dat de hysterie die door de regeringspropaganda werd gecreëerd wel eens tot de doodstraf kon leiden. Ze wendden zich uiteraard tot Bram met de vraag ons te verdedigen. Al wilde hij geen deel uitmaken van het verdedigingsteam ter zitting, hij wilde wel bij de voorgeleiding verschijnen, om tijd te vragen om onze zaak voor te bereiden. Hij wist persoonlijk hoe uitspraken in zaken die de gewapende strijd betroffen konden uitpakken en was in dergelijke zaken ook partij geweest. Met die wetenschap vond hij, kon hij ons niet verdedigen. Maar onze familie en onze advocaten kon hij dat niet vertellen. Joel Joffe, onze procureur, en Arthur Chaskalson en George Bizos, onze advocaten, gingen ervan uit dat hij de verdediging zou leiden. Ze oefenden geweldige druk op hem uit door te stellen dat er geen andere advocaat in het land was die zou kunnen zeggen dat we niks anders hadden gedaan dan wat zijn eigen volk, de Afrikaners, in 1914 hadden gedaan en dat er ondanks de slachtoffers van die opstand geen doodstraffen waren uitgesproken; dat wanneer er mensen ter dood zouden worden gebracht, de verzoening tussen blank en zwart in Zuid-Afrika verder weg zou zijn dan ooit.

Op dat moment besefte Bram dat hij risico liep en dat hij spoedig zelf in de beklaagdenbank zou kunnen staan. Uiteindelijk besloot hij leiding te geven aan de verdediging en haalde hij Vernon Berrangé over om zich erbij aan te sluiten. Hij wist dat de leiders met wie hij contact had gehad – Walter Sisulu, Govan Mbeki en ikzelf – niet hun daden of de beslissingen die waren genomen ter discussie zouden stellen, wat hem waarschijnlijk heeft geholpen de tweestrijd waarin hij zich bevond te beslechten. Anders dan Joel, Arthur en George wisten wij wel waarom hij eigenlijk niet ter zitting wilde verschijnen. We oefenden geen druk op hem uit en we bewonderden zijn moed toen hij het dossier aannam.

Hij hielp bij het opstellen van de verdediging. De aanklager verwachtte dat wij zouden proberen de verantwoordelijkheid voor onze handelingen af te wijzen. Maar wat gebeurde: wíj werden de aanklagers, en meteen al aan het begin, toen ons werd gevraagd of we schuldig of onschuldig pleitten, zeiden we dat de regering verantwoordelijk was voor de toestand in het land en dat de regering in de beklaagdenbank zou moeten zitten. In die houding volhardden we in onze getuigenverklaring en tijdens ons verhoor.

Brams zorgvuldig geprepareerde, logische redenering zorgde ervoor dat de aanklacht tegen ons werd vernietigd. Hierdoor veranderde de atmosfeer die door de regeringspropaganda was geschapen en ontstond nationaal en internationaal de roep om onze vrijlating.

Toen de eigenlijke rechtszitting begon bracht hij vele uren met ons door in de gevangenis van Pretoria om ons te helpen onze eigen verklaringen en om de getuigenissen van onze kameraden Walter Sisulu en Govan Mbeki op te stellen. Het verhoor ter zitting van kameraad Walter was zorgvuldig, vol compassie en begrip. Als gevolg daarvan zette een zelfverzekerde Walter Sisulu de overijverige openbare aanklager, die ons niet alleen veroordeeld wilde zien, maar ons ook in diskrediet probeerde te brengen, op zijn nummer. Wij zijn er nog altijd van overtuigd dat we ons leven te danken hebben aan Brams strategisch geformuleerde verdediging, de steun die we van de vrijheidslievende Zuid-Afrikanen mochten ontvangen en de unanieme oproep van de VN om ons vrij te laten.

Nadat Bram ons op Robbeneiland had opgezocht, stuurde ik hem ook namens mijn medeverdachten een brief waarin ik hem condoleerde met het overlijden van Molly. Men verzekerde mij dat de brief ook daadwerkelijk op de bus zou worden gedaan. Maar dat gebeurde blijkbaar niet, want ik heb inmiddels begrepen dat hij die brief nooit heeft ontvangen. Ik betreur het ernstig dat hij is overleden zonder te weten wat onze gevoelens waren en wat we hadden geschreven. Niet lang na zijn bezoek aan Robbeneiland werd hij gearresteerd op beschuldiging van het ondersteunen van communistische doelstellingen. Hij werd op borgtocht vrijgelaten om hem de gelegenheid te geven in Engeland een zaak voor het Privy Council af te ronden. Hij had beloofd terug te zullen keren voor zijn proces. En dat deed hij ook, ondanks de druk die door onze kameraden in Engeland op hem werd uitgeoefend om zijn borg op te geven en in ballingschap te gaan.

Bij terugkeer begon zijn proces, waarin hij de hoofdverdachte was. Op een dag verscheen hij niet ter zitting. Hij liet een brief bezorgen die door zijn advocaat, Harold Hanson, werd voorgelezen:

Op het moment dat u deze brief leest, ben ik ver weg van Johannesburg en ik zal gedurende de rest van het proces afwezig blijven. Maar ik blijf in het land waar ik heb beloofd naartoe terug te keren toen mij borgtocht werd verleend. Laat het Hof weten dat mijn afwezigheid, ofschoon opzettelijk, geen kwestie is van gebrek aan respect. Evenmin is zij ingegeven door angst voor de straf waartoe ik wellicht wordt veroordeeld. Integendeel, ik realiseer me dat mijn uiteindelijke straf door mijn huidige gedrag zelfs verhoogd kan worden. [–]

Ik heb deze beslissing genomen louter en alleen omdat ik geloof dat het de plicht van iedere ware opponent van deze regering is in dit land te blijven en zich met alle macht te verzetten tegen haar monsterlijke apartheidsbeleid. Zolang ik daartoe in staat ben, zal ik dat doen.

Er bevinden zich al meer dan 2500 politieke gevangen in onze gevangenissen. Deze mannen en vrouwen zijn geen misdadigers, maar de meest loyale tegenstanders van de apartheid.

Als mijn vlucht mensen die het nu nog blindelings ondersteunen zal aanmoedigen over het beleid na te denken, het te doorzien en het af te zweren, zal ik om geen enkele vorm van straf enige vorm van spijt hebben. [–]

Ik kan de gerechtigheid niet langer dienen zoals ik de afgelopen dertig jaar heb gedaan. Ik kan dat alleen nog op de wijze waarvoor ik nu heb gekozen.

Binnen twee weken schreef hij nog een brief, in reactie op de overhaaste acties van zijn collega's bij de balie:

Ik heb in de pers berichten zien verschijnen als zou de balie van Johannesburg toestemming willen vragen mij van de rol te mogen schrappen. Ik neem aan dat de enige reden voor dit besluit is dat ik niet ben komen opdagen bij mijn proces en mijn borg heb opgegeven.

Ik beroep mij op een eenvoudig principe, dat stevig verankerd ligt in de Zuid-Afrikaanse juridische traditie. Sinds de Zuid-Afrikaanse Oorlog, zo niet sinds de verrassingsaanval op Jameson, wordt onderkend dat politieke misdrijven die worden gepleegd vanuit het geloof in de algemeen geldende waarde van een politiek ideaal, het op zichzelf niet rechtvaardigen dat iemand wordt uitgesloten van de uitoefening van zijn juridische vak. Naar ik aanneem is dat omdat het plegen van dergelijk misdrijven iemands professionele integriteit niet aantast.

Wanneer een advocaat doet wat ik heb gedaan, wordt zijn gedrag niet ingegeven door enig gebrek aan respect voor de wet, noch doordat hij hoopt dat hij persoonlijk voordeel behaalt met enig 'misdrijf' dat hij misschien pleegt. Integendeel, het vereist wilskracht over zijn diepgewortelde respect voor de wet heen te stappen, en hij zal dat alleen doen wanneer hij zich realiseert dat wat de gevolgen ook zijn, zijn politiek geweten hem niet langer toestaat iets anders te doen. Hij doet het niet omdat hij zo graag onethisch te werk wil gaan, maar omdat het voor hem juist onethisch zou zijn als hij anders te werk zou gaan.

Bram heeft bijna een jaar ondergedoken gezeten. Toen hij uiteindelijk werd gearresteerd en berecht, kreeg hij een levenslange gevangenisstraf opgelegd. In zijn 'laatste woord' op 28 maart 1966 stelde hij dat apartheid al een feit

was vóór de National Party in 1948 aan de macht kwam. De Afrikaners hadden alle contact met de zwarte bevolking verbroken. In de afgelopen vijftien jaar was het beleid alleen maar strikter geworden en hadden de Afrikaners de schuld voor al het kwaad van de apartheid gekregen, met als gevolg
dat er een diepgewortelde weerzin tegen hen ontstond. De wijsheid van de
regering en de invloed van de leiders van het ANC die het zwijgen waren opgelegd en gevangengezet, moesten er nu aan te pas komen om verzoening
tot stand te brengen. Hij zei dat hij er een plicht bij had gekregen, opdat ten
minste één Afrikaner zich publiekelijk solidair zou verklaren met het lot van
het volk. We kunnen hem het beste zelf aan het woord laten:

> Om de hoop van allen die door de apartheid rechteloos waren geworden
> hoog te houden, heb ik mijn belofte aan het Hof gebroken, mij van mijn ge-
> zin gescheiden, heb ik gedaan of ik iemand anders was en geaccepteerd dat
> ik als een vluchteling moest leven. Ik was het de politieke gevangenen, de
> ballingen, de monddood gemaakten en degenen onder huisarrest verplicht
> niet langer een toeschouwer te zijn, maar te handelen. Ik wist wat er van mij
> werd verwacht, en daar handelde ik naar. Ik wilde geen verantwoording af-
> leggen aan hen die zich om het leed van anderen niet bekommeren, maar
> aan hen die zich het aantrekken. Ik wist dat ik, door vooral op hun beoor-
> deling af te gaan, zou worden verketterd door degenen die zichzelf vooral als
> fatsoenlijke brave burgers beschouwen. Het zij zo.

Bram werd tot levenslang veroordeeld. Zijn bewakers maakten de omstandigheden waaronder hij werd vastgehouden op alle manieren die ze konden bedenken mensonterend. Hij mocht de begrafenis van zijn enige zoon,
Paul, zelfs niet bijwonen, noch de bruiloft van zijn dochter Ilse, noch haar
of haar zuster Ruths kinderen, zijn kleinkinderen, vasthouden. Zijn bewakers deden er alles aan zijn geest te breken, als waarschuwing aan anderen
die aan de strijd wilden meedoen. Hun laagheid hield bijna tot aan het eind
aan, toen hem, hij was inmiddels ongeneeslijk ziek, huisarrest werd toege-
staan ten huize van zijn broer Paul in Bloemfontein, waar hij met niemand
anders dan zijn nauwste verwanten mocht omgaan. Toen ik hoorde dat
Bram ongeneeslijk ziek was heb ik Jimmy Kruger, destijds minister van Jus-
titie, meermalen verzocht hem te mogen bezoeken. Telkens kwam deze met
een of andere smoes dat dat niet mocht. Ze waren bang voor Bram en waar
hij voor stond, ze waren bang zijn lichaam vrij te geven om het een fatsoen-

lijke begrafenis te bezorgen; ze waren bang zijn as aan de familie ter beschikking te stellen.

Ze hebben gefaald. De bijdrage van Bram Fischer zal voortleven. Als hij vorig jaar nog had geleefd, had hij met ons de vrijheid die wij voor alle Zuid-Afrikanen hebben gewonnen kunnen vieren en zou hij een gelukkig man zijn geweest. De instemming die de overgrote meerderheid van zijn mede-Zuid-Afrikanen met een niet-racistisch, democratisch Zuid-Afrika heeft betuigd, zou de bevestiging zijn geweest van dat waarvoor hij het grootste deel van zijn leven had gevochten. Bram wilde een beter Zuid-Afrika voor iedereen; een Zuid-Afrika waar niet alleen politieke vrijheid bestaat, maar waar ook huisvesting en gezondheidszorg, onderwijs en culturele ontplooiingsmogelijkheden en een eerlijkere verdeling van de welvaart zijn.

Staat u me toe mijn eigen woorden uit het laatste hoofdstuk uit *De lange weg naar de vrijheid* te citeren:

De apartheid bracht mijn land en mijn volk een diepe en blijvende wond toe. We zullen allemaal vele jaren, zo niet generaties nodig hebben om die diepe wond te laten helen. De lange jaren van onderdrukking en wreedheid hadden echter nog een ander, onvoorzien effect, en dat was dat ze mannen voortbrachten als Oliver Tambo, Walter Sisulu, chief Luthuli, Yusuf Dadoo, Bram Fischer en Robert Sobukwe, mannen die zo buitengewoon dapper, wijs en grootmoedig waren dat we hun gelijken misschien nooit meer zullen vinden. Misschien is er zo'n harde onderdrukking nodig om karakters van dat formaat te vormen. Mijn land is rijk aan mineralen en edelgesteente, maar ik heb altijd geweten dat het volk zijn grootste rijkdom is, mooier en echter dan de zuiverste diamanten.

Iedere geschiedschrijving van Zuid-Afrika zal twee Afrikaner namen noemen. Eén van hen is gelukkig nog steeds onder ons, kameraad Beyers Naudé. De ander is Bram Fischer. Het volk van Zuid-Afrika zal hem nooit vergeten. Hij was een van de eerste heldere bakens die miljoenen van onze jongeren aanspoorde met volle overgave te geloven in een niet-racistische democratie voor ons land.

Bram Fischer was een kind van dit land. Zijn geest leeft voort!

Chris Hani

Toespraak tot de bevolking na de moord op Chris Hani, 10 april 1993

Vandaag is er een onvergeeflijke misdaad gepleegd. De berekende, koelbloedige moord op Chris Hani is niet alleen een misdaad tegen een zeer geliefd kind van ons land, het is een misdaad tegen de gehele bevolking van Zuid-Afrika. Een gepassioneerd, moedig mens, is in de bloei van zijn leven geknakt.

Iedereen kent Chris Hani; hij was bij miljoenen mensen geliefd en werd slechts gehaat door hen die de waarheid vrezen. Tot alle Zuid-Afrikanen, blank en zwart, zeg ik: de dag van de waarheid zál aanbreken.

Het leven van Chris stond in het teken van de strijd voor vrijheid, democratie en gerechtigheid. Zijn vrijheidsdrang deed hem al op jonge leeftijd besluiten zich volledig in te zetten voor het ANC en de Zuid-Afrikaanse Communistische Partij.

Chris Hani wist uit eigen ervaring wat armoede en sociale ongelijkheid betekende. Hij was een erudiet wetenschapper die gemakkelijk een andere weg had kunnen kiezen, maar hij stelde zijn leven onzelfzuchtig in dienst van de vrijheidsstrijd. Ook hij ervoer de zorgen en de ellende van dertig jaar ballingschap. Gedurende die jaren onderscheidde hij zich in de vrijheidsbeweging, wat hem het respect en de liefde van miljoenen mensen in het land opleverde.

Zijn dood vraagt van ons dat wij de strijd met nog grotere vastberadenheid voortzetten.

Wij vragen in iedere kerkdienst tijdens deze paasdagen het leven van Chris Hani en dat waar hij voor stond te gedenken. Laat woensdag 14 april een dag zijn waarop we, waar dan ook, herdenkingsdiensten houden ter nagedachtenis aan een van de grootste vrijheidsstrijders die dit land ooit heeft gekend.

Ons land is diep gewond door de daden van harteloze, gewetenloze mannen die denken straffeloos dergelijke weerzinwekkende misdaden te kunnen plegen. Ons land hoort de weeklachten van vaders die hun kinderen begraven, van vrouwen die om hun mannen rouwen, van gemeenschappen waar maar geen einde lijkt te komen aan het begraven van jonge en oude mensen, van kinderen en zwangere vrouwen.

Het moorden moet stoppen.

Chris Hani was een voorvechter van de vrede, die iedere uithoek van het land bezocht om de mensen op te roepen respect voor elkaar te hebben.

Het land is in rouw gedompeld. We zijn oprecht woedend en gekwetst. Maar we mogen ons niet laten provoceren door mensen die eropuit zijn ons de vrijheid af te nemen waar Chris Hani voor stierf. We moeten op waardige en beheerste wijze reageren. Laten wij hem op 14 april op waardige wijze herdenken en ons schikken in de besluiten van onze leiders.

De datum van de begrafenis van Chris Hani zal na overleg met zijn familie bekend worden gemaakt. Het lichaam van kameraad Chris Hani zal op een wijze die een held van ons volk past een laatste rustplaats worden gegeven. Laat niemand zijn nagedachtenis bezoedelen door enig ondoordacht, onverantwoordelijk gedrag.

In deze dagen, waarin wij rouwen om ons land, gaan onze gedachten uit naar de vrouw van Chris, Limpho, en naar zijn kinderen en andere familieleden. Het ANC buigt diep voor deze bijzondere zoon van Afrika.

Walter Sisulu

Toespraak op de negentigste verjaardag van Walter Sisulu,
18 mei 2002

Het is mij een grote eer de negentigste verjaardag van zo'n groot man, een van de hoekstenen van onze beweging, te kunnen vieren.

Onze beweging heeft een naam hoog te houden in de geschiedenis van bevrijdingsbewegingen, niet alleen in Afrika maar in de hele wereld. Reeds negentig jaar heeft zij zich zonder ooit water bij de wijn te doen ingezet voor de bevrijding van ons land en de vrijmaking van ons volk. Grote vrijheidsstrijders – mannen en vrouwen die een uitzonderlijke moed en vasthoudendheid aan den dag legden – hebben bijgedragen aan wat onze beweging daadwerkelijk voor het volk heeft bereikt. Van hen is de man die wij vandaag eren een van de meest vooraanstaande.

Walter Sisulu heeft de cruciale gebeurtenissen van de afgelopen eeuw die Zuid-Afrika hebben gemaakt tot wat het vandaag is, zelf gezien en meegemaakt. Bovendien is hij een van de belangrijkste mensen die aan die geschiedenis heeft bijgedragen.

Ik probeer vaak aan jongeren uit te leggen dat niet het feit dat wij hebben geleefd het belangrijkste is in het leven. Het verschil dat wij voor het leven van anderen hebben betekend, bepaalt de zin van ons leven. In dat opzicht is er geen beter of inspirerender voorbeeld in de geschiedenis van onze beweging, en daarmee van ons land, dan Walter Sisulu. Iedere handeling van deze man getuigt van het soort leiderschap dat het verschil bepaalde waardoor wij als land en als volk zijn geworden tot wat we thans zijn.

Eigenlijk zouden wij bij deze gelegenheid moeten zwijgen. Walter is een zo unieke bron van historische ervaring en van kennis en begrip, dat wij hem het best zouden eren door naar zijn verhaal te luisteren, om zo ons eigen verhaal beter te begrijpen.

Ik persoonlijk kan uiteraard over een relatie vertellen – als vriend en als kameraad – die mij in belangrijke zin heeft gevormd tot wie ik nu ben. De aard van die relatie en de geest die eraan ten grondslag lag, overstegen als het ware het persoonlijke. De essentie van de relatie lag in de wijze waarop deze je leven als lid van onze organisatie vormde. Het leven van Walter Sisulu, dat geheel in dienst stond van het volk en volledig werd bepaald door zijn onvermoeibare bijdrage aan de goede zaak, had een enorme invloed op mijn eigen leven.

Er zijn heel veel voorbeelden te noemen die getuigen van de wijsheid en het leiderschap van Walter. Elk van die voorbeelden laat zien dat hij altijd in staat was de zaak in perspectief te zien en voorbij de waan van de dag waar wij ons mee bezighielden te kijken.

De vraag die wij onszelf als beweging, en die met name de jongere generatie zich moet stellen, is wat we kunnen leren van het leven van deze gigant en waartoe het ons in de toekomst kan leiden.

Hoewel de omstandigheden en de specifieke aard van de problematiek in het land zijn gewijzigd, blijft de taak van onze organisatie in wezen gelijk: ons land te leiden in het opbouwen van een beter bestaan voor iedereen, met name voor de armen. Het is van onverminderd belang de cruciale eigenschappen van Walter Sisulu, de vrijheidsstrijder, over te nemen.

Het is vooral belangrijk ons rekenschap te geven van de totale onzelfzuchtigheid waarmee hij zijn leven in dienst van de strijd stelde, nu de veranderende omstandigheden voor sommigen aanleiding zijn alleen nog het persoonlijk belang op het oog te hebben. Er is geen plaats voor corruptie, opportunisme en zelfzuchtige carrièredrift in de organisatie die Walter Sisulu heeft geleid en helpen oprichten. Laat de discipline waarmee hij zich in dienst van onze organisatie heeft gesteld ons tot lichtend voorbeeld dienen. In alles wat hij deed of waarover hij sprak was de belangrijkste overweging: wat is het beste voor de organisatie en voor de ontwikkeling van de vrijheidsstrijd.

We hadden allen diep respect voor zijn wijsheid en zijn leiderschap, ook al omdat hij zo'n krachtig vertegenwoordiger was van het begrip collectief leiderschap. Hij besefte en hij leerde ons dat wijsheid het resultaat is van het delen van inzichten, het naar elkaar luisteren en van elkaar leren. Hij bracht de mensen samen in plaats van hen te scheiden. Wanneer anderen onder ons wel eens overhaast het woord namen of handelden, bleef hij altijd geduldig en probeerde hij te helen en te verenigen.

Wij feliciteren hem met zijn verjaardag en wij danken hem voor zijn volledige toewijding aan de strijd en aan onze organisatie. En als we het over 'volledige toewijding' hebben, mogen we Albertina, die daar een wezenlijk deel van uitmaakte, noch de rest van zijn gezin vergeten. Veel gezinnen hebben zwaar geleden onder de apartheid. Ze werden uiteengescheurd doordat ouders of kinderen werd vervolgd, vermoord, gevangengezet, gedwongen ondergronds te gaan of in ballingschap gedreven. Het gezin Sisulu is een van de vele die zwaar hebben geleden en die zich uiterst onzelfzuchtig voor de strijd hebben ingezet.

Wij feliciteren Walter en beloven bovendien het voorbeeld dat hij als leider, als vrijheidsstrijder en als dienaar van zijn volk heeft gegeven, te volgen.

Van harte, Walter, en het allerbeste voor de jaren die ons nog gegund zijn.

Joe Slovo

Toespraak bij de begrafenis van Joe Slovo, Johannesburg,
15 januari 1995

Wij zijn hier in rouw bijeen om de dood van een leider, een patriot, een vader, een strijder, een onderhandelaar, een internationalist, een theoreticus en een organisator. Juist de briljante combinatie van al die eigenschappen in één persoon, kameraad Joe Slovo, maakte hem de grote Afrikaanse revolutionair die hij was.

Mannen en vrouwen met uitzonderlijke eigenschappen kom je maar zelden tegen. Als ze je ontvallen, is het gevoel van verlies groter en moeilijker te dragen.

Toch putten we troost, kameraad Joe, uit de wetenschap dat het grootste deel van de reis waar jij je je hele leven voor hebt ingezet voorbij is; uit de wetenschap dat jij ons iets hebt nagelaten dat wij allen trachten na te streven; uit de wetenschap, kameraad Joe, dat je als krachtig voorbeeld, door je geestkracht en je passie voor gerechtigheid, in ieder van ons voortleeft.

Vandaag neemt het land afscheid van je, maar we vieren tegelijkertijd het leven dat jij ten volle hebt geleefd en waarvan de rijkdom een onuitwisbaar spoor in het hart van miljoenen mensen en in de geschiedenis van ons land heeft achtergelaten.

Wanneer toekomstige generaties zullen terugkijken op de doorbraak in 1994, zullen ze terecht opmerken: oom Joe was de spil van de gebeurtenissen.

Wanneer het voor arbeiders eindelijk de gewoonste zaak van de wereld is geworden een dak boven het hoofd te hebben en betaalbare medische zorg, behoorlijk onderwijs en een stijgende levensstandaard te hebben, zullen ze terecht opmerken: kameraad Joe was een van de belangrijkste grondleggers voor een beter bestaan.

Wanneer zij die nu nog niet geboren zijn zich verwonderen over hoe de

Zuid-Afrikanen van nu een zo precaire overgang wisten veilig te stellen, zullen zij terecht zingen, zoals wij gedurende die jaren van gewapende strijd zongen: *u'Slovo ikomando*: Joe Slovo was een commando tot wederopbouw en ontwikkeling, een strijder voor vrede en verzoening, een bouwer *par excellence*.

Kameraad Joe Slovo was een van degenen die ons heeft geleerd dat iemand die alleen opereert, geen geschiedenis zal schrijven. Maar iedere generatie heeft een paar individuen die de scherpzinnigheid en het persoonlijk gewicht hebben om de loop der gebeurtenissen te kunnen beïnvloeden.

Kameraad Joe Slovo, *Isitwalandwe-Seaparankoe*[1], was een van hen. In die zin was hij een uitzondering op de regel, een instituut. Wanneer wij Joe's bijdrage eruit lichten, leidt het spoor dan ook langs de ontwikkelingen in de Zuid-Afrikaanse politiek van de afgelopen vijftig jaar.

Het leven dat we vandaag vieren is er niet een van blanke ruimhartigheid ten opzichte van de zwarten in ons land, aangezien JS zichzelf niet beschouwde als een blanke Zuid-Afrikaan, maar als een Zuid-Afrikaan. Hij maakte volledig deel uit van de democratische meerderheid en werkte met hen samen om een rechtvaardig en democratisch bestel te verwezenlijken.

Kameraad JS leidde niet het teruggetrokken leven van een theoreticus, maar was lijfelijk aanwezig in alle stadia van de strijd, in de voorste linies, met telkens nieuwe ideeën, die hij ook ten uitvoer hielp brengen.

Toen in 1934 de acht jaar oude Yossel Mashel Slovo uit het dorpje Obelkei, Litouwen, in Zuid-Afrika terechtkwam, stond niet vast wat voor leven zou volgen. Hij moest op jonge leeftijd door armoede gedwongen van school af; was onderdeel van de in die tijd verhitte politieke discussies onder de immigranten in Johannesburg; groeide op in een arm joods gezin toen het nazisme opkwam – en dat alles droeg bij aan de vorming van een van de grootste Zuid-Afrikaanse en Afrikaanse revolutionairen van onze tijd.

Joe Slovo behoorde tot de weinige blanke arbeiders die begrepen wat hun klassebelang inhield en die zich zonder zich door rassenoverwegingen te laten leiden aansloten bij hun klassebroeders en -zusters. In die zin laat kameraad JS de Zuid-Afrikaanse arbeidersklasse – blank en zwart – iets na om zelf aan te werken, zeker nu de rassenscheiding eindelijk verdwijnt: het moment voor eenheid is gekomen!

Nadat de jonge Joe uit de Tweede Wereldoorlog was teruggekeerd, had hij voor een gemakkelijk leven kunnen kiezen door de mogelijkheden die veteranen werden geboden met beide handen aan te grijpen. Hij had ervoor kunnen kiezen, zoals velen in zijn positie dat deden, om afscheid te nemen van zijn zwarte collega's die op de fietsen die ze als schamel bedankje voor hun diensten in de oorlog hadden gekregen, wegreden richting vergetelheid.

Maar Joe Slovo was een man met een hart. Bovendien bezat hij de gedrevenheid en het intuïtieve intellect om de werkelijkheid onder ogen te zien. Hij was op zijn zestiende lid geworden van de Communistische Partij van Zuid-Afrika. Om zijn eigen woorden aan te halen: hij had besloten dat zijn leven slechts één doel had en dat was het racistische regime te doen verdwijnen en de macht aan het volk te brengen. Wie de eer had nauw samen te werken met Joe weet dat hij trouw bleef aan die overtuiging, al wist hij heel goed dat zijn weg keer op keer door een donker dal zou gaan teneinde de hoogste toppen van zijn verlangens te bereiken.

Ik was zo bevoorrecht hem, toen we nog jong waren, te mogen ontmoeten aan de Universiteit van Witwatersrand. Met zijn toekomstige echtgenote, Ruth First, en met Ismail Meer, Harold Wolpe, Jules Browde, J.N. Singh en anderen zaten we vaak tot in de kleine uurtjes over allerlei zaken te discussiëren. Toen al waren zijn scherpzinnige intellect en zijn schrandere geest zichtbaar.

Maar Joe was heel veelzijdig. Tot zijn laatste snik genoot hij met volle teugen van het leven. Hij was geen heilige. Hij kon goed mooie feesten organiseren. Hij hield van lekker eten en mooie kleren. Hij had een groot gevoel voor humor.

Die gedrevenheid het anderen en zichzelf naar de zin te maken zagen we terug in zijn bijdrage aan de campagnes ten bate van de arbeiders; in de rechtbank wanneer hij op resolute wijze de mensenrechten verdedigde; in de ondergrondse beweging; en bij de oprichting van Umkhonto we Sizwe[2] in 1961. Op Robbeneiland wisten we nu en dan brieven aan elkaar uit te wisselen. Maar het meest nabij kwam hij door de gloedvolle bewoordingen waarmee de jonge kaderleden die zich bij ons aansloten, en die zich politiek en militair onder zijn leiding hadden gevormd, over hem spraken.

Juist zijn cruciale bijdrage aan de bevrijdingsstrijd maakte kameraad JS zo geliefd bij degenen die voor de vrijheid streden.

De voorvechters van de apartheid hebben geprobeerd iedere herinnering aan hem uit te wissen, maar het strijdende volk wist dat hij op effectieve, vakkundige wijze aan het hoofd stond van de operationele tak van Umkhonto we Sizwe en een geliefd en gerespecteerd bevelhebber van Umkhonto we Sizwe was; ze wisten dat hij verantwoordelijk was voor een groot aantal bij-

zondere operaties van het volksleger die de apartheidselite op zijn grond-
vesten hadden doen trillen. Ze wisten ook dat hij een centrale positie innam
binnen de collectieve eenheden die verantwoordelijk waren voor het uit-
stippelen van de strategie en tactiek van de beweging.

Zijn inzicht in de politieke situatie, de machtsverhoudingen en hoe, op
grond daarvan, de koers van strijd te wijzigen, stonden aan de basis van zijn
idee op vele fronten tegelijk te opereren. Hij kon inschatten hoe de omstandigheden veranderden en discussies op gang brengen over de uit te voeren
tactische wijzigingen.

Hij wist precies wanneer hij compromissen moest sluiten, maar hij deed
nooit enige concessie aan zijn principes. Hij was weliswaar een militant,
maar hij was een militant die wist hoe je moest plannen, concrete situaties
moest analyseren en met doordachte oplossingen voor den dag komen.

We zullen ons Slovo altijd herinneren als een van de belichamingen van
het bondgenootschap van het ANC en de Zuid-Afrikaanse Communistische
Partij (SACP). Joe besefte dat het belang van de arbeidersklasse in ons land
nauw verbonden was met dat van de rest van de onderdrukte meerderheid
die streed voor democratie en een beter bestaan. Hij besefte ook dat wanneer de arbeidersklasse haar belangen wilde realiseren, zij een actieve rol in
de bevrijdingsstrijd en de bevrijdingsbeweging moest spelen.

Joe zag in dat het bondgenootschap tussen het ANC, de SACP en de pro-
gressieve vakbonden zich concrete democratische en sociale taken ten doel
moest stellen. Hij zag in dat dit bondgenootschap verstevigd moest worden,
vooral in het Zuid-Afrika van nu, in deze periode van wederopbouw en ontwikkeling.

Niet alleen in theorie maar vooral ook in de praktijk weerspiegelde zijn
leven een diepgaand begrip van de relatie tussen het ANC en de SACP: de leidende rol van het ANC; de principes van overleg, consensus en kritiek die
binnen de vastomlijnde structuur van iedere bondgenoot moesten worden
aangehouden.

De voorstanders van raciale superioriteit konden niet begrijpen waarom
Slovo deel wilde uitmaken van de bevrijdingsbeweging en zich vrijwillig
plaatste onder het gezag van die armzalige, minderwaardige zielen die zij
minachtten. Maar Joe nam als gelijke deel aan de strijd, als deel van het volk.

Zij die aanhanger waren van de nationale onderdrukking konden niet
begrijpen waarom Slovo streed om een einde te maken aan de dominantie
van zijn eigen 'vrienden en verwanten'. Maar alle mensen waren Joes verwanten, vooral de armen.

Zij die privileges en een eenzijdige verdeling van de welvaart propageerden, begrepen niets van Slovo's vereenzelviging met de verworpenen der aarde. Maar Joe wist dat juist zij aan de basis van die welvaart stonden en het recht hadden daarin te delen.

De tragiek van Zuid-Afrika is dat velen, met name in de blanke gemeenschap, zich pas na bijna veertig jaar door onafgebroken ballingschap veroorzaakte kunstmatige stilte van zijn medemenselijkheid, zijn pragmatisme en zijn keiharde inzet bewust zijn geworden. En het is nog steeds tragisch dat die eigenschappen door sommigen nog steeds worden verheerlijkt alsof ze nieuw zijn.

Vandaag zeg ik u luid en duidelijk: de eigenschappen die Joe Slovo de afgelopen jaren zo ruimschoots heeft laten zien, waren dezelfde eigenschappen die hem hebben gemotiveerd deel te gaan nemen aan de strijd, die hem hebben gemotiveerd lid te worden van de bevrijdingsbeweging en die hij in deze organisaties tot bloei heeft gebracht.

In de regering van nationale eenheid weten wij precies welke lacune door het heengaan van minister Joe Slovo is ontstaan. We zullen niet alleen zijn scherpzinnigheid, zijn ervaring en zijn geestdrift missen, maar ook zijn zeldzame gave zo kundig theorie en praktijk te verenigen.

Maar wij weten ook dat hij ons iets heeft nagelaten wat ons blijvend tot richtsnoer zal zijn. En dat is alle partijen op een bepaald gebied ertoe te bewegen zich gezamenlijk aan een beter bestaan voor iedereen te wijden. Zijn betekenis hierin wordt weerspiegeld in de condoleances die wij hebben mogen ontvangen van de burgerrechtenbeweging, hypotheekinstellingen, de bouwwereld, verenigingen van eigenaren, banken en vele anderen.

Allemaal spreken ze over de kern van Joes handelen, namelijk dat wij allemaal verantwoordelijk zijn voor het welslagen van het Programma voor Wederopbouw en Ontwikkeling. Wie de middelen ter beschikking staan, moeten hierin een cruciale rol spelen. De regering moet haar verantwoordelijkheid nemen. Maar op de eerste plaats moeten de gewone man en vrouw zélf aan de basis staan van de formulering en implementatie van het beleid. Een van de laatste dossiers waar hij zich, met kenmerkende inzet, mee bezig hield, was de start van een campagne die ervoor moest zorgen dat huizen en voorzieningen worden overgedragen en opgeleverd en dat gemeenschappen worden gestimuleerd daadwerkelijk hun heffingen, huur, en gas, water en licht te betalen.

Namens de regering wil ik herhalen dat het pad dat Joe Slovo had uitgestippeld ons zal blijven leiden in het voltooien van het huisvestingsprogramma. De voortvarendheid waarmee hij de obstakels op dit pad te lijf ging, blijft een van de basiskenmerken van ons werk.

We zijn vandaag dan misschien zo vrij geweest om kameraad Joe een van de onzen te noemen, maar dat onderstreept alleen maar dat er mensen zijn die hem als meer dan een revolutionair en een vriend beschouwen. Bij tijd en wijle was het door de eisen die wij aan hem stelden – door, in wezen, de eisen die de strijd aan hem stelde – moeilijk voor hem om ook nog de rol van vader en broer op zich te nemen. Bij tijd en wijle bewogen Ruth First – die in 1982 in koelen bloede werd vermoord – en Joe Slovo zich door hun betrokkenheid in een afgescheiden wereld, waar een volwaardig gezinsleven, net als in het geval van de meeste andere revolutionairen, een kortstondige droom werd.

Wij realiseren ons dat voor jullie, lieve Helena [Dolny, de vrouw van Joe Slovo], Shawn, Gillian, Robin [zijn dochters] en René [zijn zuster], die pijn nog erger is. Wij kunnen ons jullie pijn niet voorstellen, en met name niet de band die jullie alleen de afgelopen paar jaar, toen hij niet langer op de vlucht was, met elkaar hebben kunnen opbouwen. Put troost uit het feit dat de hele natie jullie verdriet deelt en wij jullie altijd terzijde zullen staan. Ons verdriet weegt net als dat van jullie extra zwaar omdat wij niet slechts een van onze leiders hebben verloren, maar een veteraan wiens kwaliteiten in veel opzichten onvergelijkbaar zijn. Hij is onvervangbaar.

Joe was zich wel bewust van de ironie die wil dat het leven uiteindelijk een dodelijke ziekte is, maar dat dat de tragische natuurlijke volgorde is waar wij niets aan kunnen veranderen. Net als hij echter, kunnen we proberen zo te leven dat wanneer we heengaan, wij het leven voor anderen iets dragelijker zullen hebben gemaakt.

Kameraad Joe, in ons verdriet herinneren we ons dat jij ons hebt aangespoord niet te rouwen maar de prestaties waar jij zo nederig je steentje aan hebt bijgedragen te vieren. Wanneer je tranen in onze ogen ziet opwellen is dat omdat het ons zwaar valt te zeggen: vaarwel dierbare kameraad, dierbare broeder, dierbare vriend.

Noten van de vertaler
1   De hoogste ANC-onderscheiding.
2   Gewapende vleugel van het ANC ('Speer van de natie').

Desmond Tutu

Toespraak bij de dankviering voor aartsbisschop Desmond Tutu,
Kaapstad, 23 juni 1999

Het is mij een voorrecht en een eer deel te mogen nemen aan deze dankviering voor de aartsbisschop van Kaapstad en de kerkvoogd van de kerk-
provincie Zuid-Afrika die over een week, vlak voor zijn vijfenzestigste verjaardag, met pensioen gaat. Ik vermoed dat hij dat alleen maar doet om een
record te vestigen door vóór mij met pensioen te gaan!

Ik weet dat ik namens u allen spreek wanneer ik zeg dat aartsbisschop
Desmond Tutu een zegen en een bron van inspiratie is geweest voor talloze mensen in binnen- en buitenland; door zijn geestelijk ambt, zijn liefdadigheid, zijn religieuze boodschap en zijn politieke engagement. Hij heeft
zijn sporen ruimschoots verdiend, als leider van zijn kerk en de oecumeni-
sche beweging, en als onbevreesd bestrijder van het boosaardige, onmenselijke apartheidssysteem. Hij staat bekend om zijn onzelfzuchtige inzet voor
de armen, de onderdrukten en de vertrapten. Hij en zijn collega's zijn de
constante krachtige stem van het volk van Zuid-Afrika geweest toen zovelen van hun leiders gevangenzaten, verbannen waren, monddood gemaakt
of onder huisarrest geplaatst.

Desmond Tutu wordt wereldwijd geprezen om zijn inzet voor gerechtigheid en vrede. Zonder enige terughoudendheid veroordeelt hij corruptie. Als voorzitter van de Afrikaanse Raad van Kerken liet hij geen gelegenheid voorbijgaan om schendingen van mensenrechten en tirannieke regimes
in Afrika en elders aan de kaak te stellen. De Nobelprijs voor de vrede zegt
voldoende over zijn internationale erkenning.

Zijn meest opmerkelijke eigenschap is dat hij zonder enige angst bereid
is impopulaire standpunten in te nemen. Toen de kerken in Zuid-Afrika
nog aarzelden, riep hij al op tot sancties tegen de apartheid. Hij neemt

geen blad voor de mond wanneer het gaat om de publieke moraal. Hij heeft daardoor veel leiders van de apartheid tegen zich in het harnas gejaagd. Zijn volgelingen heeft hij evenmin ontzien – van tijd tot tijd heeft hij de irritatie gewekt van velen die de nieuwe orde vertegenwoordigen. Maar een onafhankelijke geest als de zijne – al heeft hij soms geen gelijk of gedraagt hij zich weinig subtiel – is cruciaal voor een vitale democratie.

Ik grijp daarom deze gelegenheid aan de aartsbisschop te bedanken voor zijn waardevolle bijdrage aan de strijd voor vrede en gerechtigheid. De wijze waarop u aan de zijde van ons volk stond op de lange weg naar de vrijheid, heeft bijgedragen aan een groeiend respect voor het leven en voor de mensenrechten, los van huidskleur, religie, sekse of leeftijd.

Onze nieuwe grondwet belichaamt en verankert ons ideaal van een rechtvaardige, niet-racistische, niet-seksistische, democratische samenleving. De grootste uitdaging waar wij allen voor staan is dat ideaal te verwezenlijken. Zolang nog zovelen van onze bevolking in zulke armoede leven, zolang kinderen nog onder plastic afdekzeilen moeten wonen, zolang nog zovelen geen werk hebben, mag geen enkele Zuid-Afrikaan rusten of zich lui wentelen in zijn vrijheid.

Of we erin slagen de Zuid-Afrikaanse samenleving te veranderen staat of valt met de mate waarin we de ongelijkheid die de apartheid heeft gecreëerd kunnen opheffen. Dat we daar ernst mee maken blijkt uit onze macro-economische strategie voor groei, werkgelegenheid en herverdeling. Binnen dat kader wordt alle geledingen van onze samenleving de gelegenheid geboden de handen ineen te slaan, door langetermijnbelangen boven kortetermijnresultaten te stellen, en onze doelstellingen op het gebied van verandering, wederopbouw en ontwikkeling te bereiken.

Binnen dit samenwerkingsverband speelt de kerkgemeenschap een bijzondere, belangrijke rol. Net zoals de Zuid-Afrikaanse en buitenlandse kerken gedurende de strijd voor gerechtigheid en vrede aan onze zijde stonden, dienen zij ons nu te steunen bij het opbouwen van een samenleving waar gelijkheid en gerechtigheid heerst.

Maar dit is geen oproep aan de kerk om de regering kritiekloos terzijde te staan. Dat zou onze jonge democratie alleen maar schaden. Aan de andere kant zal kritiek die niet tegelijkertijd in alternatieven voorziet om de armoede en het lijden te verlichten, de boodschap van de kerk ondergraven. De weg naar de toekomst wordt gevormd door wat sommige theologen 'kritische solidariteit' met de regering op het gebied van wederopbouw en ontwikkeling hebben genoemd.

Terugkijkend op wat de kerk zowel voor als na de komst van de democratie heeft betekend, vertrouwen we erop dat zij inderdaad de strategische partner is die ons kan helpen de bevolking te motiveren haar vrijheid te gebruiken om een beter bestaan op te bouwen. Tijdens de vorming van onze nieuwe staat gaan wederopbouw en verzoening hand in hand. De kerk met haar boodschap van gerechtigheid, vrede, vergeving en genezing, moet een sleutelrol spelen in het ondersteunen van onze bevolking, van welke huidskleur ook, bij het maken van de overgang van de verdeeldheid uit het verleden naar een toekomst waarin wij gezamenlijk de fouten uit het verleden rechtzetten en weer een rechtvaardig bestel tot stand brengen.

Aartsbisschop Tutu, als voorvechter van onze regenboognatie en door zijn krachtige, helende leiderschap van de Waarheids- en Verzoeningscommissie, inspireert ons allen bij het uitvoeren van de belangrijke taak ons land met zichzelf in het reine te brengen. Hij verheugt zich in onze verscheidenheid en hij is de vergevingsgezindheid zelve, twee eigenschappen die voor ons land van even onschatbare waarde zijn als zijn hartstocht voor gerechtigheid en zijn solidariteit met de armen.

Laat mij, ten slotte, tot de aartsbisschop zeggen: we zijn u dankbaar voor alles wat u heeft gedaan. U was een van de wegbereiders van het nieuwe patriottisme in binnen- en buitenland. We wensen u als gepensioneerde veel vrede en geluk.

12

Vrede

Nobelprijs voor de vrede

Dankwoord ter gelegenheid van de uitreiking van Nobelprijs voor de vrede, Oslo, Noorwegen, 10 december 1993

Nederig sta ik vandaag voor u om de Nobelprijs voor de vrede van dit jaar in ontvangst te nemen.

Mijn hartelijke dank gaat uit naar het Noorse Nobelprijscomité, dat mij deze hoge onderscheiding heeft toegekend.

Mijn gelukwensen gaan ook uit naar mijn landgenoot en co-laureaat, president F.W. de Klerk van Zuid-Afrika.

Wij tweeën bevinden ons nu in het gezelschap van twee vooraanstaande Zuid-Afrikanen, wijlen chief Albert Luthuli en aartsbisschop Desmond Tutu, die u eerder met de zo zeer verdiende Nobelprijs voor de vrede heeft geëerd voor hun cruciale bijdrage aan de vreedzame strijd tegen het boosaardige apartheidssysteem.

En u zult het niet aanmatigend vinden wanneer ik van onze voorgangers ook nog die andere buitengewone Nobelprijswinnaar noem, de Afrikaans-Amerikaanse staatsman en internationalist wijlen dominee Martin Luther King jr. Hij liet het leven bij zijn tomeloze inzet om een bijdrage te leveren aan de rechtvaardige oplossing van dezelfde belangrijke vraagstukken in zijn tijd als waar wij in Zuid-Afrika mee zijn geconfronteerd.

Ik heb het hier over de tweedeling tussen oorlog en vrede, geweld en geweldloosheid, racisme en menselijke waardigheid, tussen verdrukking en onderdrukking enerzijds en vrijheid en mensenrechten anderzijds, tussen armoede en vrijwaring van gebrek.

Ik sta hier vandaag slechts als vertegenwoordiger van de miljoenen mensen die het durfden op te nemen tegen een maatschappelijk systeem dat in essentie bestaat uit oorlog, racisme, verdrukking, onderdrukking en de verarming van een compleet volk. Ik sta hier vandaag ook voor u als vertegenwoordiger van de miljoenen mensen wereldwijd, de anti-apartheidsbeweging, de regeringen en organisaties die zich bij ons aansloten, niet om tegen Zuid-Afrika als land of tegen een van haar volkeren ten strijde te trekken, maar om zich tegen een onmenselijk systeem te verzetten en actie te ondernemen om zo spoedig mogelijk een einde te maken aan de misdaad tegen de menselijkheid die de apartheid is.

Al die talloze mensen, zowel in binnen- als buitenland, bezaten de goedheid onzelfzuchtig tegen tirannie en onrechtvaardigheid in opstand te komen. Zij zagen in dat het onrecht dat één persoon wordt aangedaan, iedereen wordt aangedaan en dat bracht hen ertoe zich gezamenlijk in te zetten voor de verdediging van de gerechtigheid en normaal menselijk fatsoen.

Dankzij hun moed en vasthoudendheid kunnen we nu zelfs de datum vaststellen waarop de gehele mensheid met ons een van de meest opmerkelijke overwinningen die de mens deze eeuw heeft behaald, kan vieren. Die dag zullen wij gezamenlijk onze vreugde uiten over onze gezamenlijke overwinning op het racisme, de apartheid en het blanke minderheidsregime.

Met die zege zal eindelijk de vijfhonderd jaar durende geschiedenis van de kolonisering van Afrika, die begon met de vestiging van het Portugese rijk, worden afgesloten. Zodoende is die zege niet alleen een van grootste stappen voorwaarts in de geschiedenis, maar houdt ze ook de belofte in, aan volkeren overal ter wereld, dat het loont om racisme te bestrijden, waar dan ook en in welke vormen het zich ook voordoet.

Op het zuidelijkste puntje van Afrika is een gulle beloning in de maak, wordt een geschenk van onschatbare waarde voorbereid voor iedereen die namens de mensheid heeft geleden en alles opofferde – voor de vrijheid, de vrede, menselijke waardigheid en vólwaardigheid.

Het is geen beloning die in geld kan worden uitgedrukt. Ze is meer waard dan de gezamenlijke waarde van de edelmetalen en edelstenen die zich in de Zuid-Afrikaanse aarde bevinden waarop wij in de voetstappen van onze voorouders treden. De beloning is er een die wordt uitgedrukt door de voorspoed en het geluk van onze kinderen, zij die waar dan ook de meest kwetsbare bevolkingsgroep vormen en tegelijkertijd de meest veelbelovende schatten zijn die wij bezitten.

Onze kinderen moeten weer in alle vrijheid kunnen spelen, ze mogen geen honger meer lijden, niet meer door ziekte worden geteisterd of worden bedreigd door de gesels van onwetendheid, misbruik en geweld en niet langer verplicht worden taken uit te voeren die zwaarder zijn dan zij op hun kwetsbare leeftijd aankunnen.

Hier voor dit voorname gezelschap beloof ik dat het nieuwe Zuid-Afrika zich blijvend zal inzetten voor de doelstellingen uit de Verklaring van de Rechten van het Kind.

De beloning waar ik het eerder over had, moet en zal ook worden uitgedrukt door de voorspoed en het geluk van de moeders en vaders van deze kinderen, die zich zonder bang te hoeven zijn te worden beroofd, of vermoord uit politiek of materieel winstbejag, of bespuugd omdat ze bedelaars zijn, moeten kunnen bewegen. Ook zij moeten van de zware last van de wanhoop die zij als gevolg van honger, dakloosheid en werkloosheid in hun hart met zich meedragen, worden verlost.

De waarde van het geschenk aan allen die hebben geleden moet en zal worden uitgedrukt door de voorspoed en het geluk van de mensen in ons land die de onmenselijke muren die hen scheiden zullen hebben afgebroken.

Ze zullen zich hebben afgewend van de ernstige kwetsuur die ieders menselijke waardigheid is aangedaan door sommigen tot meesters en anderen tot dienaren te verklaren, wat eenieder tot een roofdier heeft gemaakt wiens overleven afhing van de vernietiging van de ander.

De waarde van onze gedeelde beloning moet en zal worden uitgedrukt in de vreugdevolle vrede die zal zegevieren, omdat de medemenselijkheid die zwart en blank tot één mensheid maakt ieder van ons te verstaan zal hebben gegeven dat wij als paradijskinderen zullen leven.

En zo zullen wij werkelijk leven, omdat wij een samenleving zullen hebben geschapen die erkent dat alle mensen als elkaars gelijken zijn geboren en dat iedereen in gelijke mate recht heeft op het leven, op vrijheid, welvaart, mensenrechten en een rechtvaardig bestuur. Die maatschappij mag nooit meer toestaan dat gewetensgevangenen worden opgesloten of mensenrechten worden vertrapt. Ook mag het nooit meer gebeuren dat de wegen die leiden naar een vreedzame overgang door overweldigers worden bezet die het volk de macht willen afnemen ten bate van hun eigen, laaghartige doelen.

In dat licht roepen wij de machthebbers in Birma op om mijn mede-Nobelprijswinnaar Aung San Suu Kyi vrij te laten en met haar en degenen die zij vertegenwoordigt een serieuze dialoog aan te gaan waarvan het gehele Birmese volk kan profiteren. Wij bidden dat degenen die daartoe de macht hebben zonder verder uitstel zullen toestaan dat zij haar talent en inzet kan aanwenden ten gunste van haar eigen volk en van de mensheid als geheel.

Ver verwijderd van de dagelijkse politieke woelingen in ons eigen land wil ik van de gelegenheid gebruik maken me aan te sluiten bij het Noorse Nobelprijscomité en mijn waardering uit te spreken voor mijn medelaureaat de heer F.W. de Klerk. Hij had de moed om toe te geven dat ons land en ons volk een vreselijk onrecht was aangedaan door de invoering van het apartheidssysteem. Hij had de vooruitziende blik waardoor hij begreep en accepteerde dat alle mensen van Zuid-Afrika via onderhandelingen en als gelijke deelnemers aan het proces, samen moeten beslissen hoe hun toekomst eruit zal zien.

Er zijn echter nog steeds mensen in ons land die ten onrechte geloven dat zij een bijdrage aan de gerechtigheid en de vrede kunnen leveren door overtuigingen aan te hangen die hebben bewezen niets dan rampspoed met zich mee te brengen. Ik hoop dat ook zij met voldoende rede begiftigd zullen zijn om zich te realiseren dat de geschiedenis haar eigen koers vaart en dat de nieuwe samenleving niet tot stand kan komen door het weerzinwekkende verleden te herscheppen, hoezeer dat ook verfijnd of aanlokkelijk verpakt zal zijn.

Wij hebben de hoop dat Zuid-Afrika, in zijn strijd zichzelf opnieuw uit te vinden, een microkosmos zal zijn van de nieuwe wereld die bezig is gevormd te worden. Die wereld moet er een zijn van democratie en respect voor de rechten van de mens, een wereld die bevrijd is van de ellende van armoede, honger, ontbering en onwetendheid, die bevrijd is van de dreiging van burgeroorlogen en buitenlandse agressie en niet gebukt gaat onder de enorme tragedie van de miljoenen mensen die op de vlucht zijn.

De processen die zich nu in Zuid-Afrika en in zuidelijk Afrika als geheel voltrekken, schreeuwen erom dat het ijzer wordt gesmeed nu het heet is en dat we van dit gebied een levend voorbeeld maken van hoe ieder gewetensvol mens de wereld het liefst ziet.

Ik geloof niet dat deze Nobelprijs wordt uitgereikt ter ere van zaken die reeds achter ons liggen. Wij horen de stemmen van hen die zeggen dat het een oproep is van allen die een eind aan het apartheidssysteem hebben gemaakt.

Ik hoor deze stemmen als een oproep om mij de rest van mijn leven in te zetten en de unieke en pijnlijke ervaring van mijn land te gebruiken om, in de praktijk, aan te tonen dat een normaal menselijk bestaan democratie, gerechtigheid, vrede, non-racisme, non-seksisme, voorspoed voor iedereen, een gezond milieu en gelijkheid en eensgezindheid tussen de volkeren veronderstelt.

Die oproep en de waardigheid waarmee u mij vandaag heeft bekleed, brengen mij ertoe te beloven dat ook ik mij zal inzetten om de wereld te vernieuwen, opdat in de toekomst niemand meer tot de verworpenen der aarde zal behoren. Laat er door toekomstige generaties nooit gezegd kunnen worden dat onverschilligheid, cynisme of egoïsme mij hebben weerhouden om de humanistische idealen die de Nobelprijs voor de vrede belichaamt, waar te maken.

Laten wij met man en macht bewijzen dat Martin Luther King jr. gelijk had toen hij zei dat het niet langer het tragische lot van de mensheid is zich neer te leggen bij de duisternis van racisme en oorlog. Laten wij met alle inzet bewijzen dat hij niet slechts droomde toen hij sprak over de schoonheid van werkelijke broederschap en over vrede als een kostbaarder goed dan zilver of goud.

Laat een nieuw tijdperk aanbreken!

Verenigde Naties 1993

Toespraak voor de VN, New York, 24 september 1993

Ik ben de Speciale Commissie tegen Apartheid en haar voorzitter, zijne excellentie professor Ibrahim Gambari, en de VN als geheel, uiterst erkentelijk dat ik de gelegenheid hebben gekregen deze vergadering vandaag toe te spreken. Tezamen hebben wij een zeer lange weg afgelegd; we hebben hem tezamen afgelegd om een gezamenlijke bestemming te bereiken.

Die gezamenlijke bestemming vormt de ware bestaansreden voor deze wereldorganisatie. Het doel dat wij voor ogen hebben gehad is dat het verlangen van de mensheid naar menselijke waardigheid en volwaardigheid wordt vervuld. Daarom waren wij zo verbijsterd en woedend toen bleek dat een volk een misdadig systeem als de apartheid kon worden opgelegd.

Ieder van ons heeft zich door het bestaan van dit systeem alleen al in zijn menselijke waardigheid aangetast gevoeld. Ieder van ons heeft zich als minder dan menselijk gebrandmerkt gevoeld, omdat sommige mensen anderen als vuilnis konden behandelen. Uiteindelijk heeft niemand met een geweten zich afzijdig kunnen houden bij het zoeken naar een oplossing om een eind te maken aan de misdaad tegen de menselijkheid die de apartheid is.

Vandaag wil ik u, vertegenwoordigers van de wereldvolkeren, de grote dankbaarheid van het volk van Zuid-Afrika overbrengen voor uw betrokkenheid, al die tientallen jaren, bij de gezamenlijke strijd om een eind aan de apartheid te maken. Wij zijn diep geroerd door het feit dat bij deze organisatie vrijwel vanaf het begin van haar bestaan de uitroeiing van de apartheid en het blanke minderheidsbewind op de agenda stond.

Wij Zuid-Afrikanen hebben moed en inspiratie geput uit uw acties, collectief en individueel, om uw offensief tegen de apartheid op te voeren, terwijl het blanke minderheidsregime zelf telkens nieuwe stappen ondernam in zijn offensief om zijn wetteloze bewind juist steviger in het zadel te krijgen en het onderworpen volk meer en meer schattingen op te leggen. We zijn vooral uiterst dankbaar voor de maatregelen die de VN, de Organisatie voor Afrikaanse Eenheid, de Gemenebest, de Beweging van Niet-Gebonden Landen, de Europese Gemeenschap en andere intergouvernementele organisaties hebben genomen om de apartheid in Zuid-Afrika te isoleren. Wij waarderen daarnaast evenzeer vergelijkbare initiatieven die door landen individueel, non-gouvernementele organisaties, lokale gemeenschappen en zelfs individuen zijn genomen als onderdeel van de gezamenlijke inspanning om iedere internationale voedingsbodem onder het apartheidssysteem weg te slaan.

Deze wereldwijde strijd, die wellicht zonder precedent was door het ontelbare aantal mensen dat zich achter deze ene gemeenschappelijke zaak schaarde, heeft er absoluut aan bijgedragen dat wij ons thans op dit punt bevinden. Het apartheidsregime heeft eindelijk moeten inzien dat het systeem van een blank minderheidsbewind onhoudbaar was. Het moest wel gaan onderhandelen met de werkelijke vertegenwoordigers van ons volk om tot een oplossing te komen die, zoals was overeen gekomen op de eerste zitting van de Convention for a Democratic South Africa (Codesa),[1] Zuid-Afrika zou veranderen in een verenigd, democratisch, niet-racistisch en nietseksistisch land. Deze en andere overeenkomsten zijn nu vertaald in een specifiek programma dat ons land in staat zal stellen om vanuit zijn duistere, pijnlijke, woelige verleden een sprong voorwaarts te maken in de richting van een glorieuze toekomst, een toekomst die door de volledige inzet van ons volk democratisch, vreedzaam, stabiel en voorspoedig zal zijn.

Het aftellen naar de democratie in Zuid-Afrika is begonnen. De dag waarop een einde zal komen aan het blanke minderheidsbewind is in onderling overleg vastgesteld. Over zeven maanden, op 27 april 1994, zal de bevolking van Zuid-Afrika zonder discriminatie op grond van ras, huidskleur of geloof de historische daad verrichten zelf een regering te kiezen. Tevens is er wetgeving aangenomen die de vereiste staatsorganen instelt die erop zullen toezien dat de verkiezingen op vrije en eerlijke wijze verlopen.

In het verlengde van het creëren van deze organen is ons land nu ook op het punt aangekomen dat het niet meer uitsluitend door een blank minderheidsregime wordt geregeerd. Het overgangsbestuur waarin deze wetgeving voorziet belichaamt de allereerste deelname op regeringsniveau van de meerderheid van ons volk aan het vormgeven van de toekomst van ons land.

Het zal de historische voorloper zijn van de interimregering van nationale eenheid die na afloop van de democratische verkiezing van 27 april zal worden gevormd. De andere organen waarin de wet voorziet, te weten de onafhankelijke kiescommissie, de onafhankelijke mediacommissie en de onafhankelijke radio- en televisie-autoriteiten zullen ieder hun eigen rol spelen in het garanderen van een overgangsfase en een verkiezingsuitslag die door de gehele bevolking als wettig zal worden ervaren en daarmee zal worden erkend.

We zijn echter nog lang niet in een veilige haven. Er zijn onderhandelingen gaande die tot een overeenkomst over de interimgrondwet moeten leiden, aan de hand waarvan het land geregeerd zal worden terwijl de verkozen Nationale Vergadering aan de definitieve grondwet werkt. Het is daarom van blijvende noodzaak dat de VN en de wereldbeweging voor een democratisch Zuid-Afrika als geheel blijven toezien op het verloop van de overgangsfase, opdat bij eenieder die zich bij ons land betrokken voelt geen spoor van twijfel ontstaat of de internationale gemeenschap wel vastbesloten blijft ons op de weg naar de democratie te begeleiden.

De realiteit is dat er verschillende krachten in Zuid-Afrika opereren die de onvermijdelijke uitkomst die de hele mensheid nastreeft, niet accepteren. Die krachten, die ons onze vrijheid door bruut geweld weer willen afnemen en reeds tienduizenden mensen hebben vermoord of verminkt, vertegenwoordigen een minderheid binnen ons land. Zij oefenen geen macht uit dankzij het volk, maar dankzij de angst, de onzekerheid en de instabiliteit die ze proberen te creëren door middel van terroristische acties, die worden uitgevoerd door anonieme moordenaars die zich vooral profileren door hun wreedheid en hun totale gebrek aan respect voor de waarde van een mensenleven.

Andere groeperingen verzetten zich op grond van sektarisch eigenbelang tegen wezenlijke veranderingen. Deze kiezen voor een andere koers en proberen de weg van een soepele overgang naar de democratie te versperren. We zijn ervan overtuigd dat het van wezenlijk belang is dat ook deze krachten inzien dat de internationale gemeenschap de wil en het doorzettingsvermogen heeft om overeenkomstig de wens van de meerderheid van het volk van ons land ertoe bij te dragen dat de democratische veranderingen waar we al veel te lang op hebben moeten wachten, niet nog langer worden uitgesteld.

De apartheid heeft een spoor van ellende achter zich gelaten. De econo-

mie dreigt in een nog zwaardere recessie terecht te komen dan nu al het geval is. Dat houdt in de praktijk in dat miljoenen mensen geen voedsel, geen
werk en geen huisvesting hebben. Het fundament van de samenleving zelf
wordt aangetast door toenemend geweld, door een toename van het aantal
mensen dat zó wordt uitgebuit dat ze bereid zijn voor een korst brood een
moord te plegen, en de ineenstorting van alle maatschappelijke normen.
Bovendien verhevigt de afwezigheid van een door de meerderheid van het
volk gevolmachtigd wettig gezag deze algemene crisis ernstig, wat het belang van een spoedige overgang naar de democratie alleen maar benadrukt.
We moeten er daarom gezamenlijk alles aan doen om te voorkomen dat we
een soort Somalië of Bosnië worden, een ontwikkeling die zijn weerslag tot
ver buiten de Zuid-Afrikaanse grenzen zou hebben.

Ik heb in deze illustere vergadering met deze woorden geen paniek willen zaaien. Ik heb alleen willen zeggen dat nú de tijd is om nieuwe stappen
te ondernemen in de richting van de gezamenlijke overwinning waar wij
allen voor hebben gevochten! Ik ben ervan overtuigd dat het moment is gekomen dat de vn en de internationale gemeenschap als geheel de balans opmaken van de beslissende stappen die zijn gemaakt, teneinde de eindoverwinning van de zaak van de democratie in ons land mogelijk te maken.
Verder ben ik ervan overtuigd dat het moment is gekomen dat diezelfde gemeenschap een kader schept waardoor het afglijden naar een sociaal-economische ramp in Zuid-Afrika een halt wordt toegeroepen, want dat is een
van de voorwaarden voor een succesvolle democratisering.

In reactie op de historische stappen in de richting van de democratie, en
om het democratische proces een verdere impuls te geven, om de krachten
die een democratische verandering nastreven te steunen en de voorwaarden
te scheppen die voor stabiliteit en sociale vooruitgang zo noodzakelijk zijn,
ben ik ervan overtuigd dat het moment is aangebroken dat de internationale gemeenschap alle economische sancties tegen Zuid-Afrika opheft. Wij
doen daarom een ernstig beroep op u, op de regeringen en de volkeren die
u vertegenwoordigt, om alle noodzakelijke maatregelen te nemen die een
einde maken aan de economische sancties die ervoor hebben gezorgd dat
de overgang naar de democratie in onze nationale wetgeving is vastgelegd.

Die historische stap, die een keerpunt betekent in de geschiedenis van de
relatie tussen Zuid-Afrika en de rest van de wereld, mag nadrukkelijk niet
als een daad van terugtrekking worden gezien, maar als een van betrokkenheid. Laten wij allen deze nieuwe realiteit als een kans en een uitdaging be-

schouwen om onze betrokkenheid bij Zuid-Afrika uit te dragen op een wijze waarop de zaak van de democratie wordt bevorderd en de voor de overwinning van die democratie optimale sociale en economische voorwaarden
worden gecreëerd.

De Speciale Commissie tegen Apartheid heeft zelf leiding gegeven aan
het proces om de VN en zijn instellingen voor te bereiden op de nieuwe realiteit die de vrucht van onze gezamenlijke strijd is. Ik vertrouw erop dat de
nieuwe vorm van betrokkenheid van de VN bij de bevolking van Zuid-Afrika geen vertraging zal oplopen. Ik vertrouw er ook op dat de regeringen wereldwijd die zo'n centrale rol hebben gespeeld in het verslaan van het apartheidssysteem, zullen doen wat zij kunnen om de ontwikkeling van ons volk
te steunen.

Ook roep ik de miljoenen mensen die betrokken zijn geweest bij de brede non-gouvernementele anti-apartheidsbeweging op om betrokken te blijven bij de onafgebroken strijd om van Zuid-Afrika een democratie te maken, en algemene ontwikkelingshulp van volk tot volk aan hun programma's
toe te voegen.

Ik hoop dat zowel Zuid-Afrikaanse als internationale investeerders de gelegenheid aangrijpen om de Zuid-Afrikaanse economie weer nieuw leven in
te blazen, waar alle partijen van kunnen profiteren.

Ons volk heeft, zoals u weet, nog geen democratische regering gekozen.
Het is daarom van groot belang dat de blanke minderheidsregering die het
land voorlopig bestuurt niet wordt erkend of beschouwd als ware zij de vertegenwoordiger van het totale Zuid-Afrikaanse volk. Het overgangsbestuur
moet het gremium zijn waarbinnen het overleg tussen Zuid-Afrika en de
internationale gemeenschap in de periode tussen nu en de vorming van een
nieuwe regering moet plaatsvinden.

Ook wil ik hier aangeven dat in plaats van de diplomatieke sancties die
veel landen ons land hebben opgelegd, de tijd is gekomen om weer diplomatieke betrekkingen met Zuid-Afrika aan te knopen, om beter in staat te
zijn onze bevolking haar gezamenlijke doelstellingen te helpen bereiken.

Deze organisatie heeft Zuid-Afrika ook wapen- en olie-embargo's en nucleaire embargo's opgelegd. Wij willen u oproepen om tót de vorming van
een nieuwe regering die sancties in stand te houden. Een besluit over het
olie-embargo moet genomen worden door de commissie van de Algemene
Vergadering die voor dit specifieke embargo verantwoordelijk is.

Verder willen wij de Veiligheidsraad verzoeken een begin te maken met het uiterst belangrijke vraagstuk over de rol van deze organisatie bij de ondersteuning van het organiseren en garanderen van de vrije en eerlijke verkiezingen. Dit moet uiteraard gepaard gaan met een evaluatie van de bijdrage van de VN Waarnemingscommissie in Zuid-Afrika, die ons helpt bij het aanpakken van het politieke geweld.

Ik kan niet afsluiten zonder onze hartelijke gelukwensen uit te laten gaan aan het adres van de PLO en de Israëlische regering in verband met de belangrijke stap voorwaarts die zij hebben gezet en die hopelijk tot een rechtvaardig en blijvend akkoord omtrent de Midden-Oostenkwestie zal leiden. Namens de gehele bevolking van mijn eigen land wens ik hen, alsmede de bevolking en de regering van elk land in die regio, alle goeds, en zeg hen onze steun toe bij hun nobele pogingen vrede en gerechtigheid te brengen.

Ook spreek ik de hoop uit dat voor de netelige kwestie rond de Westelijke Sahara spoedig een rechtvaardige oplossing zal worden gevonden.

In Angola blijft de situatie ellendig. Ik roep de VN en met name de Veiligheidsraad op alles wat binnen hun macht ligt te doen om ervoor te zorgen dat er een eind komt aan het bloedvergieten en dat de democratie wordt gerespecteerd.

De stappen in de richting van de vrede in Mozambique zijn bemoedigend. We vertrouwen erop dat er geen nieuwe obstakels zullen opdoemen die het volk van ons zusterland de vrede, stabiliteit en voorspoed onthouden waarop het zo lang heeft gewacht.

Onze gezamenlijke overwinning op het enige staatssysteem dat sinds de overwinning op de nazi's een misdaad tegen de menselijkheid is genoemd, is in zicht. De historische noodzaak zo snel en zo vreedzaam mogelijk een einde aan deze misdaad te maken, vereist dat wij, de volkeren van de wereld, onze eenheid en onze betrokkenheid bij de zaak van de democratie, de vrede, de menselijke waardigheid en de voorspoed voor iedereen in Zuid-Afrika, niet laten verslappen.

Nu ik vandaag hier voor u sta, ben ik weer geroerd door de belangeloze solidariteit die u met ons volk heeft getoond. Wij realiseren ons dat we door onze gezamenlijke handelingen niet alleen de bevrijding van het volk van Zuid-Afrika op het oog hadden, maar ook de verlegging van de wereldwijde grenzen op het gebied van democratie, non-racisme, non-seksisme en menselijke solidariteit. In die wetenschap beloof ik hier vandaag dat wij niet zullen rusten voor de strijd om de goede zaak die ons allen verbindt is gewonnen en een nieuw Zuid-Afrika zich weer volledig, als een land waar wij allen trots op kunnen zijn bij de rest van de internationale gemeenschap aansluit.

NOOT VAN DE VERTALER
1   Vergadering waarin verschillende zwarte en blanke partijen sinds 1991 over een nieuwe grondwet onderhandelden.

Verenigde Naties 1994

*Toespraak tot de 49ste Zitting van de Algemene Vergadering van de
VN, New York, 3 oktober 1994*

Een van de meest ironische zaken van onze tijd is dat deze illustere Vergadering voor het eerst in negenveertig jaar wordt toegesproken door een Zuid-Afrikaans staatshoofd dat werd gekozen door de Afrikaanse meerderheid van een Afrikaans land. Komende generaties zullen zich erover verbazen dat een delegatie die zowel door ons eigen volk als door de staten van de wereld wordt erkend als de wettige vertegenwoordiger van onze bevolking, pas zo ver in de twintigste eeuw haar zetel in de Vergadering kon innemen.

Laten we ons verheugen over het feit dat wanneer deze illustere vergadering volgend jaar haar vijftigste verjaardag viert, het apartheidssysteem is verslagen en tot het verleden behoort. Die historische verandering is tot stand gekomen mede door de grote inspanningen die de VN zich hebben getroost om de apartheid, die misdaad tegen de menselijkheid, uit te bannen.

Toen de VN nog bezig waren zichzelf in al zijn geledingen te ontplooien, werden zij al geconfronteerd met de machtsovername door de apartheidspartij in ons land. Alles waar dat systeem voor stond was volkomen het tegenovergestelde van wat deze organisatie zichzelf tot doelstelling had gemaakt.

De apartheid ondergroef de geloofwaardigheid van de VN als effectief internationaal instrument om een einde aan racisme te maken en voor ieders mensenrechten op te komen, en de invoering ervan en het feit dat het een steeds stevigere voet aan de grond kreeg, betekende een schaamteloze klap in het gezicht van deze organisatie.

De VN zijn voortgekomen uit de titanenstrijd tegen het nazisme en fascisme met hun verderfelijke doctrines en daden op het gebied van raciale superioriteit en genocide. De organisatie kon daarom niet passief toekijken hoe in Zuid-Afrika een vergelijkbaar systeem werd gevestigd dat ook nog eens de brutaliteit had zich in de vn te willen laten vertegenwoordigen. Het is naar onze mening van groot belang geweest voor de universele kracht van en het respect voor de Verklaring van de Rechten van de Mens en het Handvest van de vn dat de vn niet hebben toegegeven aan de smeekbedes van het apartheidsbewind waarmee zij beweerden dat de brute schending van de rechten van de mens in Zuid-Afrika een binnenlandse kwestie was, waar deze wereldorganisatie in juridische zin of in werkelijkheid niets mee te maken had.

Wij brengen de vn en haar lidstaten, individueel en collectief, een groet en danken hen ervoor dat zij zich bij ons volk hebben aangesloten in die gezamenlijke strijd die tot onze vrijmaking heeft geleid en de grenzen van het racisme verder heeft teruggedrongen.

Onze miljoenenbevolking dankt u vele malen dat het respect dat u voor uw eigen menselijke waardigheid heeft, u inspireerde om uw best te doen om ook onze waardigheid weer in ere te herstellen. Samen zijn wij een weg gegaan die naar onze oprechte overtuiging de menselijke solidariteit in het algemeen en de vriendschapsbanden tussen ons land en de landen in de rest van de wereld heeft verstevigd. Die weg begint al in de tijd dat India het racisme in Zuid-Afrika op de agenda plaatste, en reikt tot het moment dat de wereldgemeenschap zoals hier ter plekke vertegenwoordigd unaniem resoluties tegen de apartheid aannam.

Het vervulde mij dan ook met grote vreugde toen ik bij mijn inauguratie als president van onze republiek zulke hoge en voorname vertegenwoordigers van deze organisatie, zoals de secretaris-generaal, de voorzitter van de Algemene Vergadering en de voorzitter van de Speciale Commissie tegen Apartheid, tot mijn gasten mocht rekenen.

Nu zijn we op weg ons land te herscheppen en daarvoor gebruiken we zowel de democratische grondwet die op 27 april in werking trad, als het Programma voor Wederopbouw en Ontwikkeling dat eigendom van alle Zuid-Afrikanen is geworden.

Dergelijke documenten komen uiteraard pas tot leven, wanneer het volk zelf ze leven inblaast. De woorden die erin staan moeten zich door het gehele volk worden toegeëigend en een gezamenlijke trouw van ons gehele volk aan het proces en de doelstellingen die in de documenten geformuleerd staan, inspireren. Als we willen dat dat inderdaad gebeurt, moeten we, net zo goed als we de idealen die in deze documenten staan uitdragen, een historische krachtsinspanning leveren om onszelf als nieuwe staat te herdefiniëren.

Sleutelwoorden in onze zoektocht naar een democratisch, niet-racistisch en niet-seksistisch land moeten zijn: gerechtigheid, vrede, verzoening en staatsvorming. Vóór alles moeten we ons inzetten om de wonden te laten helen die de bevolking, aan weerszijden van de scheidslijnen die door eeuwen van kolonialisme en apartheid zijn ontstaan, heeft opgelopen. Huidskleur, ras en geslacht zijn niet meer dan een door God gegeven geschenk aan ieder van ons en zijn geen onuitwisbaar teken of kenmerk dat iemand een uitzonderingspositie geeft. Er komt een dag dat wij, Zuid-Afrikanen, elkaar zien en met elkaar omgaan als gelijkwaardige mensen en als onderdeel van een land dat door zijn verscheidenheid wordt verenigd, in plaats van verscheurd.

De weg die wij zullen moeten bewandelen om op dat punt uit te komen zal geenszins gemakkelijk zijn. We weten allemaal hoe racisme zich in de ziel kan vastbijten en hoezeer het een verderfelijke invloed op de menselijke geest kan hebben. Wanneer de directe, tastbare omgeving ook nog eens volgens racistische principes is ingedeeld, zoals dat in ons land het geval is, wordt die beïnvloeding nog sterker. Maar hoe zwaar de strijd ook zal zijn, we zullen niet opgeven. Racisme vernedert zowel dader als slachtoffer en daarom zullen wij, trouw als we zijn aan onze doelstelling de menselijke waardigheid te beschermen, doorvechten tot de overwinning daar is.

We geloven stellig dat wij, die aan den lijve de destructieve en mensonterende krachten van het racisme hebben ondervonden, het aan onszelf verplicht zijn onze metamorfose in dienst te stellen van het realiseren van een waarlijk niet-racistische samenleving. Omdat wij zo vertrouwd zijn met het racisme, is de kans groot dat wij erin slagen het tegenovergestelde ervan een gezonde voedingsbodem te bieden. Misschien zullen wij, die in ons land de ergste vorm van racisme hebben meegemaakt sinds het nazisme werd verslagen, de menselijke beschaving een stap vooruit helpen door onze zaken zodanig te regelen dat we het racisme overal ter wereld een gevoelige en permanente klap toebrengen.

Sommige van de stappen die we reeds hebben ondernomen, met inbegrip van de vorming van een regering van nationale eenheid, de ordelijk verlopen hervormingen binnen de overheidsinstellingen en het ontwikkelen van een nationale consensus over de belangrijkste kwesties waar we voor staan, zijn zonder veel problemen verlopen en zullen bijdragen aan het proces dat moet leiden tot de vorming van de rechtvaardige maatschappij waar ik het eerder over had.

Onze politieke emancipatie heeft tevens duidelijk gemaakt dat het van het grootste belang is dat wij ons hard moeten maken voor het bestrijden van de armoede, de honger en de onwetendheid die ons volk in de greep houden. Ons credo is dat in de maatschappij waar wij naar streven de mens centraal staat. Al haar instellingen en middelen moeten in dienst staan van het realiseren van een beter bestaan voor iedereen. Dat betere bestaan moet inhouden: een einde aan de armoede, de werkloosheid, dakloosheid en de wanhoop die met gebrek gepaard gaan. Dit vormt een doelstelling op zich, want het geluk van de mens moet in iedere samenleving een doelstelling op zich zijn.

Tegelijkertijd zijn we ons er uitermate van bewust dat de stabiliteit van de democratie zelf en de mogelijkheid werkelijk een niet-racistische en niet-seksistische samenleving te realiseren, afhangen van onze mogelijkheid de levensomstandigheden van onze bevolking zodanig te veranderen dat zij niet alleen stemrecht, maar ook te eten heeft en werk. Hierbij zeg ik dan ook toe, bij dit nieuwe bezoek aan de vn, dat net als wij eerder beloofden dat wij niet zouden rusten voor het apartheidssysteem was verslagen, wij niet kunnen rusten zolang er nog miljoenen mensen van onze bevolking de pijn en de vernedering ondergaan die armoede in al zijn vormen met zich meebrengt. Tegelijkertijd vragen wij deze wereldorganisatie nogmaals om haar blijvende steun om ons doel te bereiken: de verbetering van de levensomstandigheden van de bevolking van Zuid-Afrika.

Het is verheugend en inspirerend dat zowel de secretaris-generaal als de gespecialiseerde agentschappen van de vn de uitdaging Zuid-Afrika verder te helpen met zo'n groot enthousiasme op zich hebben genomen. Het is in ons aller belang dat we de gezamenlijke overwinning die wij in Zuid-Afrika hebben behaald consolideren en deze inzetten om niet alleen op politiek maar ook op sociaal-economisch gebied successen te behalen.

Misschien vindt iedereen die hier verzameld is het doodgewoon dat er over de hele wereld onmiskenbaar een democratiseringsproces aan de gang is. De bestaansreden van deze organisatie is tenslotte dat de gewone wereldburger zelf zijn lot in handen neemt, zonder daarin door dictators of tirannen te worden gehinderd. Maar het is onmiskenbaar dat miljoenen van deze op politiek gebied autonome wereldburgers als ratten in de val van de armoede zitten en met geen mogelijkheid het leven ten volle kunnen leven.

De sociale conflicten die hieruit voortkomen geven aanleiding tot onveiligheid en instabiliteit, burgeroorlogen en andere oorlogen die talloze levens kosten, miljoenen vluchtelingen tot gevolg hebben en de weinige welvaart die arme landen wél hebben, weer tenietdoen. Tevens is die situatie de ideale voedingsbodem voor tirannen, dictators en demagogen die niet alleen de mensen hun rechten afnemen of indammen, maar het ook onmogelijk maken om juist dát te doen wat het volk blijvende voorspoed brengt.

Tegelijkertijd kan niet langer worden ontkend dat we in een wereld leven waar iedereen afhankelijk is van elkaar en één gezamenlijke lotsbestemming heeft. De reactie van de internationale gemeenschap zelf op het probleem van de apartheid bevestigde iets waarvan wij ons allen zeer bewust waren, namelijk dat zolang Zuid-Afrika zuchtte onder het juk van de apartheid, de gehele mensheid zich onteerd en vernederd zou voelen.

De vn begrepen heel goed dat het racisme in ons land het racisme op andere plaatsen in de wereld zou stimuleren. Daarom was de universele strijd tegen de apartheid niet een vorm van liefdadigheid uit medelijden met ons volk, maar een bevestiging van de menselijkheid die wij delen. Die daad van bevestiging betekent dat deze organisatie opnieuw haar geconcerteerde aandacht moet richten op wat de kern van alles is, namelijk dat voor de hele mensheid de wereld erop vooruit moet gaan. De ontwikkeling van een nieuwe wereldorde moet noodzakelijkerwijs deze wereldorganisatie als beginpunt hebben. Dit is het platform dat ons in staat stelt onze bijdrage te leveren aan hoe de nieuwe wereld eruit moet zien.

De vier elementen die tezamen nodig zijn om die nieuwe universele realiteit te smeden, zijn democratie, vrede, voorspoed en onderlinge afhankelijkheid. De grote uitdaging van deze tijd voor de vn is een antwoord te formuleren op de vraag: hoe kunnen we, gegeven de onderlinge afhankelijkheid in de wereld, garanderen dat overal ter wereld democratie, vrede en voorspoed heersen?

We realiseren ons dat de vn die vraag op vele manieren beantwoorden. Maar er kan niet ontkend worden dat de vooruitgang die is geboekt, tamelijk onopvallend tot stand is gekomen in plaats van op de krachtdadige en vastberaden wijze die de wereldcrisis van ons verlangt. Misschien is het tijd voor een nieuw, krachtig initiatief. De ernst van de bedoelingen van een dergelijk initiatief is maatgevend voor het inspirerende vermogen ervan. Ook zal het kans van slagen hebben omdat het gesteund zal worden door de wil van de volksmassa's in iedere lidstaat, om andere landen de hand te reiken om gezamenlijk de met elkaar samenhangende kwesties van democratie, vrede en voorspoed in een onderling afhankelijke wereld aan te pakken.

Wij realiseren ons dat overwegingen van *Realpolitik* zich in principe verzetten tegen de snelle verwezenlijking van een dergelijk initiatief. Maar de realiteit van het leven en het realisme van de politiek zullen op enig moment glashelder maken dat iedere vorm van uitstel de druk op ons allen alleen maar opvoert om, binnen wat wij mogelijk achten, een duurzaam ideaal te formuleren van een gemeenschappelijke wereld die gezamenlijk voor- en tegenspoed aankan.

Ongetwijfeld zullen de vn, om bij de lidstaten een groter vertrouwen te wekken en de ontwikkeling in de richting van de democratisering van de internationale verhoudingen beter weer te geven, zichzelf permanent een spiegel voor moeten houden, opdat ze kunnen bepalen hoe zij zichzelf moeten veranderen. Dat proces zal uiteraard onder andere zijn invloed hebben op de structuur en het functioneren van de Veiligheidsraad en op de vredeskwesties die door de secretaris-generaal op zijn Vredesagenda onder de aandacht zijn gebracht.

Democratisch Zuid-Afrika neemt opnieuw zijn plaats in als lid van de wereldgemeenschap en is vastbesloten zijn rol te spelen in het sterker maken van de vn en al het mogelijke bij te dragen aan het dichterbij brengen van hun doelstellingen.

We hebben vanmorgen onder andere de convenanten en conventies van deze organisatie ondertekend op het gebied van Economische, Sociale en Culturele Rechten en de Uitbanning van Iedere Vorm van Rassendiscriminatie, om maar te zwijgen over onze onherroepelijke steun aan het uitvoeren van de doelstellingen van de Universele Verklaring van de Rechten van de Mens.

Wij zijn vastbesloten ons volledig in te zetten op het belangrijke gebied van non-proliferatie en de ontmanteling van massavernietigingswapens. Onze regering heeft ook besloten de Conventie Inzake het Verbod op en de Inperking van het Gebruik van Bepaalde Conventionele Wapens te ondertekenen.

Evenmin zullen wij verzuimen bij te dragen aan de duurzame ontwikkeling zoals voorzien in de Verklaring van Rio de Janeiro Inzake Milieu en Ontwikkeling/Agenda 21.

Ook verlangt ons nationaal belang van ons dat wij met de vn en al hun lidstaten gezamenlijk de strijd aanbinden met de drugshandel.

Onze grondwet schrijft voor dat wij ons zullen inzetten voor de bevordering van de emancipatie van de vrouw door het creëren van een niet-seksistische maatschappij. Wij zijn derhalve actief betrokken bij de voorbereidingen van wat volgens ons absoluut een geslaagde Peking-conferentie zal worden.

Wij zijn onderdeel van de regio zuidelijk Afrika en van het continent Afrika. Als inmiddels aan de andere landen gelijkwaardig lid van de Ontwikkelingsgemeenschap voor Zuidelijk Afrika en de OAE (Organisatie voor Afrikaanse Eenheid), zullen wij onze rol spelen in de strijd van deze organisaties om een continent en een regio op te bouwen die voor zichzelf en de mensheid als geheel een gedeelde wereld van vrede en voorspoed kan realiseren.

Afrika moet een continent worden waar de verschrikkingen die ons eigen land, Rwanda, Somalië, Angola, Mozambique, Soedan en Liberia hebben meegemaakt, niet meer voorkomen. Het is verheugend dat de OAE actief betrokken is bij deze vraagstukken van vrede en stabiliteit op ons continent.

Het is zeer bemoedigend dat de landen in onze regio die met de crisis in Lesotho werden geconfronteerd, gezamenlijk snel hebben gehandeld en zo, in samenwerking met de regering en de bevolking van dat land, hebben aangetoond dat wij gezamenlijk bereid zijn pal te staan voor democratie, vrede en nationale verzoening.

Verder zijn wij als lid van de Beweging van Niet-Gebonden Landen en de Groep van 77 vooral betrokken bij de bevordering van de samenwerking tussen zuidelijke staten en het behartigen van de belangen van de armen en de achtergestelden.

Onze dankbaarheid gaat uit naar de leden van de Algemene Vergadering voor de voortvarendheid en de bereidheid waarmee ze de geloofsbrieven van het democratische Zuid-Afrika hebben geaccepteerd, waardoor wij reeds in de voorgaande Algemene Vergadering zitting konden nemen. Het heeft ons verheugd dat andere internationale organisaties, zoals de Europese Unie en de Gemenebest, eenzelfde openheid aan den dag legden.

Ten slotte wil ik u, meneer de voorzitter, van harte geluk wensen met uw verkiezing en mijn vertrouwen uitspreken dat u het werk van de Vergadering met dezelfde wijsheid en dezelfde vaste hand waar wij u zo om bewonderen, zult leiden.

De miljoenen mensen over de hele wereld die zich verwachtingsvol bij de poorten van de hoop hebben verzameld, vragen van deze organisatie dat ze hen vrede zal brengen, een leven, een leven dat het waard is geleefd te worden. Wij bidden dat het nieuwe Zuid-Afrika, dat met uw hulp tot stand is gekomen en dat u zo hartelijk in uw midden heeft opgenomen, in het belang van zichzelf en in het belang van de rest van de wereld zijn eigen steentje zal bijdragen aan het verwezenlijken van die hoop.

De menselijkheid die wij delen en de steeds dringender klop op de deur van dit grootse bouwwerk eisen van ons dat we zelfs het onmogelijke moeten proberen.

Verenigde Naties 1998

Toespraak tot de 53ste Zitting van de Algemene Vergadering van de
VN, New York, 21 september 1998

Graag maak ik, als president van de Republiek Zuid-Afrika en als voorzitter van de Beweging van Niet-Gebonden Landen van de gelegenheid gebruik om u [Didier Oppertti Badan] van harte geluk te wensen met uw verkiezing tot de hoge functie van voorzitter van de Algemene Vergadering. U zult het scepter zwaaien over deze illustere Vergadering van de staten van de wereld in een tijd dat haar overwegingen en beslissingen van enorme invloed zijn op het constante streven van de mensheid om eindelijk wereldwijd vrede en voorspoed te bereiken.

De Beweging van Niet-Gebonden Landen alsmede mijn eigen land, dat daar een trots lid van is, hebben er veel vertrouwen in dat deze organisatie haar verantwoordelijkheden ten opzichte van de landen in de wereld zal nemen, met name in deze kritieke periode van haar bestaan.

Het is uitermate toepasselijk dat deze 53ste zitting de geschiedenis zal ingaan als het moment waarop wij het vijftigjarige bestaan van de Universele Verklaring van de Rechten van de Mens vieren. Die verklaring zag het licht in de nasleep van de overwinning op de nazi's en hun fascistische misdaden tegen de menselijkheid, en belichaamde de hoop dat alle samenlevingen eens zouden zijn gebaseerd op de hoogstaande idealen die in ieder artikel ervan worden geformuleerd.

De Universele Verklaring van de Rechten van de Mens vormde voor mensen zoals wij, die zich, met uw steun, van het misdadige apartheidssysteem moesten bevrijden, de bevestiging van de rechtvaardigheid van onze zaak. Tegelijkertijd vormde het de uitdaging om, eenmaal bevrijd, de verwezenlijking van de idealen uit de Verklaring na te streven.

Vandaag vieren wij dat dit historische document vijf turbulente decennia, die enkele van de meest opmerkelijke ontwikkelingen in de geschiedenis van de mensheid te zien hebben gegeven, heeft overleefd. Die ontwikkelingen waren onder andere de ineenstorting van het koloniale systeem, het einde van de scheiding tussen Oost en West, adembenemende doorbraken op het gebied van wetenschap en technologie en de verankering van het uiterst complexe proces van globalisering.

Maar nog steeds is het zo dat de mensen die de Universele Verklaring van de Rechten van de Mens op het oog heeft, te lijden hebben onder oorlog en geweld. De mens is nog steeds niet gevrijwaard van de angst voor de dood als gevolg van massavernietigingswapens of conventionele wapens. Velen zijn nog immer niet in staat de fundamentele en onvervreemdbare democratische rechten te doen gelden die hen in staat zouden stellen hun eigen lot en dat van hun land, gezin en kinderen in handen te nemen en zich te verdedigen tegen tirannie en dictatuur.

Honderden miljoenen mensen wordt vandaag de dag nog, door armoede, gebrek aan basisvoorzieningen zoals eten, werk, water en onderdak, onderwijs, gezondheidszorg en een gezond milieu, het recht ontzegd eenvoudig méns te zijn.

Dat wij tot nog toe hebben gefaald in het verwezenlijken van de idealen die in de Universele Verklaring van de Rechten van de Mens zijn geformuleerd, komt dramatisch tot uitdrukking in het contrast tussen arm en rijk dat de scheiding tussen het noordelijk en het zuidelijk halfrond en binnen individuele landen karakteriseert. Ons falen komt vooral pijnlijk tot uitdrukking doordat het feit dat armoede en rijkdom naast elkaar bestaan, de aanhoudende gewoonte om conflicten binnen en tussen staten op te lossen door oorlog te voeren en het ontzeggen van de democratische rechten aan velen wereldwijd, allemaal het gevolg zijn van het handelen of het nalaten van handelingen door hen die leidinggevende posities in de politiek, de economie en elders in het spectrum van de menselijke activiteit innemen.

Met andere woorden, al deze sociale misstanden die in wezen een overtreding betekenen van de Universele Verklaring van de Rechten van de Mens, zijn niet de onontkoombare consequenties van natuurkrachten of het gevolg van een goddelijke vervloeking. Zij vloeien voort uit de beslissingen die door ménsen worden genomen, of juist niet worden genomen, en geen van hen zal aarzelen zijn of haar steun uit te spreken voor de idealen die worden geformuleerd in de Universele Verklaring van de Rechten van de Mens.

Die Verklaring is universeel genoemd juist omdat de grondleggers van deze organisatie en de landen op de wereld die de handen ineensloegen om de vloek van het fascisme te bestrijden, waaronder ook vele die hun eigen vrijmaking nog moesten realiseren, inzagen dat de wereld één onderling afhankelijk geheel was. Waarden als geluk, gerechtigheid, menselijke waardigheid, voorspoed en vrede spreken universeel tot de verbeelding omdat ieder volk en ieder individu er recht op heeft. En niemand kan zeggen gezegend te zijn met geluk, vrede en voorspoed als anderen, die evenzeer mensen zijn, door ellende, gewapende conflicten, terrorisme en armoede getroffen blijven worden.

De uitdaging waar we de volgende vijftig jaar van de Universele Verklaring van de Rechten van de Mens voor staan, waar we de komende eeuw die erdoor bepaald moet worden voor staan, is of de mensheid, en met name degenen die leidinggevende posities innemen, de moed zullen hebben om nu eindelijk een wereld te realiseren die in de pas loopt met de bepalingen uit die historische Verklaring en uit andere mensenrechtendocumenten die sinds 1948 zijn aangenomen.

Op dit moment zijn er overal in Afrika, Europa en Azië gebieden waar conflicten heersen: van de Democratische Republiek Congo, Angola en Soedan op mijn eigen continent, tot de Balkan in Europa en Afghanistan, Tadzjikistan en Sri Lanka in Azië.

Het is duidelijk dat het de verantwoordelijkheid van deze organisatie en met name van de Veiligheidsraad is om, in samenwerking met alle mensen van goede wil in de betreffende gebieden, krachtig op te treden om een einde te maken aan deze destructieve conflicten. We mogen niet aflaten ons te verzetten tegen de primitieve neiging wapens en geweld te verheerlijken, iets dat voortkomt uit de illusie dat onrechtvaardigheid kan worden gehandhaafd met het wapen in de hand of dat geschillen het beste kunnen worden opgelost door middel van geweld.

Wij zijn, als Afrikanen, de secretaris-generaal dankbaar voor zijn bijdrage aan onze pogingen op ons continent een einde aan het geweld te maken. We hebben zijn rapport ter harte genomen en we zullen onze inspanningen om ons continent van oorlogen te verlossen, verdubbelen.

De allereerste resolutie die door de Algemene Vergadering werd aangenomen, in januari 1946, stelde zich tot doel de wereld van alle 'nationale atoomwapenarsenalen en alle andere belangrijke massavernietigingswapens' te ontdoen. We kunnen echter niet ontkennen dat er na talloze initiatieven en resoluties nog steeds geen concrete en algemeen aanvaarde voorstellen zijn gedaan waarin de atoommachten zich krachtig uitspreken voor een snelle, definitieve en totale ontmanteling van hun nucleaire wapenarsenalen en -fabrieken.

Ik wil van de gelegenheid gebruik maken onze zusterrepubliek Brazilië geluk te wensen met haar besluit toe te treden tot het Nucleaire Non-Proliferatieverdrag, en ik roep alle staten die dat nog niet hebben gedaan op dit goede voorbeeld te volgen.

In een oprechte poging om tot een stappenplan te komen waarmee deze wapens en hun dreiging van algehele verwoesting uit de wereld kunnen worden geholpen, heeft Zuid-Afrika, samen met Brazilië, Egypte, Ierland, Mexico, Nieuw-Zeeland, Slovenië en Zweden een concept-resolutie opgesteld die in deze Vergadering behandeld zal worden. De titel luidt, toepasselijk genoeg: 'Naar een atoomwapenvrije wereld: De noodzaak van een nieuwe agenda'. Ik roep alle leden van de VN op deze belangrijke resolutie serieus te bestuderen en haar te steunen.

Wij moeten de vraag stellen – een vraag die degenen die uitvoerige en doorwrochte argumenten hebben om zich teweer te stellen tegen de ontmanteling van deze afschuwelijke en angstaanjagende massavernietigingswapens misschien naïef in de oren klinkt – of we die wapens eigenlijk wel nodig hebben. In de praktijk is er geen redelijke verklaring voor het in stand houden van wat in wezen het gevolg is van de onbeweeglijke stellingnames uit de Koude Oorlog en van de gehechtheid aan het gebruik van grof geweld om de superioriteit van de ene staat over de andere af te dwingen.

Het is tevens dringend nodig dat er stappen worden ondernomen om een rechtvaardige en permanente vrede in het Midden-Oosten te realiseren op basis van de verwezenlijking van de legitieme wensen van het Palestijnse volk en respect voor de onafhankelijkheid en veiligheid van alle landen in deze belangrijke regio.

Ook zien we uit naar een oplossing in de nijpende kwesties rondom de Westelijke Sahara en Oost-Timor; we zijn ervan overtuigd dat het mogelijk is deze kwesties van de wereldagenda te halen door verdragen te sluiten waar alle partijen bij zijn gebaat.

Ook verwelkomen wij de moedige stappen die de regering van de Federale Republiek Nigeria, dat uiterst belangrijke land in Afrika, heeft genomen om de terugkeer tot een democratisch bestel en een regeringssysteem mogelijk te maken waarmee haar gehele bevolking is gediend.

Wij worden allemaal geconfronteerd met de ellende die drugsmisbruik en de illegale drugshandel, de georganiseerde internationale misdaad en het internationale terrorisme met zich meebrengen. Wij ondersteunen de maatregelen die door de VN zijn genomen of worden besproken om deze problemen aan te pakken en zullen als land onze volledige medewerking aan ieder regionaal of internationaal initiatief verlenen om ervoor te zorgen dat de volkeren van de wereld, met inbegrip van ons eigen, van de verwoestende invloed van deze misdaden zullen worden gevrijwaard.

De wereld bevindt zich in de greep van een economische crisis die, zoals president Clinton het hier in New York vorige week formuleerde, 'miljoenen in armoede heeft gestort en het leven van de gewone man en vrouw heeft ontwricht en aan het wankelen gebracht' en 'tientallen miljoenen mensen wereldwijd grote, persoonlijke tegenslagen heeft berokkend'.

'In recente reportages in de pers,' vervolgde president Clinton, 'is beschreven hoe een complete generatie die zich in vijfentwintig jaar tot de middenklasse had opgewerkt, binnen enkele maanden weer aan de bedelstaf is geraakt. Hun verhalen zijn hartverscheurend – artsen en verplegend personeel die gedwongen zijn in de hal van een gesloten ziekenhuis te wonen, gezinnen uit de middenklasse die een eigen huis hadden, hun kinderen naar school konden laten gaan en buitenlandse reizen konden maken en nu slechts kunnen overleven door hun persoonlijke bezittingen te verkopen.'

Hij had het over 'razendsnelle ontwikkelingen [in de wereldeconomie] die problemen in Rusland en Azië hebben veroorzaakt of verhevigd. Ze bedreigen de opkomende economieën in Latijns-Amerika en Zuid-Afrika' en over het 'opofferen van levens in naam van economische theorieën'.

President Clinton onderkende in zijn toespraak verder dat, in zijn woorden, 'wanneer een kwart van de wereldbevolking in groeiende armoede leeft, wij [de Verenigde Staten] niet voor altijd een oase van voorspoed kunnen zijn. Groei binnen de VS kan niet zonder groei buiten de VS.'

Ik citeer de president van de Verenigde Staten zo uitvoerig omdat hij gelijk heeft en omdat hij de leider is van het machtigste land van de wereld.

Vanuit dat oogpunt bezien hoop ik dat, in het licht van de problemen waar de gehele mensheid, en met name de armen voor staan, de machtigen der aarde de moed niet zullen verliezen wanneer het erop aankomt de juiste koers te bepalen en vervolgens, op grond van die koers, die problemen aan te pakken.

Het drama dat president Clinton beschrijft reikt ver voorbij de door hem beschreven plotselinge armoedeval waar de middenklasse onder lijdt. Steeds meer gewone, werkende mensen worden dagelijks geconfronteerd met armoede.

Het wereldwijde armoedeprobleem wordt paradoxaal genoeg scherp in beeld gebracht door het feit dat welvaart razendsnel van het ene deel van de wereld naar het andere wordt gesluisd, wat een verwoestende uitwerking heeft. Kort gezegd ontstaat er een toestand waarin de verdere opeenhoping van welvaart, in plaats van bij te dragen aan de kwaliteit van het leven van de hele wereldbevolking, in een beangstigend, steeds hoger tempo armoede tot gevolg heeft.

Het is een zaak van leven of dood die niet langer mag worden genegeerd. De cruciale uitdaging is ervoor te zorgen dat de landen uit het zuidelijk halfrond toegang krijgen tot de productiemiddelen die de wereldeconomie ter beschikking staan, en men mag zich niet aan die uitdaging onttrekken door zo veel mogelijk de armen zelf de schuld van alles te geven.

Het is duidelijk dat alle relevante kwesties moeten worden aangepakt, inclusief zaken als de sterkere instroom van langetermijnkapitaal, handelsvoorwaarden, kwijtschelding van schulden, technologieoverdracht, personeelsscholing, vrouwenemancipatie en jeugdontwikkeling, het uit de wereld helpen van armoede, de hiv/aids-epidemie, milieubescherming en de steun aan financiële en andere instellingen die van belang zijn voor duurzame economische groei en ontwikkeling.

Het is verheugend te constateren dat het geen vraag meer is of ook de multilaterale financiële en economische instellingen moeten worden geherstructureerd zodat zij de problemen van de huidige wereldeconomie kunnen aanpakken en aan de dringende behoefte van de armen in de wereld tegemoet kunnen komen. Zo zal ook deze organisatie, alsmede de belangrijke Veiligheidsraad in haar midden, gereorganiseerd moeten worden, opdat zij de belangen van de wereldbevolking kan behartigen in overeenstemming met de doelstellingen waarvoor zij is opgericht.

Deze onderwerpen zijn eerder dit jaar uitgebreid besproken tijdens de twaalfde topontmoeting van de Beweging van Niet-Gebonden Landen in Durban, Zuid-Afrika. Ik mag de Algemene Vergadering van de vn en de vn als geheel de besluiten van deze belangrijke ontmoeting, inclusief de Verklaring van Durban die de top unaniem heeft aanvaard, van harte aanbevelen. Ik weet zeker dat ze deze organisatie bij haar taken zullen ondersteunen en opnieuw een bijdrage van de zuidelijke staten aan de oplossing van de problemen van alle landen, arm en rijk, wereldwijd, zullen betekenen.

Waarschijnlijk zal dit de laatste keer zijn dat ik de eer heb de Algemene Vergadering toe te spreken. Ik werd geboren tegen het eind van de Eerste Wereldoorlog en ik trek mij uit het openbare leven terug op het moment dat de wereld het vijftigjarig bestaan van de Universele Verklaring van de Rechten van de Mens viert. Op dit punt van de lange weg die ik ben gegaan wordt me de gelegenheid geboden, zoals eenieder die gelegenheid eens geboden zou moeten worden, om mij in alle rust en vrede in mijn geboorte-dorp terug te trekken.

En daar in Qunu, uitkijkend over die heuvels waar ik langzaam één mee zal worden, zal ik blijven hopen dat in mijn eigen land, in mijn eigen regio, in mijn werelddeel en in de wereld, een nieuwe generatie leiders is opgestaan die niet langer zal toestaan dat iemand ooit nog de vrijheid zal worden ontnomen zoals die ons ontnomen was, dat iemand ooit nog een vluchteling zal zijn zoals wij dat waren, dat iemand ooit nog honger zal hebben zoals wij dat hadden, dat iemand ooit nog van zijn menselijke waardigheid zal worden beroofd zoals wij dat werden. Ik zal blijven hopen dat de wedergeboorte van Afrika een vruchtbare bodem vindt en voor altijd zal bloeien, ongeacht de wisseling der seizoenen.

Ik zal werkelijk rust en vrede kennen wanneer die hoop een te verwezenlijken droom wordt en geen nachtmerrie die mij op mijn oude dag uit de slaap zal houden. Dan zal de geschiedenis, zullen de miljarden mensen over de hele wereld zeggen: we hadden gelijk te dromen en we hebben die droom door hard werken uitvoerbaar gemaakt.

Afrikaanse eenheid

Verklaring bij de vergadering van staats- en regeringshoofden van de Organisatie voor Afrikaanse Eenheid [OAE], Tunis, 13-15 juni 1994

In de Oudheid heeft een Romein het doodvonnis over deze Afrikaanse stad uitgesproken met de woorden *Carthago delenda est*: 'Carthago moet verwoest worden'.

En Carthago werd verwoest. Wanneer we vandaag de dag zijn ruïnes bezoeken, kunnen alleen onze fantasie en de historische bronnen ons zijn grootsheid nog voor ogen toveren. En alleen omdat we Afrikanen zijn kunnen we het jammerlijke gekerm van de slachtoffers van de wrok der Romeinen nog horen. En toch kunnen we beweren dat alle menselijke beschaving haar oorsprong vindt in ruïnes zoals deze van de Afrikaanse stad Carthago. Net als de piramiden van Egypte, net als de sculpturen van de oude koninkrijken van Ghana en Mali en Benin, net als de tempels van Ethiopië, de ruïnes van Zimbabwe en de rotsschilderingen van de Kgalagadische en Namibische woestijn, spreken deze archeologische resten van de bijdrage van Afrika aan de ontwikkeling van onze beschaving.

Maar Carthago werd, uiteindelijk, verwoest. Daarna werden lange tijd de kinderen van Afrika in slavernij afgevoerd. Andere landen namen onze landen in, met onze natuurlijke hulpbronnen verrijkten andere volkeren zich en onze koningen en koninginnen waren niet meer dan dienaren van vreemde mogendheden. En op het laatst werden we, omdat we het permanente slachtoffer van hongersnoden, verwoestende conflicten en natuurrampen waren, het ultieme voorbeeld van 'het goede doel'. We waren op de knieën gedwongen, door de geschiedenis, de samenleving en de natuur, en konden niet meer dan bedelen. Het doel dat de Romeinen met de verwoesting van Carthago voor ogen hadden gehad, was bereikt.

Maar de aloude trots van de Afrikaanse volkeren bleef ongebroken en bracht geweldenaren voort als koningin-regentes Labotsibeni van Swaziland, Mohammed v van Marokko, in Egypte Abdul Gamal Nasser, in Ghana Kwame Nkrumah, in Nigeria Murtala Mohammed, in Zaïre Patrice Lumumba, in Guinee-Bissau Amilcar Cabral, in Angola Agostinho Neto, in Mozambique Eduardo Mondlane en Samora Machel, in Botswana Seretse Khama, in Amerika W.E.B. DuBois en Martin Luther King, in Jamaïca Marcus Garvey, in Zuid-Afrika Albert Luthuli en Oliver Tambo. Hun daden, hun leiderschap in de strijd, maakten ons duidelijk dat Carthago noch Afrika ooit verwoest waren. Ze maakten duidelijk dat er een einde was gekomen aan de langdurige periode die met zo veel vernedering gepaard was gegaan. Ter ere van hen zijn wij vandaag samengekomen. Dat ik deze illustere vergadering vandaag kan toespreken, vormt een eerbewijs aan hun heldhaftigheid.

De geweldige inspanning waardoor Zuid-Afrika nu is bevrijd en die voor de bevrijding van heel Afrika heeft gezorgd, betekent een verlossing van de zwarte bevolking wereldwijd. Ook zij die, omdat zij nu eenmaal blank waren, de zware last op zich namen om over de hele mensheid te regeren, zijn erdoor bevrijd. Voor iedereen die niet alleen wil horen maar ook wil luisteren betekent het dat, door een einde te hebben gemaakt aan de barbarij van de apartheid die het gevolg was van de Europese kolonisering, Afrika opnieuw heeft bijgedragen aan de ontwikkeling van de menselijk beschaving en overal ter wereld de grenzen van de vrijheid heeft verruimd.

Ik ben hier vandaag niet gekomen om u te bedanken, broeders en zusters, want zo'n dankbetuiging zou, onder medestrijders, misplaatst zijn. Ik ben gekomen om u een groet te brengen en u geluk te wensen met een schitterende en historische overwinning op een onmenselijk systeem dat synoniem was met tirannie, onrechtvaardigheid en onverdraagzaamheid.

De geschiedschrijving van onze strijd zal spreken van Afrikaanse solidariteit en vasthoudendheid aan principes. Het zal een ontroerend verhaal vertellen over de offers die de volkeren van Afrika hebben gebracht om een einde te maken aan die onverteerbare belediging aan het adres van de menselijke waardigheid, over de misdaad van de apartheid tegen de menselijkheid. Het zal de bijdrage in kaart brengen die heel Afrika, van de kust van de Middellandse Zee in het noorden tot de samenvloeiing van de Indische en de Atlantische Oceaan in het zuiden, aan de vrijheid heeft geleverd – een bijdrage waarvan de waarde, als die van het goud in de bodem van Zuid-Afrika, onschatbaar is.

Het bloed van de kinderen van Afrika heeft gevloeid, opdat al haar kinderen vrij zouden zijn. Haar geringe welvaart en hulpbronnen zette ze in, opdat heel Afrika bevrijd zou worden. Haar wijsheid en haar gastvrijheid stelden ons in staat de overwinning te behalen. Miljoenen keren heeft zij de hand aan de ploeg geslagen en nu is de last van de onderdrukking die eeuwenlang in haar bodem leefde, eindelijk aan de oppervlakte gekomen.

Afrika is nu geheel bevrijd van buitenlands en blank minderheidsbewind. Het OAE-bevrijdingscomité, waarin onze collega's altijd zo uitmuntend hebben geopereerd, wordt thans ontmanteld. Wij zullen ons dat instituut altijd herinneren als een voorvechter van de vrijmaking van de volkeren van ons continent.

Ten slotte zullen wij op deze bijeenkomst hier in Tunis de kwestie van de apartheid in Zuid-Afrika van de agenda schrappen. Wanneer Zuid-Afrika weer op de agenda wordt gezet, laat het dan zijn omdat we willen bespreken wat haar bijdrage zal zijn aan de nieuwe Afrikaanse renaissance. Laat het dan zijn omdat we willen bespreken welke materialen we willen aandragen om de Afrikaanse stad Carthago te herbouwen.

Een historisch tijdperk is ten einde gekomen. Een nieuw tijdperk, met nieuwe uitdagingen, zal aanbreken. Afrika roept om een wedergeboorte; Carthago wacht erop in volle glorie herbouwd te worden. Als de vrijheidsstrijders tot doel hadden het hoofd van moeder Afrika met de kroon van de vrijheid te sieren, laat dan de ontwikkeling, het geluk, de voorspoed en de veiligheid van haar kinderen de parel in die kroon zijn.

We zullen het ongetwijfeld met elkaar eens zijn dat de Afrikaanse economieën opnieuw moeten worden opgebouwd. Uwe excellenties hebben deze kwestie reeds vele malen besproken en ideeën ontwikkeld die met succes zijn toegepast. Ieder van ons weet wat ons in principe te doen staat. Uiterst belangrijk is de kwestie dat Afrika nog steeds per saldo een exporteur van kapitaalgoederen is en te lijden heeft onder de verslechterende wereldhandel. Wij zijn slechts in geringe mate in staat op eigen benen te staan, om zelf de bronnen aan te spreken waardoor wij een duurzame ontwikkeling tegemoet kunnen zien.

Ook hebben we terecht aandacht besteed aan de ingewikkelde kwesties met betrekking tot de aard en de kwaliteit van het bestuur. Ook die kwesties zijn van cruciaal belang wanneer we onze volkeren het betere bestaan willen bieden waar zij recht op hebben. Laten we er niet omheen draaien: wat onvolkomen is in de wijze waarop wij onszelf besturen, is niet de schuld van een hogere macht, maar van onszelf.

Laten wij hulde brengen aan de belangrijke denkers van ons continent die zich hebben ingezet en nog steeds inzetten om ons de samenhang van de belangrijke kwesties van vandaag de dag te laten zien – vrede, stabiliteit, democratie, mensenrechten, samenwerking en ontwikkeling. Rwanda vormt op dit moment een terechtwijzing aan ons aller adres voor ons onvermogen iets aan deze onderling samenhangende kwesties te doen. Met als gevolg dat daar onder onze ogen een afschuwelijke slachting van onschuldige mensen plaatsvindt. We geven de wereld blijkbaar aanleiding te denken dat in Afrika nooit vrede en stabiliteit zal heersen, dat haar kinderen voor eeuwig veroordeeld zijn in armoede en onder onmenselijke omstandigheden te leven en dat we altijd wel de bedelaar zullen blijven uithangen.

Maar we hebben het vermogen als Afrikanen om het roer om te gooien. Wij moeten de daad bij het woord voegen en dat vermogen aanspreken. We moeten de daad bij het woord voegen en laten zien dat niets een nieuwe Afrikaanse renaissance in de weg staat.

Het bereiken van dat doel is de belangrijkste opdracht van Zuid-Afrika nu. We zijn lid geworden van deze vooraanstaande Afrikaanse organisatie en we zijn weer toegetreden tot de gemeenschap van Afrikaanse landen, gedreven door de wens alle landen op ons continent als gelijke de hand te reiken. Ons land zal nimmermeer een ander land door geweld, economisch overwicht of onderwerping de baas zijn. Wij zijn vastbesloten de idealen hoog te houden die u uitdroeg op het moment dat u zich aansloot bij de strijd om Zuid-Afrika van de apartheid te bevrijden. Die idealen waren het vestigen van een niet-racistische samenleving, waar ieder individu de aloude Afrikaanse waarden hoog hield: respect voor ieder en betrokkenheid bij de bevordering van de menselijk waardigheid, ongeacht huidskleur of ras.

Ons doel was een Zuid-Afrika waar geen sprake meer zou zijn van de etnische en nationale geschillen waardoor ons continent nog steeds wordt geplaagd. Wij deelden de hoop op een nieuw Zuid-Afrika dat bevrijd zou zijn van onderlinge strijd en van het geweld dat zo veel levens heeft gekost, bevrijd van de dreiging van burgeroorlog die miljoenen mensen in binnen- en buitenland op de vlucht heeft gejaagd. We hebben gebeden en offers gebracht voor een Zuid-Afrika dat het toonbeeld van democratie, gelijkheid en gerechtigheid voor iedereen zou zijn, iets dat de apartheid tot doel had de meeste mensen juist te ontzeggen.

Wij deelden het ideaal dat we de hulpbronnen van ons land konden gebruiken om een samenleving op te bouwen waar niemand meer te lijden zou hebben onder armoede, ziekte, onwetendheid en onderontwikkeling. Wij deelden de doelstelling om van Zuid-Afrika een land te maken dat een goede buur zou zijn en gelijkwaardig aan alle andere landen op het continent, dat zich met alle middelen en mogelijkheden zou inzetten voor de gezamenlijke strijd om Afrika's rechtmatige plaats binnen de wereldeconomie en -politiek.

De gezamenlijke overwinning van de volledige vrijmaking van Afrika moeten we gebruiken om ons continent als geheel verder te helpen. We staan klaar om te doen wat we kunnen om de genocide in Rwanda te helpen beëindigen en in dat zusterland vrede te helpen stichten. Ook sluiten wij ons aan bij de eminente staatshoofden en regerings- en delegatieleiders die aandringen op een snelle uitvoering van de besluiten van de OAE en de VN inzake de Westelijke Sahara. Wij wensen de leiders en het volk van Angola toe dat de onderhandelingen zo spoedig mogelijk inderdaad tot de permanente en rechtvaardige vrede zal leiden die het volk van dat land zo zeer verdient. Ook willen we onze krachtige wens uitspreken dat alle betrokkenen de noodzakelijke maatregelen nemen om het vredesproces in Mozambique en Liberia te laten welslagen, om de oorlog in Soedan te laten eindigen en om de democratie en de stabiliteit in Lesotho te beschermen. Wij roepen de wereldgemeenschap op om zonder enige terughoudendheid de hongersnood die oostelijk Afrika bedreigt te lijf te gaan.

Wij kunnen u tot onze vreugde mededelen dat Zuid-Afrika haar lidmaatschap van de OAE heeft betaald. Als bewijs van de steun van de bevolking van ons land aan de vredesinspanningen van Afrika, kunnen wij de Vergadering ook nog meedelen dat we een extra bedrag van een miljoen rand ter beschikking hebben gesteld aan het vredesfonds van de OAE.

Wij wensen u [Zine El Abidine Ben Ali] geluk met uw verkiezing tot voorzitter van de OAE en we danken u, uw regering en uw bevolking voor de bijzondere wijze waarop u ons heeft welkom geheten. We zijn blij hier te zijn, aangezien Tunesië een van de eerste landen op ons continent was die onze hulpvraag beantwoordde toen we gedwongen werden de wapens op te nemen in onze bevrijdingsstrijd. Wij danken onze broeder, president Hosni Mubarak, voor zijn bijzondere inzet gedurende zijn voorzitterschap, onder andere door leiding te geven aan de OAE bij haar inspanningen een einde te maken aan het politieke geweld in ons land en voor het houden van vrije en eerlijke verkiezingen. Onze dank gaat verder uit naar onze secretaris-generaal, H.E. Salim Ahmed Salim, het secretariaat van de OAE, het hoofd van de OAE-missie aan Zuid-Afrika, ambassadeur Joe Legwaila, de staatshoofden en regeringsleiders en de gehele bevolking van ons continent die ons hebben geholpen succesvol het laatste stuk van de moeizame weg naar de vrijheid af te leggen.

Uw offers en uw inspanningen zijn niet voor niets geweest. Uw beloning is een vrij Afrika. Uw daden hebben u de helden en de heldinnen van onze tijd gemaakt. Op uw schouders rust de verantwoordelijkheid ons continent zijn waardigheid terug te geven. Wij zijn er zeker van dat u zult zegevieren over de misstanden uit het verleden, en ervoor zult zorgen dat het tijdperk van vernedering zoals onder andere gesymboliseerd door de verwoesting van Carthago, definitief tot het verleden zal behoren.

God zegene Afrika.

De solidariteit van vredelievende naties

Toespraak ter gelegenheid van de uitreiking van de Nationale Onderscheiding aan prins Bandar bin Sultan (bin Abdul Aziz al Saud), ambassadeur van Saudi-Arabië in de Verenigde Staten, en Jakes Gerwel, Kaapstad, 11 mei 1999

Ik heet iedereen van harte welkom bij deze huldiging vanmiddag. Het gebeurt niet vaak dat er een aparte ceremonie wordt belegd voor het uitreiken van een nationale onderscheiding, maar de uitzondering van vandaag is geheel terecht.

Wij huldigen niet alleen de uitzonderlijke, buitengewone prestaties van twee bijzondere personen, maar we vieren ook het succes van de benadering van een probleem die is gebaseerd op de door iedereen en overal gedeelde menselijkheid. Het is verheugend dat we eens te meer reden hebben te hopen dat de vreedzame oplossing van geschillen de gewoonste zaak van de wereld wordt.

Ook zijn we dankbaar voor het feit dat deze gebeurtenis tevens de betekenis en de autoriteit van de vn bevestigt als wereldorganisatie die verantwoordelijk is voor ons collectieve handelen in het najagen van de wereldvrede.

Dat lijken misschien grote woorden, temeer wanneer er slechts twee personen de aanleiding voor lijken te zijn. Maar het staat buiten kijf dat zonder de inspanningen en de kwaliteiten van de twee individuen die wij vandaag de hoogst mogelijke eer betonen, er niet in een Schotse rechtbank in Nederland twee mannen hun proces zouden afwachten, met goede hoop op een eerlijke rechtsgang; de families van de slachtoffers van de Lockerbieramp geen troost zouden kunnen putten uit het feit dat er recht gesproken zal worden; en het Libische volk nog steeds onder sancties gebukt zou gaan en in de angst zou leven die het gevolg is van de herinnering aan de gewapende aanval op hun hoofdstad.

De hulde aan deze twee gezanten is meer dan terecht. Zij hebben hun prestatie gerealiseerd door een uitzonderlijke combinatie van vaardigheden en deugden: discretie, bescheidenheid, geduld, rechtvaardigheidsgevoel en de hoogstaande intellectuele en morele standaard die zowel vertrouwen bevestigt als wekt in een situatie die al jaren wordt gekenmerkt door conflicten en spanningen. Maar we weten ook dat wat zij gedaan hebben werd gecompliceerd, en tegelijkertijd mogelijk gemaakt, door de internationale ambiance waarin zij moesten opereren, enerzijds bepaald door de instituten en normen die op gerechtigheid en vrede uit zijn, en anderzijds door hardnekkige, langdurige geschillen.

Zij moeten om hun discretie worden geprezen, omdat deze zaak aan de allergrootste belangen raakte en aanleiding gaf tot gevoelens en standpunten die op dat niveau wel eens eerder verkeerd waren uitgelegd. De sterke internationale media-aandacht dwong hen ertoe permanent in de schijnwerpers te staan. 'Lockerbie' en 'Libië' waren mijlpalen geworden in het medialandschap dat de wereld verdeelde in goed en kwaad, redelijk en redeloos, heiligen en demonen.

Moeten wij als internationale gemeenschap nu niet een stapje terugdoen en ons, in de nasleep van de oplossing van de Lockerbie-kwestie, niet eens afvragen of we, met de communicatiemiddelen die ons ter beschikking staan, de wereldvrede wel op de juiste manier dienen door de wijze waarop we anderen voorstellen, met name hoe we andere religies dan onze eigen voorstellen?

Misschien moeten we ons maar eens afvragen of de wijze waarop in de media met name de islam wordt getoond, niet bijdraagt aan een nieuwe scheiding in de wereld van na de Koude Oorlog.

De onmenselijke etnische zuiveringen in Joegoslavië kunnen ons aan het denken zetten over de invloed op ons gedrag hoe de wijze waarop we over elkaar spreken, ons gedrag beïnvloedt. Met het beeld van de verwoestende bombardementen op de hoofdstad van een soevereine staat voor ogen, kun je je afvragen of de media zich niet laten gebruiken voor het voortzetten van een conflict waarvan de oplossing door onderhandelingen en via de VN moet worden gezocht.

De vreedzame oplossing van conflicten door middel van onderhandeling wordt niet alleen in de weg gestaan door de wijze waarop wij elkaar demoniseren. Het gebeurt ook door de mate waarin we politieke en internationale processen los zien van de morele betrekkingen tussen mensen onderling.

Onze gezanten slaagden omdat zij van een bepaalde morele vooronderstelling uitgingen: mensen hebben goede bedoelingen, tenzij het tegendeel is bewezen; wij delen een menselijkheid en worden geleid door dezelfde hoop en vrees, gevoelens en idealen. Daarvan uitgaande, zijn gesprekken en discussies de opmaat voor de oplossing van geschillen.

In Zuid-Afrika heeft de bevolking er generaties lang onder geleden dat de machthebbers weigerden op die basis te praten met degenen die zij onderdrukten.

Door onze tegenstanders te dehumaniseren en te demoniseren, ontnemen we onszelf de mogelijkheid om op vreedzame wijze onze verschillen te overbruggen en nemen we onze toevlucht tot de rechtvaardiging van geweld.

De prestatie van onze twee gezanten, een Afrikaan en een Arabier, belichaamt tevens het feit dat volkeren die door een overmacht werden weerhouden hun lot in eigen handen te nemen, in hun eer zijn hersteld en opnieuw een belangrijke invloed op het wereldtoneel en op het verloop van de geschiedenis van de mensheid uitoefenen. Hun prestatie is daarom een belangrijke bijdrage aan de wedergeboorte van de relatie tussen het Afrikaanse continent en de Arabische wereld.

Meer in het bijzonder loopt hun prestatie in de pas met de opvatting van hen die, omdat zij hun vrijheid hebben bereikt door de collectieve steun van anderen, er steeds vaster van overtuigd zijn dat de problemen waar de wereld voor staat om collectieve oplossingen en een consequente multilaterale benadering vragen. Ook vragen we vandaag erkenning voor het feit dat zij door wat ze hebben gedaan, trouw en op gedisciplineerde wijze de secretaris-generaal van de vn hebben gediend.

Naast de eer die deze twee individuen voor hun prestatie toekomt, moet onze dank ook uitgaan naar drie staatshoofden of regeringsleiders die bereid waren nét die ene stap extra te zetten om een zaak op te lossen die de wereld veel te lang heeft beziggehouden, al was een verstandig compromis nooit ver weg.

De huidige ontwikkelingen op ons eigen continent en elders in de wereld zijn vaak weinig bemoedigend. Maar wat deze twee politici op dit gebied hebben gedaan, biedt hoop dat de leiders die ons het volgende millennium in leiden, mannen en vrouwen zullen zijn die het welzijn van de mensheid als geheel belangrijker vinden dan sektarische en nationalistische overwegingen.

Ons huldeblijk aan hen is tevens een dankbetuiging aan de secretaris-generaal van onze wereldorganisatie. In de relatief korte periode dat hij aan het roer staat heeft hij laten zien dat hij een bijzondere gave heeft om de goede wil en de vermogens van mensen te mobiliseren ten bate van inspanningen voor de vrede. Hij toont daarmee aan dat wij mensen zijn dankzij andere mensen, en zo heeft hij zijn Afrikaanse erfgoed centraal op de internationale agenda gezet.

Vandaag vieren we dat we de nationale onderscheiding van Zuid-Afrika uitreiken. Laten we daarmee tegelijkertijd onze eenheid als een natie die in harmonie met zichzelf is, en de internationale solidariteit van vredelievende naties vieren.

Verantwoording

In 2003 verscheen bij Jonathan Ball Publishers (Johannesburg en Kaapstad) het omvattende boek *From Freedom to the Future*, samengesteld door Kader Asmal (minister van Onderwijs), David Chidester (hoogleraar religieuze studies aan de Universiteit van Kaapstad) en Wilmot James (hoofd van het onderzoeksprogramma naar integratie van de Human Sciences Research Council).

Amandla! is een ruime keuze uit *From Freedom to the Future*.

Register